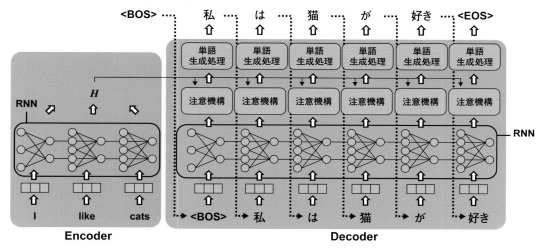

図 **8.3** 翻訳のための系列変換モデルの全体像

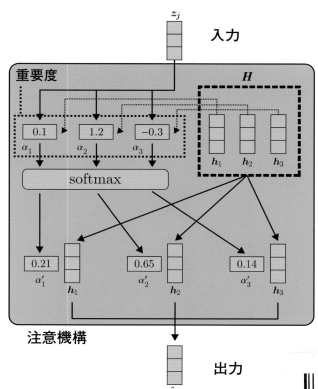

図 **8.4** 注意機構の内部構造

JN016808

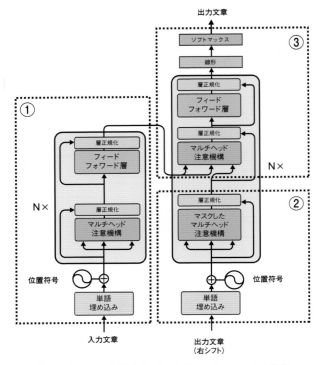

図 8.8●GPT で利用されている Transformer の全体像

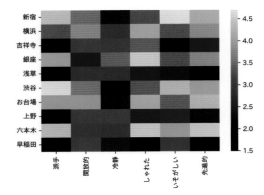

図 10.5●都市とイメージを結び付けるヒートマップ

(a) 生成時にゴッホと指定　　　　　　　　　　(b) 生成時にダリと指定

図 12.3 ●GAN で生成された画像

図 12.7 ●pix2pix の例
カバンの線画を写真に変換
衛星写真を地図に変換

図 **12.12**●スーパーヒーローのアインシュタイン

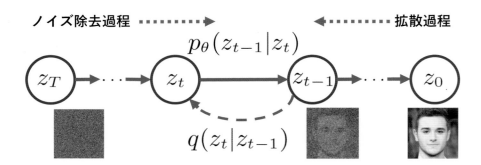

図 **12.16**●画像生成における拡散過程とノイズ除去過程

人工知能入門

── 初歩からGPT/画像生成AIまで ──

豊田 秀樹　編著

東京図書

まえがき

　本書は、人工知能に関してまったく知識のない初心者の方を読者対象とした入門書です。やさしい記述による理論の説明、日常生活でなじみ深い応用例の紹介を通じて、実用的な意味での人工知能の実践的知識と技能を解説します。具体的には、拙編著のシリーズ「共分散構造分析 [R編] [Amos編] 東京図書」 [65, 67] の記述レベルを念頭におきました。心理学・社会学・教育学・経済学・医学・看護学・農学・人類学・マーケティング等の分野における卒業論文・修士論文の執筆に利用してください。

　チャット GPT は、2023 年に、汎用会話型 AI として、社会・教育・学術・芸術・ビジネス活動の中心に、急速に根付きました。同時に深刻な社会問題・教育問題・著作権問題をも引き起こしています。また汎用会話型 AI と並び称される人工知能としては、画像・動画生成 AI が挙げられます。対話による絵画・写真・動画の作成という新境地を切り開いた生成 AI は、無限の可能性を秘めています。しかし生成 AI のために、訴訟における証拠写真・動画は信用できなくなるかもしれません。「『ロシアに降参する』と演説したゼレンスキー大統領のフェイク動画」や「検察に収監されるトランプ元大統領のフェイク画像」は世界に混乱を招きました。画家・作曲家・作家の存在理由・形態は、生成 AI によって否応なく急速に変化するでしょう。

　我々人類は、AI と真剣に対峙しなければならない重要な岐路に立たされています。汎用会話型 AI・生成 AI の知識は、どのような職業に就こうとも、現代社会に生きる私たちの必須の教養です。本書はこれらの AI のアーキテクチャを、基礎から順番に、丁寧にかみ砕いて説明します。概説だけではなく細部をも解説します。

　登場する分析例は、無料でオープンソースの Python を用い、読者自ら追計算できます。東

京図書の web ページ (http://www.tokyo-tosho.co.jp/) からスクリプトをダウンロードして下さい。配布されたコードを実行し、コードのコメント・本文を読みながら、結果を確認してください。卒論や修論を書く際の即戦力になるはずです。実装環境にはグーグルのコラボラトリー (Google colaboratory) を選びました。コラボラトリーはお手持ちのブラウザを利用して無料で直ぐに使い始められます。インストール等の環境構築の手間がゼロで、とても快適です。この本がきっかけとなり、データサイエンティストを目指す文系の学生が少しでも増えたら、編者・著者一同こんなに嬉しいことはありません。

ここまでが、著者を代表したまえがきです。しかし本書には、編者の個人的体験に基づく、編者だけの1つの願いが込められています。それは本書をきっかけに研鑽を積み、FIRE（financial independence retire early）宣言する読者が生まれて欲しいという願いです。FIRE とは経済的自立よる早期リタイヤです。若くして働かなくても暮らしていける状態です。

ディープラーニングという言葉がまだ登場する以前、1996 年に、「非線形多変量解析」[70] と題した書籍を編者は公刊しました。その書籍は、ラメルハート流のバックプロパゲーション (BP) を FORTRAN で実装し、ニューラルネットワークを汎用的な非線形多変量解析として利用することの有効性を世に問う内容でした。編者は、非線形多変量解析としてのニューラルネットワークの有効性に関して強い確信を持っていました。

同時期、株取引は、インターネットが主流になりました。それまでの電話での売買注文は、往復2%程の手数料がかかっていました。しかしネット注文なら往復0.1%程の手数料で済みます。ちなみに公営ギャンブルの手数料は約 30%(期待値約 0.7) です。手数料が 0.1%(期待値が 0.999) の株取引なら、BP のニューラルネットで利益を出せるのではないかと考え、自身の主張を身銭で検証しました。当時の投資の様子は「心理学ワールド」 [68] で報告しています。

スクレイピングという専門用語はまだありませんでしたが、日経ファイナンスのＨＰから自動的に株価を取得しました（今は、禁止されています）。標的銘柄の株価が、次の1週間に上がるか下がるか、2値の判別が目標です。3層のニューラルネットを用い、交差検証してモデルの有効性を確かめ、週末に売買注文をまとめて出すという戦術を淡々と実行しました。標本誤差から被害を受けないように、試行数（銘柄数）を増やすことを心掛けました。研究活動に支障が

出ないように（またギャンブル特有の脳内麻薬が出ないように）週末だけ活動することを戒めとしました。AI を使ったこのようなトレードを個人で実行していたのは、当時、編者だけでした。

　IT バブル崩壊の影響も全く受けず、成果は目覚ましいものでした。どのくらい目覚ましかったかというと「高額納税者公示制度（俗に言う長者番付）が廃止されて助かった」と胸を撫でおろすほど目覚ましいものでした。もちろん公正に適切に納税しました。結果、編者は 40 代で隠居宣言します。今風に言うと FIRE 宣言ですが、当時 FIRE という言葉はまだありませんでした。

　大学は辞めてもよかったのですが、無職は却っていろいろ面倒で、目立つので、中島義道「人生を＜半分＞降りる」と杉浦日向子「半分隠居」を人生の師と仰ぎ、生き方の手本としました。もう隠遁大学人としての期間の方が長くなりました。その間、やりたくない仕事はせず、楽しいことだけして暮して来ました。辞めても良いわけですから、怖い者なしです。これからもそうします。 FIRE 宣言できたお陰で、お金ほど便利な道具は他にないことを心底思い知りました。しかし同時に、人生の真の幸福や満足は、決してお金では買えないことをも実感しました。パラドキシカルですが、強がりではなく、本心から「幸せはお金では買えない」と言い切れることが FIRE した者の幸せです。

　利益を出すためにはタイミングが大切です。現在、そのまま編者のまね（3 層ニューラルネットで交差検証して投資）をしても多分報われないでしょう。ニューラルネットは非線形多変量解析であるという関係性に (20 世紀中に) 気づき、しかも実際に身銭で行動に移した研究者が他にいなかったから、当時は成功したのです。誰も気が付いていないアイデア。もし編者が清貧な 20 代だったら「ぜひ挑戦してみたい！」とワクワクするようなアイデアの原石が、本書には、無数に散りばめられています。FIRE してしまった編者の人生には、もう関係ありませんが、賢明なる読者諸兄におかれては、編者の跡に続き、本書中に宝を見つけ出して欲しいと祈念しています。

2023 年 10 月 31 日

豊田秀樹

著者紹介

（2023 年 9 月現在）

■編著者

豊田秀樹　　　　早稲田大学文学学術院教授（はじめに, 第 1 章, 第 12 章）

■執筆者

馬　景昊　　　　早稲田大学大学院文学研究科（第 7 章, 第 8 章, 第 11 章）

佐々木研一　　　早稲田大学大学院文学研究科（第 2 章, 第 4 章, 第 8 章, 第 12 章）

泉荘太朗　　　　早稲田大学大学院文学研究科卒業生（第 6 章, 第 12 章）

堀田晃大　　　　早稲田大学大学院文学研究科卒業生（第 5 章, 第 7 章, 第 11 章）

門田凌典　　　　早稲田大学大学院文学研究科（第 8 章, 第 12 章）

浅野懐星　　　　早稲田大学大学院文学研究科（第 3 章, 第 8 章, 第 10 章）

加藤　剛　　　　早稲田大学文学部（第 8 章, 第 9 章, 第 10 章）

人工知能入門●目次

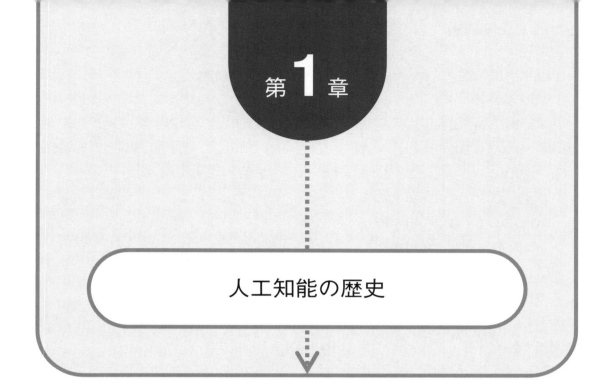

第**1**章

人工知能の歴史

　1956 年 7 月、米国ダートマス大学で、後世の歴史に残る会議が開かれた。マッカーシー (主催者)・ミンスキー・ロチェスター・シャノン等が企画したこの会議の提案書には、人類史上初めて人工知能（artificial intelligence, AI）という用語が使われた。この通称ダートマス会議 [46] を嚆矢とする人工知能の歴史は、基礎研究の進展の勢いに応じて、大まかに以下のような歴史区分で説明される。年代に関しては立場によって、若干前後するようである。

　　　第 1 次 AI ブーム　　1950-1960 年代
　　　AI の冬の第 1 期　　1970 年代
　　　第 2 次 AI ブーム　　1980 年代
　　　AI の冬の第 2 期　　1990 年代-2000 年代
　　　第 3 次 AI ブーム　　2010 年代以降現在まで

ただし本章では必ずしも時間の流れに沿うのではなく、章立てに沿った内容分類で AI の歴史を概観する。その際、可能な限り原典を引用するように心がけた。

1.1　決定木　第 3 章

　決定木 (decision tree) は、図 1.1 に示されたような、if then 形式の決定ルールを生成する統計手法である。分類を目的とする場合は分類木 (classification tree)、数値を予測する場合には回帰木 (regression tree) という。決定木の嚆矢はモーガン・ソンキスト (1963) [45] の自動交互作用検出 (automatic interaction detection, AID) である。人工知能というよりは統計学の文脈で、線形重回帰分析では捉えられないデータの構造を見出すことを主眼として AID は提案された。

　人工知能の分野では if then 形式の知識表現をプロダクションシステムまたはエキスパートシステムという。最初のエキスパートシステムは、ショートリフ等 (1975) によるマイシン (MYCIN) [60] である。マイシンは 500 程度の if then 規則から構成され、単純な「はい/いいえ」の質問に答えるだけで、伝染性の血液疾患の原因菌を診断した。また何故そう推論した

かという理由、推奨される薬物療法のコースも教えてくれた。緑内障の診断をするカスネット (CASNET)、問診による内科の診断をするインターニスト (INTERNIST) 等、人間には到底覚えきれない数の薬の効能と症状との関係を結び付け、エキスパートシステムは医師に適切なアドバイスを与えた。マイシンを始めとする初期のエキスパートシステムは LISP という計算機言語を用い、専門家へのインタビューを元に if then 規則を直接プログラムしていた。しかし科学の進歩による知識の増加・変更は激しく、 if then 規則をそのつど書き換えなければならない直接プログラム方式は、コスト的に見合わなくなっていった。

統計学の分野で生まれた決定木は、if then 形式の規則をデータから自動的に発見する方法論として人工知能の分野で再評価され、エキスパートシステムの知識獲得部分にしばしば用いられるようになった。キンラン (1986) の ID3 (iterative dichotomiser 3) [52] は平均情報量の期待値を使って決定木を成長させた。AID は、基準

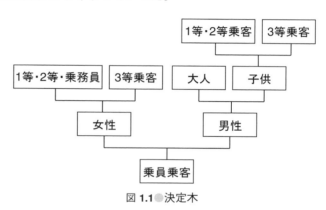

図 1.1●決定木

変数が 2 値で分岐も 2 値だったが、CART (classification and regression trees) は、連続変数と多値を同時に扱えるようにして、分類木と回帰木を統一した。またカス (1980) の CHAID (chi-squared automatic interaction detection) [34] は、カイ 2 乗値を利用する等、決定木は進歩を続けた。

第 3 章では決定木の理論と実践について学ぶ。

1.2 アンサンブル学習 第4章

アンサンブル学習 (ensemble learning) とは、複数の学習器を組み合わせて過学習を防ぎ、汎

化性能や交差妥当性を高める方法群の総称である。学習器としては、決定木・ニューラルネット・その他、特定の手法に限定されない。その意味でアンサンブル学習はメタアルゴリズムである。

　アンサンブル学習は、並列アンサンブル法 (parallel ensemble method) と逐次アンサンブル法 (sequential ensemble method) の 2 種類に大別される。並列アンサンブル法は、複数の予測モデルを独立に扱うことが特徴であり、複数の学習器の多数決や平均を利用する。並列アンサンブル法の嚆矢は、エフロン (1981) のブートストラップ法 (bootstrap method) [13] であり、ブライマンによるバギング (bootstrap aggregating, BAGGING) [8]・ランダムフォレスト (random forest) [7] 等がしばしば実践に供される。

　逐次アンサンブル法は、複数の学習器を使用する点が並列アンサンブル法と共通している。ただし独立に学習するのではなく、2 つ目以降の i 番目の学習器が、$i-1$ 番目の学習器の残差 $z-\hat{z}$ を基準変数として学習を進める点で異なっている。逐次アンサンブル法の嚆矢はブースティング [33] であり、アダブースト (adaboost) [15]・勾配ブースティング (gradient boosting) [40] へと改良が進んでいる。勾配ブースティング決定木 (GBDT) は実務やコンペでしばしば利用され、 xgboost, lightgbm, catboost 等のライブラリが利用されることが多い。

　第 4 章では、第 3 章で学んだ決定木を例にとり、アンサンブル学習の理論と実践について学ぶ。

1.3　神経細胞のモデル化 第 5 章

　脳の神経細胞は図 1.2 に示したように、細胞体 (soma)・樹状突起 (dendrite)・軸索 (axon) の 3 つの部分から構成されている。脳の神経細胞の多くは 100 ミクロン程の空間的広がりを持ち、情報の入出力を司る情報処理素子の役割を果たしている。樹状突起は他の神経細胞からの情報を受け取る入力部であり、軸索は出力部である。軸索の末端にはシナプス (synapse) と呼ばれる部位があり、他の細胞の樹状突起と接続している。

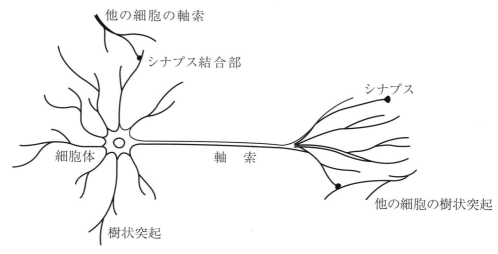

図1.2●神経細胞の模式図

　細胞体の電位は、平静時、外部より 70mv ほど低い。樹状突起を通じて他の神経細胞から情報が入ってくると、それによって電位が変化する。電位が上昇し、外部との差が 55mv に縮まると、突然、時間にして約 1ms、平静時とは逆に外部より 50mv 程高い電位となる。

　これを神経細胞の興奮という。神経細胞が興奮する臨界の電位の値を閾値 (threshold) という。興奮の情報は、軸索・樹状突起を伝わり、シナプスを介して他の細胞に伝達される。神経細胞間の情報伝達は、軸索と樹状突起の結合部で行われ、この部位をシナプス結合という。シナプス結合は、図1.3 で示したように軸索側のプリシナプス・シナプス間隙というすき間・樹状突起側のポストシナプ

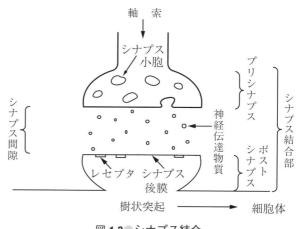

図1.3●シナプス結合

スの 3 つの部分から構成されている。

軸索からプリシナプスに興奮が到達して電位が上昇すると、プリシナプスは神経伝達物質と呼ばれる化学物質を放出する。シナプス間隙を拡散した神経伝達物質はポストシナプスの受容体に吸収される。神経伝達物質には、興奮性と抑制性の 2 種類がある。興奮性の神経伝達物質が多ければ、その量に応じて後続する細胞の興奮を強く促す。逆に抑制性が多ければ、その量に応じて興奮を強く抑制する。細胞内では電気的に、細胞間では化学的に情報が伝達される。

平静と興奮の 2 値の状態を示す脳の神経細胞に関して、マッカロ・ピッツは 1943 年に、人工ニューロンを提案した。この研究 [47] では、

$$x = \sum_{i=1}^{I} w_i u_i \tag{1.1}$$

$$u = \begin{cases} 1 & b \leq x \\ 0 & x < b \end{cases} \tag{1.2}$$

という数理モデルが示され、人工ニューラルネットの嚆矢として、後世の研究の基礎となった。

(1.1) 式、(1.2) 式で表現される 1 つの細胞は I 個の先行する細胞とシナプス結合している。第 i 番目の細胞が興奮すれば $u_i = 1$ となり、平静なら $u_i = 0$ である。第 i 番目の細胞とのシナプス結合で興奮性の神経伝達物質が放出されるなら $0 < w_i$ であり、抑制性の神経伝達物質が放出されるなら $w_i < 0$ である。w_i の絶対値は神経伝達物質の量を表現している。b は当該細胞の閾値である。(1.1) 式左辺の x は当該細胞内の電位を表現しており、その電位 x が閾値 b より大きければ興奮し、閾値 b より小さければ平静のままであることを (1.2) 式は示している。

このような素子を多層で組み合わせると、いくらでも複雑な論理演算を表現することが可能になる。脳内には単純な仕組みの神経細胞しか存在しないのに、知的な思考が可能になる仕組みの一端をマッカロ・ピッツのモデルは示したのである。

人間の学習の本質は「経験によってシナプス結合部の興奮性と抑制性の伝達物質の量が変化すること」であることをヘッブが発見する。これをヘッブの学習則 (Hebb's rule, D.O.Hebb, 1949) [18] という。ローゼンブラットは、入力層と出力層のみの 2 層の人工ニューロンの w_i と

b を学習によって変化させるパーセプトロン (perceptron, 1958) [57] を提案し、ヘッブの学習則を実装した。しかし 2 層の人工ニューロンでは、学習できる内容に限界があることをミンスキー・パパート (1969) [48] によって示されてしまう。パーセプトロンの限界の指摘により、人工ニューロン研究は一時期停滞する。ここまでが人工ニューロンの純粋な基礎研究期である。1986 年にラメルハート等 [58] が提案した学習法である誤差逆伝播法 (バックプロパゲーション, backpropagation, BP) によって多層パーセプトロンの学習の道が開けた。人工ニューラルネットは誤差逆伝播法を実装することによって、純粋な基礎研究を脱し、産業界で広く利用されるようになる。ただし、残念なことにあまり知られていないが、BP の本質は日本人研究者の甘利俊一氏が 1967 年に提案した確率勾配降下法 [2] である。

第 5 章では多層パーセプトロンの誤差逆伝播学習の理論と実践について学ぶ。

1.4 再帰的ニューラルネット 第 6 章

言語や音楽や株価など、どう連なっているかの並び順が本質的に重要なデータを時系列データ (time series data) という。リカレント (再帰的) ニューラルネットワーク (recurrent neural network, RNN) は時系列データを分析するニューラルネットワークである。深層から情報の一部が戻ってくるトポロジーのネットワークに時系列データを入力すると時間の記憶 (memory of time) と呼ばれる情報を持つことが知られている。RNN は時間の記憶を利用する。

リカレントネットワークの嚆矢は、1986 年提案のジョルダン型ネット [29] と 1990 年提案のエルマン型ネット [14] である。ジョルダン型は出力層からのフィードバックがあり、出力層の情報を用いるためロボット等の運動制御に利用される。エルマン型は中間層からのフィードバックがある。エルマン型ネットは、内部状態を利用するため機械翻訳等の言語処理に利用される。使用頻度から、単に RNN というとエルマン型を指すことが多い。

時間遅れネットワーク (Lang, 1990) [36]、エコー状態ネットワーク (Jaeger, 2001) [27] 等、RNN には様々なバリエーションが提案された。中でも、層が深くなると学習が進行しにくくな

る勾配消失問題 (vanishing gradient problem) に強い耐性をもつ ホッヒライター ＆ シュミットフーバー (1997) [21] の LSTM (long short-term memory, 長期短期記憶) は応用上重要である。

第 6 章では、エルマン型 RNN の理論と実践について学ぶ。

1.5　畳み込みニューラルネット　第7章

　畳み込みニューラルネットワーク (convolutional neural network, CNN) は、主として画像や動画認識に広く使われる。CNN は、福島邦彦氏によって提唱されたネオコグニトロン [16] に起源を持つ。シフト不変（shift invariant）または位置不変（space invariant）という性質のために、画像の中の任意の場所に存在する特定のパターンの識別を得意とする。音声・時系列・信号データなど、画像以外の特定のパターンを識別する際にも力を発揮する。

　畳み込みニューラルネットワークの実力を世界に知らしめた出来事は、2012 年の ILSVRC (imagenet large scale visual recognition challenge) での SuperVision チームの優勝である。2010 年から開催されている ILSVRC は、大量のカラー画像をどれだけ精度よく、正しいカテゴリに分類できるかを競うコンペティションである。ヒントン率いる SuperVision チームの AlexNet [35] は正解率 83.5 ％で優勝し、しかも 2 位（正答率 73.8 ％）に 10 ポイントもの大差をつけての圧勝であった。AlexNet は CNN を実装しており、畳み込み層 5 層にプーリング層 3 層という深い層構造から構成されていた。AlexNet の優勝は、CNN の実力ばかりでなく、層を深くすることの重要性をも学界・産業界に印象付けた。

　畳み込みニューラルネットワークは

　　医療画像検出: 無数の病理画像を学習し、画像中のがん細胞の有無を検出する。

　　フレーズ検出: 例えば「Hey Siri!」のような特定の単語やフレーズを検出する。

　　道路標識検出: 自動運転では視界中の標識を正確に検出し判断を行う。

　　顔認識： 2023 年現在、Meta の DeepFace の顔の正解率は 97% である

など、すでに我々の周囲で大いに活躍している。

　第 7 章では畳み込みニューラルネットワークの理論と実践について学ぶ。

1.6　自然言語処理 第 8 章

　自然言語処理 (natural language processing, NLP) とは、私たちが日常使う言葉をコンピュータに理解・処理させる技術の総称である。飽くまでも SF であるが、1968 年公開の映画「2001 年宇宙の旅」(A.C. クラーク原作) に登場する人工知能 HAL9000 が NLP の 1 つの完成形のイメージである。ただし 2001 年に HAL9000 は登場していないし、2003 年 4 月 7 日に鉄腕アトムも誕生していない。自然言語処理は今だ発展の途上にある。ただし 2022 年秋に、日本人ユーザが爆発的に増加した OpenAI の ChatGPT の会話力は、明らかに一部の人間を既に超えている。分野を問わないという意味で、ChatGPT は汎用人工知能（artificial general intelligence, AGI）に一歩近づいたと言われている。

　研究の歴史は古く、チューリング (1950) [71] のチューリングテストまでさかのぼる。チューリングテストでは審判が、AI あるいは人間と、自然言語による会話を行う。5 分間の会話の後に「会話相手が AI か人間か」を審判が判定する。審判の 30 ％をだませれば、その AI はテスト合格である。ユージーン・グーツマンという AI (ウクライナ在住の 13 歳の少年という設定)が、2014 年、史上初めてチューリングテストの「合格者」になった。

　会話が初めてできるようになった人工知能はワイゼンバウム (1966) [75] のイライザ (ELIZA)である。イライザは来談者中心療法のセラピストのような日常会話ができた。会話するソフトをチャットボットといい、近年、企業の問い合わせ窓口業務の一部を担っている。チャットボットの中で、特に無目的な雑談をする AI を人工無能という。イライザは人工無能の起源となった AI と言えよう。日本マイクロソフトが 2015 年に開発した人工無能「りんな」は、LINE と Twitter のアカウントを持っており、誰とでも日本語で雑談してくれる。当初、女子高生だった「彼女」は 2019 年に高校を卒業し、エイベックスと契約して歌手デビューした。

　もっと知的な分野では、2011 年に IBM の人工知能ワトソンが、米国の TV クイズ番組「ジョパディ！(Jeopardy!)」に出演し、2 名の人間のチャンピオンと同時に対戦して勝利した。答えられると確信した問いに、ワトソンは読み上げ開始から 3 秒で解答し、確信できないときには敢えて沈黙し、対戦者のミスを誘った。

　国立情報学研究所と富士通研究所で共同開発された「東ロボくん」[5] [28] が、2013 年から東京大学の入試に挑戦した。MARCH（マーチ）合格水準の学力を示したが、2016 年に東大合格を諦めている。一方 2 年後、2018 年にはアリババとマイクロソフトの人工知能が、スタンフォード大学の読解力テストで、過去に人間が達成した最高点よりも優れた成績を残した。人工知能が東京大学に合格する日が、いつか来るのかもしれない。

　ミコロフ他 (2013) の word2vec (word to vector) [43] は、単語の意味をベクトルとして表現することに成功した。この方法の長所は文脈に依存せずに、単語間の類似性を用いて単語の意味を定義できる点にある。対して 2014 年に提案された seq2seq（sequence to sequence）[63] は、文字列・文章列等の系列を受け取って別の系列を返す。seq2seq は自然言語による人間と AI の対話の基礎を作った。ただし RNN、LSTM ベースの seq2seq には長文を扱うことが難しいという欠点があった。注目した単語の意味は、必ずしも近接した単語からのみ影響を受ける訳ではなく、遠く離れた単語から影響を受けることが少なくないからである。

　バーダナウ (2015) [6] は、attention（注意機構）と呼ばれるテクニックを利用して、従来の seq2seq の欠点を克服した。attention は、単語間の距離とは無関係に重要度のスコア付けを行い、スコアの高い部分に注意を向ける。その考え方を極限まで押し進め、ヴァスワニ (2017) [72] は「再帰も畳み込みも一切使わない。attention だけでいい (attention is all you need.)」と主張をして Transformer というシステムを実装した。

　自動翻訳の分野では、2017 年に DeepL 社が公開した DeepL が注目に値する。2020 年から日本でも利用可能になり、2023 年現在、DeepL は 27 言語以上に対応している。

　2018 年に Google が公開した BERT [11]（bidirectional encoder representations from Transformer, Transformer による双方向のエンコード表現）は、Google 翻訳と Google 検索の性能を劇的に向上させた。BERT は Transformer のエンコーダ部分を大規模に事前学習

する方法を採用している。Google 翻訳の対象はすでに 100 言語以上である。

OpenAI の GPT [53] は、人間が書いたような自然な文章を生成し、人と対話できるまでに進歩している。GPT は、Transformer のデコーダ部分に、大規模に事前学習させた言語モデルを組み合わせている。GPT は全世界に多大な影響をもたらしながら、GPT-2, GPT-3, ChatGPT, GPT-4（2023 年現在）へと進化を続けている。

第 8 章では Transformer, GPT の理論と実践について学ぶ。

1.7 教師なし学習 第9章/第10章 とその他の学習

人工知能における機械学習 (machine learning) は、教師あり学習 (supervised learning)・教師なし学習 (unsupervised learning)・強化学習 (reinforcement learning) の 3 種類に大別して説明されることが多い。

1.7.1 教師あり学習・強化学習

教師あり学習では、予測・判別すべき正解と観測対象の特徴量 (予測変数) が紐づいた形式のデータを用い、未知のデータを予測・判別する。予測・判別すべき正解を教師データとか、教師情報とか、基準変数という。第 3 章と第 4 章では、樹状型の教師あり学習のモデルを論じ、第 5 章から第 7 章では、ニューラルネット型の教師あり学習のモデルを論じている。

強化学習では、目的として設定された報酬を最大化するように試行錯誤し、より環境に適応した行動システムを構築する。強化学習は第 11 章で論じる。

1.7.2 教師なし学習・クラスタリング

教師なし学習では、観測対象の特徴量だけを用い、特徴量そのものの構造を探る。文字通り、教師情報のない学習である。教師なし学習は、クラスタリング (clustering)・次元削減 (dimensionality reduction)・その他の 3 種類に大別して説明されることが多い。

　クラスタリングは、更に階層型クラスタリング (hierarchical clustering) と非階層型クラスタリング (non-hierarchical clustering) に分類される。階層型クラスタリングでは、デンドログラム (dendrogram) を用い、クラスターを順番に統合し、観測対象を階層的に分類する。階層型クラスタリングでは、予めクラスター数を指定する必要はない。

　それに対して非階層型クラスタリングでは、予めクラスター数を指定し、指定したクラスター数に最適化された分類を行う。非階層型クラスタリングの手法としては、k-means 法 [39] がしばしば用いられる。

■ 1.7.3　教師なし学習・次元削減

　教師なし学習における次元削減では、高次元空間から低次元空間へデータを変換し、その低次元表現に有用な構造を見出すことを目指す。次元削減の主な手法としては以下がある。

主成分分析 (principal component analysis, PCA)　カール・ピアソン (1901)[55] によって導入され、ホテリング (1936)(1933) [24] [23] によって再発見された次元削減の手法である。主成分分析の命名はホテリングによる。歴史は古いが、現在でも頻繁に使用されている。予測変数を一次変換し、分散を最大化するように、まず第 1 主成分を作る。続く第 2 主成分、第 3 主成分 ··· は、それまでに作った主成分と無相関という拘束条件の下で、分散を最大化するように作られる。

特異値分解 (singular value decomposition, SVD)　エッカート・ヤング (1939)[12] によって提案された。正方行列に限らず任意の形の行列を 3 つの行列の積に分解する。主要な特異値と特異ベクトルを用い、元の行列を近似することによって次元削減を行う。

自己組織化マップ (self - organizing map, SOM)　自己組織化マップはコホーネン (1982)[30] によって提案された。提案者名に因んでコホーネンネットと呼ばれることもある。大脳皮質の視覚野をモデル化したニューラルネットであり、自己組織化学習によって高次元の特徴量を低次元へと写像する。

オートエンコーダ (auto encoder, AE)　オートエンコーダはニューラルネットの一種である。隠れ層で次元削減し、低次元化した潜在変数 (latent variable) によって元データ自身を近似的に復元する。自分自身を復元できる潜在変数は、次元削減された本質的構造を有すると考えられる。層を積み重ねると勾配消失が生じてしまう問題を解決する目的でヒントンら (2006) [20] が利用し、ディープラーニングへの可能性を開いた。

　　しかしオートエンコーダの本質的なアイデアは、既にコトレルら (1988) [10] によって提案されており、当時は砂時計型ネットワーク (sandglass type neural network) とかワイングラス型ネットワーク (wine glass type neural network) と呼ばれていた。

独立成分分析 (independent component analysis, ICA)　コモン (1994) [9] によって提案され、甘利・カルドソ (1997) [3] によって整理された。主成分分析が互いに無相関な一次変換を求めるのに対して、より強い条件である互いに独立な一次変換を求める手法である。

t-SNE (t-distributed stochastic neighbor embedding)　ロウェイス・ヒントン (2008) [19] により開発された確率的近傍埋め込み法である。マーテン・ヒントン (2008) [38] が正規分布の代わりに t 分布を利用すると分離の精度が良くなることを発見し定着した。

1.7.4　教師なし学習・その他

　教師なし学習における 3 番目の分類の、その他の手法としては、アソシエーション分析 (association analysis, アプリオリアルゴリズム) [1] や潜在ディリクレ配分法 (latent dirichlet allocation, LDA) を挙げることができる。機械学習は 3 種類の学習に大別されると上述したが、その区別は厳密なものではない。たとえば第 12 章で論じる GAN は、教師ありと教師なしの中間的なモデルに分類されることが多い。

1.7.5　転移学習と半教師あり学習

　手法の分類としてではなく、学習のやり方を表現する用語としては、転移学習と半教師あり

学習がある。

　転移学習 (transfer learning) は、古典的な学習心理学に因んだ用語である。A という課題を解決するときに学習したネットを転用し、関連する別の課題 B を解くときに土台として利用する学習法を転移学習という。たとえば、日本語全般の言語モデルを、金融領域の言語モデルの基礎として転用する。欧米人認識用の CNN を、日本人を認識する CNN 学習の基礎として転用するなどである。転移学習には、1) 学習すべきパラメータが少なくなる、2) データが少なくても学習が成立する、3) 学習が収束するまでの時間が短くなる等の長所がある。

　半教師あり学習 (semi-supervised learning) とは、教師あり学習と教師なし学習を組み合わせた学習法である。まず教師なし学習によって次元削減し、構造を単純化する。次に教師あり学習を適用し、単純化されたデータから教師データを予測する。半教師あり学習を利用すると、しばしば、汎化能力が高くなる、予測理由を解釈し易くなる、学習時間が短くなる等のメリットが生じる。

　第 9 章と第 10 章では、教師なし学習の 3 分類であるクラスタリング・次元削減・その他から、それぞれ 1 つずつ手法を選び、その理論と実践について学ぶ。

1.8　強化学習・深層強化学習 第 11 章

　強化 (reinforcement) とは、古典的な学習心理学における専門用語である。バーを押すと餌（えさ）がもらえる箱の中でラットを飼うと、初めのうちは偶然にバーを押して餌にありつく。しかし偶然にバーを押して餌をもらい続けるうちに、ラットはバー押しと餌との関係を理解し、バーを押す行動が強化される。このような行動変容を利用した機械学習を、AI の分野では強化学習 (reinforcement learning) という。強化学習は、現在、ロボット制御・自動運転・金融・医療診断などの広範囲な分野で利用され始めている。

　強化学習の代表的なアルゴリズムの 1 つに Q 学習 (Q-learning) がある。同様の方法は以前から知られていたが、Q 学習という用語でその手続きが整理されたのは、ワトキンズ (1989) の博

士論文 [73] においてである。3 年後の 1992 年に、ワトキンズ自身が 解説論文 [74] を学術雑誌 Machine Learning に公刊し、強化学習の代表的なアルゴリズムとして Q 学習が定着した。強化学習の代表的なアルゴリズムとしては、Q 学習の他にも SARSA や ε -greedy 法などがある。

　強化学習が注目され、応用可能性が示された最初の事例は、テサウロ (1992) [64] の TD ギャモンである。TD ギャモンは、ボードゲームのバックギャモンをプレイするシステムである。AI 自身同士で戦って強化学習し、人間の名人プレーヤーと肩を並べる強さを獲得した。しかしその後は期待した成果が得られず、強化学習の研究は 2000 代に一時期下火になる。

　ブレイクスルーは、深層学習と強化学習を組み合わせた深層 Q 学習 (deep-Q-learning) であった。深層 Q 学習は、深層 Q ネットワーク (deep-Q-network) とも呼ばれ、DQN と略される。Google 傘下のディープマインド (DeepMind) 社の研究グループは、2013 年にアタリ 2600(Atari2600) ゲームへの応用 [49] を DQN を用いて示す。彼らは、2 年後の 2015 年に学術雑誌 Nature に続報 [50] を掲載し、その性能の詳細を報告した。

　アタリ 2600 は、米国のアタリ社が 1977 年に発売した ROM カセット式の家庭用ビデオゲーム機である。当時、日本では任天堂のファミリーコンピュータが全盛の時期であり、アタリ 2600 の印象は薄い。しかし米国内では売り上げナンバーワンのゲーム機であった。Nature の論文 [50] によれば、ブロック崩し・スペースインベーダー等の 49 種類のゲームにおいて既存の手法を凌駕し、裏技を発見し、その半数以上で人間のプロプレーヤーの 75%以上の成績を上げた。論文 [50] は、学界に対して、強化学習と深層学習を組み合わせることの圧倒的な威力を示した。しかし好成績を上げたのは、主として反射神経を必要とするゲームであり、鍵を取得して、別の場所でその鍵を利用するような RPG ゲームのスコアは 0 点だった。

　学界ばかりではなく、広く一般社会に深層強化学習の威力を知らしめたのは、同じくディープマインド社の研究グループが開発したアルファ碁 [61] である。チェスや将棋と比べて格段に複雑な囲碁で人工知能が人間に勝つのは、まだ当分先のことであろうと、当時は考えられていた。ところが大方の予想を裏切って、2015 年 10 月、ヨーロッパチャンピオン・ファンフイ氏にアルファ碁は勝ち越し、2016 年 3 月には世界王者経験者のイ・セドル氏にも勝ち越した。アルファ碁は、6 万局の過去の棋譜に基づいた教師あり学習と、深層強化学習を組み合わせたシ

ステムを採用していた。

ディープマインド社は、アルファ碁 FAN、アルファ碁 Lee、アルファ碁 Master と改良を続け、アルファ碁 Master は世界中のトップ棋士に 60 連勝した。もはや人間は、囲碁で AI に全く勝てないことが示されてしまった。そして満を持して発表されたアルファ碁 Zero [62] は、そのアルファ碁 Master に 100 戦中 89 勝した。アルファ碁 Zero は強いばかりでなく、それまでのバージョンとは質的な相違を有していた。過去の棋譜を全く参考にせず（つまり過去の経験・情報がゼロの状態で）、自身同士で戦い、深層強化学習して囲碁の技能を究めたのである。

第 11 章では強化学習・深層強化学習の理論と実践について学ぶ。

1.9 生成 AI 第 12 章

1.9.1 敵対的生成ネットワーク

敵対的生成ネットワーク (generative adversarial networks, GAN) は、グッドフェローらが 2014 年に発表したモデル [17] である。線画を入力として与えて、そこに本物のような着色を施す。与えた写真に画風を付与し、ゴッホ風の絵画・印象派風の絵画を生成する。実際には存在しない風景・人物・キャラクターを超高解像度で生成するなど、提案されて 10 年たたないうちに、GAN は著しい発展を遂げた。

図 1.4 で示されたように、2 つのネットワークを競わせながら学習を進めるアーキテクチャを GAN は有する。1 つは生成器 (generator) であり、もう 1 つは識別器 (discriminator) である。生成器は、乱数から本物っぽい偽物を作る。生成器が作った偽物と、教師情報としての本物が示された識別器は、それらの真贋を判定する。生成器は判別精度を低くするように、識別器は判別精度を高くするように学習を進める。この 2 つのネットワークを交互に働かせ、競わせることで、生成器は本物に近い偽物を生成できるようになる。

この関係性は、しばしば骨董品の贋作鑑定に例えられる。贋作者（生成器）は本物に近い骨

贋品を流通させる。本物と混ぜて贋作が示された鑑定士（識別器）は、それらの真贋を見抜こうとする。贋作者（生成器）は見抜かれまいと、贋作技術を磨き、より精巧な贋作を作る。こうした切磋琢磨が繰り返され、最終的には本物と見分けのつかない贋作が作成される。

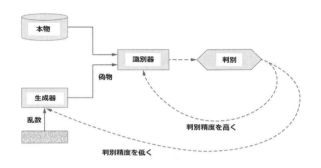

図 1.4●敵対的生成ネットワークの模式図

　以下、年を追いながら GAN の発展の歴史を概観する。オリジナルの GAN は、生成されるデータの種類を制御できなかった。CGAN(conditional GAN, 2014) [44] は、学習時に条件を与えることで、生成時に目的とする画像を生成できるようになった。2016 年には畳み込み層を有する DCGAN（deep convolutional GAN）[56] が提案された。DCGAN は学習を安定化させ、GAN の研究が爆発的に広がるきっかけとなった。

　低解像度の画像を高解像度にする超解像を目的とした SRGAN(super-resolutional GAN) [37] が 2017 年に発表される。フェイクの方向を画素に向けることで、低解像度を高解像度に贋作するのであるから真実ではない。しかし SRGAN の技術によって古い時代の芸術作品を鮮明に鑑賞できるようになった。

　StackGAN(2017) [77] は文章から画像を生成する。たとえば「葉巻を吹かすディズニーアニメ風の犬の点描」「一輪車に乗りながら坂道を上るステゴザウルスの浮世絵」などの文章に合致する画像を StackGAN は提供できる。生成画像は音声で修正できるし、沢山の候補を短時間で作れる。人間の画家を退け、StackGAN の画像は絵画コンテストでの優勝経験もある。Age-cGAN(face aging with conditional GAN, 2017) [4] は、元人物の顔画像を若返らせたり、

老いさせたりする GAN である。古い事件の老いた犯人のモンタージュ写真や、映画の登場人物の経年を CG で表現する際に力を発揮している。

AnoGAN(2017) [59] と EfficientGAN(2018)[76] は、それまでの GAN とは逆に、希少で異常な画像を発見する。この技術を用い、大量の正常な臓器画像を学習させて、癌のある臓器画像を発見することが可能になった。pix2pix(2018) [26] は画像間の特徴を変換する。それはまるで言語翻訳のようである。たとえば「白黒写真をカラー写真にする」「航空写真を地図化する」「日中の写真を夜間のシーンにする」「ラフスケッチを精密画にする」などが可能になった。

元々ある画像を超解像にするのではなく、架空の画像を超解像にするのが PGGAN(progressive growing GAN, 2018) [31] と StyleGAN(2019) [32] である。存在しない人物の超解像の写真を作ることができるため、訴訟における証拠写真は役に立たなくなるだろうと言われるほど、リアルな画像を生成できるようになった。

CycleGAN(2020) [78] は、無関係な 2 枚の写真を使い、特徴を似せるように画像を生成できる。名画と風景画像を合わせて「ゴッホ風」「浮世絵風」などの風景絵画を生成したり、夏の画像を雪景色に変換したり、若葉を紅葉させたり、馬の写真をシマウマにしたり、日中の写真を夜景にできる。

1.9.2　言語による画像生成

画像生成 AI を用いると、テキストで指示 (text-to-image) することによって、イラスト・絵画・写真を作成できる。OpenAI の DALL-E（2021）、Leap Motion 社のデビッド・ホルツ氏によるミッドジャーニー (Midjourney, 2022) が、その進歩を牽引した。GAN の一部のモデルにも同様の機能があるけれども、CLIP（contrastive language-image pre-training; 言語-画像事前学習モデル）、潜在拡散モデル（latent diffusion model）という 2 つの技術が使われている点で異なっている。高い性能を示した Stable Diffusion [54] のソースコードが公開されたことによって技術が急速に広まり、対話によって画像を生成できる web サイトが無数に誕生した。

今後、芸術家・イラストレータの需要の一部を、生成 AI が安価に代替することは間違いな

い。楽器が弾けなくても作曲ができるようになり、絵心がなくても画家になれる日が来るかもしれない。きわめて低コストでグラビア写真集を作成できるだろう。しかし生成 AI には深刻な負の側面がある。淫らなフェイク画像を流出され、心に深い傷を負った有名人は少なくない。2023 年現在、著作権関連の法律は、現状から完全に取り残され、進むべき方向さえ見い出せないでいる。生成 AI は、後戻りできない（諸刃の剣の）社会的変化を私たちに突きつけている。

第 12 章では 生成 AI の理論と実践について学ぶ。

1.10 個人的歴史観

心理統計学者である編者は、人工知能関連の書籍を、四半世紀の間に 4 冊公刊した。ここで、人工知能に関する編者の経歴・体験、そして独断と偏見に基づく歴史観を述べることをお許しいただきたい。

1.10.1 80 年代後半–90 年代前半

筆者が大学院時代を過ごした 1980 年代、ヘッブの学習則 [18]・ニューウェル他の GPS [51]・ローゼンブラットのパーセプトロン [57] 等は認知心理学の教科書に載っているとても地味な、しかし素晴らしい基礎研究であった。

ところが 1986 年にラメルハートの BP [58] が発表されると、周囲の状況が一変した。日本社会はニューロブームになり、BP で学習済のニューラルネットを搭載した家電や電子機器が、TV コマーシャルや秋葉原の量販店にあふれた。心理学会にも並列分散処理 (parallel distributed processing, PDP)、コネクショニズム (connectionism) という用語が大流行し、認知心理学ブームになった。

多変量解析を専門としていた当時の筆者は 2 つの不満を持っていた。1 つ目の不満は多変量解析の表現力の貧しさであった。第 1 世代の多変量解析はモデルが固定され、実質科学的な仮

説の表現が苦手である。この不満に関しては、パス図による仮説表現が豊かな第 2 世代の多変量解析である構造方程式モデリング (structural equation modeling, SEM) を博士論文のテーマに選び、研究を進めることにより、次第に解消されていった。是非、日本の学界に SEM を広めようと、論文や書籍の公刊を続けた。幸いにもその目的は、ある程度達成することができたように思う。

　多変量解析に対するもう 1 つの不満は線形性の制約であった。重回帰分析・判別分析・主成分分析等の主たる手法は、母数に関して線形なので、データの複雑さを表現する力が乏しい。BP によるニューラルネットこそ、汎用的な非線形多変量解析として相応しいと確信した筆者は、1996 年に人工知能に関する 1 冊目の著作「非線形多変量解析」 [70] を公刊した。まえがきに記した通り、BP によるニューラルネットは、非線形多変量解析の手法として、目覚ましい圧倒的性質を有していた。

　BP 登場以前に心理学者が地道に取り組んできたニューラルネットという研究分野は、ニューロブームによって工学者が参入して研究費が大きくなり、統計学者が参入したことによって数学的に高度になってしまった。オリジナル領域であったはずの心理学者は、金銭的にも技術的にも追いつけなくなった。そのことがとても残念だったので、筆者はこの本 [70] で「心理学者（や社会科学者）は AI を研究するのではなく AI で研究しよう」というスローガンを掲げた。

1.10.2　90 年代後半–2000 年代前半

　この時期は、AI の冬第 2 期と言われている。しかしそれは AI の基礎研究の立場での歴史観である。データ分析手法としての AI の歴史としては、4 つの意味で本質的な発展期だった。Big Data が登場し、刺激を受け、影響され、むしろ最も進歩の著しい時期だったとさえ言える。

　1 つ目は、AI の分析手法がベンダーの汎用ソフトに搭載されたことである。上述の自著 [70] では、スクラッチでニューラルネットのスクリプトを FORTRAN で書いている。しかし、これでは読者が計算機に詳しくないと、AI の手法を利用できない。筆者は時代の変化を感じ、SPSS 社がリリースしたクレメンタイン (Clementine) という AI の統合型ソフトを使った 2 冊目の書

籍 [69]「金鉱を掘り当てる統計学」を 2001 年に公刊した。ベンダーの統合型ソフトにより、データ分析手法としての AI は一気に大衆化した。ただしリリース当初、100 万円以上していたので、心理学者（や社会科学者）にとっては、必ずしも安価ではではなかった。

　2 つ目は、この時期に交差検証 (cross-validation) の文化がデータ分析界に根付いたことである。交差妥当性 (cross-validity) は、1950 年代に心理測定の分野で提唱された概念であり、交差妥当性を確認する行為を交差検証という。心理学分野ばかりでなく、データ解析のあらゆる分野で、交差検証の重要性が認識されるようになった。交差検証の文化が根付いたことにより、AI 手法による分析の実用性が飛躍的に向上した。クレメンタインを初めとする統合型 AI ソフトが、学習モジュールと検証モジュールを明確に分ける設計を採用したことは、地味ではあったけれども、データ分析界に与えた好影響は計り知れない。

　3 つ目は、データ解析コンペティション（以下、コンペ）のシステムが整備され、発展したことである。コンペは、主催者から与えられたデータを用い、参加したチームが分析技術を披露し、順位が決まる競技会である。目的が与えられず分析方針をも含めて審査される競技会と、レコードに紐づいたラベルを予測する競技会にコンペは大別される。コンペのデータ提供者は、自身のデータに関する知見が得られる。学生・院生の側は、限りある学生生活を理論の勉強に打ち込み、データ収集の手間を省いて学位論文が書ける。両者にメリットのあるシステムだ。企業におけるデータ分析の重要性の認識が高まり、データサイエンティストという新しい職種の誕生にもコンペは貢献した。コンペのプラットフォームとしては Kaggle や我が国の SIGNATE が有名であるが、他にも無数のコンペが開催されている。

　そして 4 つ目は、データ分析のソフトウェアとして、オープンソース (open source) が主流になったことである。R 言語 [25] や Python は無償で利用できるにも係わらず、ベンダーのソフトに勝るとも劣らない性能を有していることで、教育や研究に大きく貢献した。筆者は時代の変化を感じ、オープンソースの R 言語を利用して 3 冊目の AI の書籍「データマイニング入門」[66] を公刊した。筆者の所属する心理学教室は、それまで年に 200 万円近いソフトウェア・リース料をベンダーに支払っていた。オープンソースを導入することによって、それが無料になった体験は、今想い返しても感慨深い。

1.10.3　2000 年代後半以降

　2000 年代後半以降は、第 3 次 AI ブームと言われている。世間をあっと言わせ、ブームの口火を切ったのは、オートエンコーダを利用して深い層の学習を可能にしたディープラーニング [20] と、コンペ SVRC における CNN の圧倒的な認識率 [35] であった。

　しかし第 3 次 AI ブーム開始時に、筆者は強い既視感を感じた。オートエンコーダの本質は、第 2 次 AI ブームのときに、砂時計型とかワイングラス型と呼ばれていたネットワークだった。また CNN の本質は、福島 (1980) のネオコグニトロン [16] の小さな改良にしか見えなかったからだ。もちろん AI は総合科学なので、実際にネットの高い能力を示したヒントンの業績は称賛に価する。第 3 次 AI ブームのきっかけは、BP の様な革新的なアイデアというよりは、Big Data の整備と、それを学習できるだけのアーキテクチャの進歩によるところが大きかった。

　Google は YouTube 画像から猫の認識に成功した。また囲碁対戦用 AI の AlphaGo は人間のプロ囲碁棋士に勝利 [61] した、など目覚ましい成功のなかで、自然言語処理・深層強化学習・敵対的生成ネットワーク等、革新的なアイデアが次々に成熟している。ブームという表現は、ほどなく廃れるという印象を与える。しかしこれは AI 効果による錯覚ではないだろうか。AI 効果とは「計算機でできるようになった事柄は、知能とは呼ばれなくなり、AI から除外される」という傾向である。実際には、AI 研究は廃れず、倦まず弛まず着実に進歩を続けていくのではないだろうか。

　新しいフェーズに入ったと感じたもう若くはない筆者は、ひたすら感心し、感謝しながら学習し、4 冊目となる本書を公刊した次第である。本書のスローガンは、1, 2, 3 冊目から少しも変わっていない。「研究費の少ない心理学者（や社会科学者）は AI を研究するのではなく AI で研究しよう。学位論文は AI の分析手法で執筆しよう」である。

参考文献

[1] Agrawal,R., Mannila,H., Srikant,R., Toivonen,H., & Verkamo,A.I.(1996) Fast discovery of association rule. In Fayyad,U.M.et al.(Eds.) *Advances in Knowledge Discovery and Data Mining.* AAI/MIT Press.

[2] Amari,S.(1967) Theories of adaptive pattern classifiers, *IEEE Trans., EC*16, 299-307

[3] Amari,S., & Cardoso,J.F. (1997) Blind Source Separation - Semiparametric Statistical Approach, *IEEE Transactions on Signal Processing*, 45, 2692-2700

[4] Antipov,G., Baccouche,M., & Dugelay,J.L. (2017) Face aging with conditional generative adversarial networks, *arXiv*:1702.01983

[5] 新井紀子 (2014) ロボットは東大に入れるか　イースト・プレス

[6] Bahdanau,D., Cho,K. & Bengio,y. 2015 Neural machine translation by jointly learning to align and translate, In ICLR.

[7] Breiman,L.(2001) Random forests, *Machine Learning* 45, 5-32.

[8] Breiman,L. (1996) Bagging predictors, *Machine Learning*, 24, 123-140.

[9] Comon,P. (1994) Independent component analysis, A new concept? *Signal Processing*, 36, 287-314

[10] Cottrell,G.W., Munro,P., & Zipser,D. (1988) Image compression by back propagation: An example of extensional programming, *Advances in Cognitive Science* 3, 208-240, Ed. Sharkey,N.E., Ablex

[11] Devlin,J. Chang,M.W., Lee,K. & Toutanova,K. (2018) BERT: Pre-training of deep bidirectional transformers for language understanding, *arXiv*:1810.04805

[12] Eckart,C., & Young,G (1939) A principal axis transformation for non-hermitian matrices, *Bulletin of the American Mathematical Society*, 45, 118-121.

[13] Efron,B.(1981) Nonparametric estimates of standard error: The jackknife, the bootstrap and other methods, *Biometrika*,68, 589-599.

[14] Elman,J.L. (1990) Finding Structure in Time, Cognitive Science 14, 179-211

[15] Freund,Y. & Schapire,R.E. (1997) A decision-theoretic generalization of on-line learning

and an application to boosting, *Journal of Computer and System Sciences*, 55, 119–139

[16] Fukushima,K. (1980). Neocognitron: A self-organizing neural network model for a mechanism of pattern recognition unaffected by shift in position, *Biological Cybernetics* 36, 193-202

[17] Goodfellow,I.J., Pouget-Abadie,J., Mehdi,M. et al. (2014) Generative adversarial nets, *arXiv*:1406.2661

[18] Hebb, D.O. (1949) *The Organization of Behavior*, New York: Wiley.

[19] Hinton,G.E., & Roweis,S. (2002) Stochastic neighbor embedding. *In Advances in Neural Information Processing Systems*, 15, 833-840

[20] Hinton, G.E. & Salakhutdinov, R.R. (2006) Reducing the dimensionality of data with neural networks, *Science*, 313, 504-507.

[21] Hochreiter,S. & Schmidhuber,J. (1997) Long short-term memory, *Neural Computation.* 9, 1735-1780

[22] Holland, J.H. (1975) *Adaptation in Natural and Artificial Systems.* University of Michigan Press, Ann Arbor.

[23] Hotelling,H. (1933) Analysis of a complex of statistical variables into principal components, *Journal of Educational Psychology* 24: 417-441, 498-520.

[24] Hotelling,H. (1936) Relations between two sets of variates, *Biometrika* 27, 321-77.

[25] Ihaka,R., & Gentleman,R. (1996) R: A language for data analysis and graphics, *Journal of Computational and Graphical Statistics.* 5, 299-314

[26] Isola,P., Zhu,J.Y., Zhou,T., & Efros,A.A. (2018) Image-to-image translation with conditional adversarial networks, *arXiv*:1611.07004v3

[27] Jaeger.H. (2001) The "echo state" approach to analysing and training recurrent neural networks, GMD - German National Research Center for Information Technology GMD Technical Report 148

[28] 人工知能学会誌 (2012) 特集「ロボットは東大に入れるか」 Vol.27, No.5.

[29] Joradn,M.I. (1986) Serial order: A parallel distributed processing approach, UCSD tech report.

[30] Kohonen,T. (1982) Self-organized formation of topologically correct feature maps, *Biological Cybernetics*, 43, 59-69

[31] Karras,T., Aila,T., Laine,S., & Lehtinen,J. (2018) Progressive growing of GANs for improved quality, stability, and variation, *arXiv*:1710.10196v3

[32] Karras,T., Laine,S., & Aila,T. (2019) A style-based generator architecture for generative adversarial networks, *arXiv*:1812.04948

[33] Kearns,M. (1988) Thoughts on hypothesis boosting. Unpublished manuscript.

[34] Kass,G.V. (1980) An exploratory technique for investigating large quantities of categorical

data, *Applied Statistics.* 29, 119-127

[35]　Krizhevsky, A., Sutskever, I., & Hinton, G. E. (2012). Imagenet classification with deep convolutional neural networks, In Advances in neural information processing systems 1097-1105

[36]　Lang,K.J., Waibel,A.H. & Hinton,G.E. (1990) A time-delay neural network architecture for isolated word recognition, *Neural Networks*, 3, 23-43

[37]　Ledig,C., Theis,L., Husz'ar,F. et al. (2017) Photo-realistic single image super-resolution using a generative adversarial network, *arXiv*:1609.04802v5

[38]　van der Maaten,L.J.P., & Hinton,G.E. (2008) Visualizing Data Using t-SNE, *Journal of Machine Learning Research* 9, 2579-2605

[39]　MacQueen,J. (1967) Some methods for classification and analysis of multivariate observations, *Berkeley Proceedings of 5th Berkeley Symposium on Mathematical Statistics and Probability*, University of California Press, 281-297

[40]　Mason,L., Baxter,J., Bartlett,P.L.& Frean,M.(1999) Boosting algorithms as gradient descent. In S.A. Solla and T.K. Leen and K. Muller, *Advances in Neural Information Processing Systems* 12. MIT Press. 512-518

[41]　Matthew E. Peters, et al. (2018) Deep contextualized word representations, *arXiv*:1802.05365

[42]　McCarthy,J. & Hayes,P.J. (1969) Some philosophical problems from the standpoint of artificial intelligence, *Machine Intelligence*, 4, 463-502

[43]　Mikolov,T., et al.(2013) Distributed representations of words and phrases and their compositionality, In *Advances in Neural Information Processing Systems*, 3111-3119

[44]　Mirza,M., & Osindero,S. (2014) Conditional generative adversarial nets, *arXiv*:1411.1784v1

[45]　Morgan,J.N. & Sonquist,J.A. (1963) Problems in the analysis of survey data, and a proposal, *Journal of the American Statistical Association*, 58, 302, 415-434

[46]　McCarthy,J., Minsky,M., Rochester,N., & Shannon,C. (1955) A Proposal for the Dartmouth Summer Research Project on Artificial Intelligence.

[47]　McCullough,W.S. & Pitts,W. (1943) A logical calculus of the ideas immanent in nervous activity, *Bulletin of Mathematical Biophysics* 5, 115-133.

[48]　Minsky,M. & Papert,S. (1969) *Perceptrons: An Introduction to Computational Geometry*, The MIT Press.

[49]　Mnih,V., Kavukcuoglu,K., Silver,D. Graves,A., Antonoglou,I., Wierstra,D. & Riedmiller,M. (2013) Playing Atari with deep reinforcement learning, *arXiv*:1312.5602

[50]　Mnih,V., et al. (2015) Human-level control through deep reinforcement learning, *Nature* 518, 529-533

[51] Newell,A., Shaw,J.C.& Simon,H.A. (1959) Report on a general problem-solving program, *Proceedings of the International Conference on Information Processing.* 256-264.

[52] Quinlan,J.R. (1986) Induction of decision trees, *Machine learning* 1.1 81-106

[53] Radford,A., Narasimhan,K. Salimans,T. & Sutskever,I. (2018) Improving language understanding by generative pre-Training, *OpenAI Blog.*

[54] Rombach,R., Blattmann,A., Lorenz,D., Esser,P., & Ommer,B. (2022) High-resolution image synthesis with latent diffusion models. arXiv:2112.10752v2

[55] Pearson,K. (1901) On Lines and Planes of Closest Fit to Systems of Points in Space, *Philosophical Magazine* 2, 559-572

[56] Radford,A., Metz,L., & Chintala,S. (2016) Unsupervised representation learning with deep convolutional generative adversarial networks, *arXiv*:1511.06434

[57] Rosenblatt,F. (1958) The Perceptron: A probabilistic model for information storage and organization in the brain, *Psychological Review* 65, 386-408.

[58] Rumelhart,D.E., Hinton,G.E. & Williams,R.J. (1986). Learning representations by back-propagating errors, *Nature* 323, 533-536.

[59] Schlegl,T., Seebock,P., Waldstein,S.M., Schmidt-Erfurth,U., & Langs,G. (2017) Unsupervised anomaly detection with generative adversarial networks to guide marker discovery, *arXiv*:1703.05921

[60] Shortliffe,E.H. & Buchanan,B.G. (1975) A model of inexact reasoning in medicine, *Mathematical Biosciences.* 23 351-379

[61] Silver,D. et al. (2016) Mastering the Game of Go with deep neural networks and tree search, *Nature,* 529, 484-489

[62] Silver,D. et al. (2017) Mastering the game of Go without human knowledge, *Nature* 550, 354-359

[63] Sutskever,I., Vinyals,O. & Le,Q.V. 2014 Sequence to sequence learning with neural networks, *arXiv*:1409.3215

[64] Tesauro,G. (1992) Practical issues in temporal difference learning, *Machine Learning* 8, 257-277

[65] 豊田秀樹（編著）(2014) 共分散構造分析「R 編」 東京図書

[66] 豊田秀樹（編著）(2008) データマイニング入門 東京図書

[67] 豊田秀樹（編著）(2007) 共分散構造分析「Amos 編」 東京図書

[68] 豊田秀樹 (2002) 行動のバイアスと無常感, 心理学ワールド, 8. 25-28

[69] 豊田秀樹 (2001) 金鉱を掘り当てる統計学 講談社ブルーバックス

[70] 豊田秀樹 (1996) 非線形多変量解析 朝倉書店

[71] Turing,A. (1950) Computing mchinery and intelligence, *Mind,* LIX 236, 433-460

[72]   Vaswani,A. et al. (2017) Attention is all you need, *arXiv* preprint *arXiv*:1706.03762v5

[73]   Watkins, C.J.C.H. (1989). Learning from delayed rewards. PhD thesis, Cambridge University, Cambridge, England.

[74]   Watkins, C.J.C.H. & Dayan,P. (1992) Technical Note: Q-learning, *Machine Learning* 8, 279-292

[75]   Weizenbaum,J. (1966) ELIZA – A computer program for the study of natural language communication between man and machine, *Communications of the ACM* 9, 36-45

[76]   Zenati,H., Foo,C.S., Lecouat,B., Manek,G., & Chandrasekhar,V.R.(2018) Efficient gan-based anomaly detection, In International Conference on Learning Representations, *arXiv*:1802.06222

[77]   Zhang,H., Xu,T., & Li,H. (2017) StackGAN: Text to photo-realistic image synthesis with stacked generative adversarial networks, *arXiv*:1612.03242v2

[78]   Zhu,J.Y., Park,T., Isola,P., & Efros,A.A. (2020) Unpaired image-to-image translation using cycle-consistent adversarial networks, *arXiv*:1703.10593

第**2**章

Python を使ったデータ分析

　機械学習や人工知能の分野では、よく使われるプログラム言語として Python が挙げられる。Python とはオランダ人プログラマーのグイド・ヴァンロッサムによって 1991 年に開発されたオープンソースのプログラミング言語である。Python は、組み込み開発や Web アプリケーション、デスクトップアプリケーション、人工知能開発、ビッグデータ解析など、様々な用途に使われている。

　本書でも、分析にはプログラミング言語として Python を用いる。さらに、Python を実行する環境として、Gooble Colaboratory を利用する。この章では、Gooble Colaboratory の使い方と Python の基礎について説明する。

2.1　Google Colaboratory とは

　Google Colaboratory(以下、Colab とする) は、Python の実行環境の１つである。インターネットに接続し、Google アカウントを取得するだけで、ウェブブラウザ上で、誰でも無料でPython を使うことができる。Colab では、機械学習の構築に必要なライブラリも事前に準備されている。本節では、Colab の使い方について説明する。

2.1.1　Colab へのログイン

Colab が使えるように準備する。準備は次の 2 ステップで簡単に完了する。

1. Google アカウントを用意し、ログインする。
2. Colab にアクセスする。

Colab を利用するには、Google アカウントが必要となるため、アカウントを持っていない場合は、Google アカウントを作成する。

　ウェブブラウザを起動して、検索ウインドウより Google Colaboratory を検索するか、ある

いは、`https://colab.research.google.com/` にアクセスすると、"Colab へようこそ"の画面が表示される。右上のログインを選択し、ログインする。ここまでの操作により Colab を利用する準備が整う。

2.1.2　ノートブックの作成

Colab にアクセスすると、図 2.1 のような画面が表示される。この画面で、ノートブックを新規作成 を押す。図 2.1 のような画面が表示されない場合は、メニューのファイル>ノートブックを新規作成を押す。Colab では、Python のプログラムや説明文を入力する画面をノートブックと呼ぶ。ここまでで、新規のノートブックが作成できた。

図 2.1●ノートブックの新規作成

2.1.3　ファイル名の変更

Colab では、プログラムを入力・実行する部分をセルと呼ぶ。セルには、複数行のプログラムが記述できる。それぞれのセルは独立しており、単独または同時にプログラムを実行できる。

デフォルトのファイル名は'Untitled0.ipynb' である。ファイル名を変更する場合、メニューから、ファイル名>名前の変更を選択する。図 2.2 の黒枠に囲まれた'Untitled0.ipynb' をクリックすることでも変更できる。ここでは、'Untitled0.ipynb' を'hello_python.ipynb' に変更する。

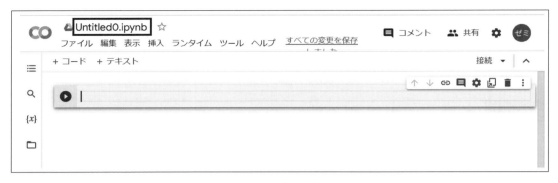

図 **2.2**●ノートブック名の変更

2.1.4　ファイルの保存と確認

　メニューのファイル＞保存を選択すると、ファイルを保存できる。保存したファイルを確認する際、メニューのファイル＞ドライブで探すを選択する。マイドライブの Colab Notebooks が自動的に開き、'hello_python.ipynb' が保存されていることが確認できる。

2.1.5　プログラムの記述と実行

図 **2.3**●プログラムの記述

　ノートブックのセルにはプログラムセルとテキストがある。セルにはプログラムを記述する。テキストには主に説明や見出しなどを記述する。それぞれ、+コード と +テキスト ボタンで追加できる。図 2.3 では、セルに `print('hello python')` と記述し、セルの実行ボタン（黒枠）を押すことで、プログラムが実行され、`hello python` と出力される。ノートブックのセ

ルは 1 行ずつ実行することも、複数行を同時に実行することもできる。

2.1.6　データファイルのアップロード

機械学習では、自分で収集したデータや用意されたデータを利用する場合がある。本項では、Colab 上で、データファイルを利用する 2 つの方法を説明する。

1. Colab 上にデータファイルをアップロードして利用する。
2. 自身の Google ドライブにデータファイルをアップロードして利用する。

1 つ目の方法では、Colab 上で利用しているセッションの接続が切れた時（正確にはランタイムがリサイクルされた時）に、Colab 上にアップロードしたデータファイルも削除される。そのため、本書では、2 つ目の方法、自身の Google ドライブにデータファイルをアップロードして利用する手順を説明する。

■ Google ドライブのマウント

図 2.4● ドライブのマウント

Colab 上で、Google ドライブ内のファイルにアクセスできるようにすることをドライブのマウントという。マウントは図 2.4 の黒枠①のファイルアイコンを押し、ファイル領域を表示後、黒枠②の Google ドライブアイコンを押す。または、セルに下記のコードを入力し実行する。

```
from google.colab import drive
drive.mount('/content/drive')
```

　次に図 2.5 のような認証画面が
表示される。
　Google ドライブに接続 を押すと、
Google へのログインが求められ
る。認証情報を入力後ログインし、
Google アカウントへのアクセス
を許可する。

図 2.5 ● 認証画面

　図 2.6 のように、Colab の画面に drive というフォルダ (黒枠で囲まれた部分) が表示されて
いれば、マウントが成功している。

図 2.6 ● マウントの成功

■データファイルのアップロード

　Google ドライブのマウントが成功したら、データファイルのアップロードを行う。アップ
ロード方法は、自身の Google ドライブにアップロードするか、または、Colab 上で行う。

　Google ドライブにアップロードする場合は、https://drive.google.com/drive/ にアク
セスする。左上の新規>ファイルのアップロードをクリックし、アップロードするファイルま
たはフォルダを選択する。

Colab 上にアップロードする場合は、図 2.7 の drive 以下のフォルダ (黒い枠で囲まれた部分) の中で、ファイルを格納したいフォルダにドラッグ＆ドロップするとファイルがアップロードできる。その際、「アップロードしたファイルはランタイムのリサイクル時に削除されます。」というダイアログが表示される。OK を押すとファイルをアップロードできる。

アップロード後、Colab 上の該当するフォルダの下にアップロードしたファイルが表示されていることを確認する。図 2.7 では、Ch02 のフォルダにお札.csv ファイルがアップロードされていることが確認できる。

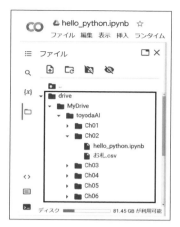

図 2.7 ● **Colab** 上でのファイルの確認

2.1.7 **Colab ノートブックを開く**

Colab ノートブックとは、Colab 上でプログラムを記述しているファイルのことで、ファイルの拡張子は ipynb と表示される。新たにノートブックをアップロードしたい場合は、Colab のファイル＞ノートブックをアップロードを押すと図 2.8 の画面が開く。参照ボタンを押すか、ファイルを画面にドラッグ＆ドロップすると Colab 上に表示される。

図 2.8 ● アップロード画面

Google ドライブ上の Colab ノートブックを開く場合は、Colab のファイル＞ノートブックを

開くを押すと図 2.8 の画面が開く。Google ドライブを開き、対象となるノートブックを選ぶ。
ノートブックをダブルクリックすると、Colab 上に表示される。

2.1.8　GPU の利用方法

機械学習の計算は非常に重く、行列計算を多用する。普通の CPU だけで計算すると、とて
も時間がかかるため、計算の高速化に GPU(graphics processing unit) が使われている。

GPU は CPU のような柔軟な計算（条件
分岐がたくさんあるような計算や並列化が
できない計算）は不得意だが、そのかわりに
単純な計算を並列で処理することが得意で
ある。この特徴が機械学習と相性がよい。

Colab は、自分の PC に GPU を積んで
いなくても GPU を使用できる。Colab 上
で、ランタイム>ランタイムのタイプを変

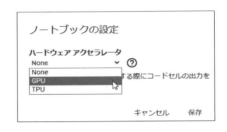

図 2.9●GPU の設定

更を押し、図 2.9 の画面において、ハードウェアアクセラレータの下にあるプルダウンメニュー
から GPU を選択し、 保存 を押すことで設定できる。

2.1.9　Colab の無料版の制限

Colab は無料版では以下のような制限があるが、個人学習の範囲であれば問題ないため、本
書では無料版を利用する。

1. GPU の種類を自分で選択することができず自動的に割当てられる。
2. 機械学習のモデルを無料版で構築しようとするとメモリの容量が不足することがある。
3. 最大使用時間が制限され、12 時間で初期化されてしまう。有料版になると最長 24 時間利
   用可能である。

4. ブラウザを閉じた場合、処理が止まる。有料版は、裏で処理をするバックグラウンド実行が可能である。

ここまで Colab の利用方法を紹介した。他にも便利な機能があるが、本書で利用する範囲を超えるため、割愛する。また、紹介した操作方法は 2023 年 3 月時点のものである。仕様変更などにより操作方法が異なる場合がある。詳しくは `https://colab.research.google.com/` や `https://research.google.com/colaboratory/faq.html` により情報が得られる。

2.2 Python の基礎

本節では、Python の特徴とプログラミングの基礎について解説する。

2.2.1　基本的なデータ型

Python には様々なデータ型がある。その大部分は基本型と呼ばれているデータ型が構成要素になっている。よく用いられる 4 つの基本型は表 2.1 の通りである。

表 2.1 ● Python の基本的なデータ型

データ型	変数の型（クラス）	特徴	例
整数型	int	整数を表現する	1
浮動小数点型	float	浮動小数点数を表現する	2.0
文字列型	str	文字列を表現する	あいうえお
ブーリアン型	bool	True または False の 2 種類の値	True

■ `print()` と `type()`

`print()` は変数に格納された値等を表示する関数であり、`type()` は変数の型（クラス）を調べる関数である。Python の `print()` には f 文字列 (f-strings) という文字列内に変数を直接埋

め込む機能がある。文字列の前に f または F を付け、{} 内に変数名を書くことで、その変数の値を文字列内に挿入できる。例えば、下のコードのように name = "John" という変数がある場合、print() 内に f"Hello, {name}!" と書くと、"Hello, John!" という文字列が得られる。f 文字列はプログラムコードをシンプルにし、可読性を高めることができる。

```
#print 関数の f 文字列
name = "John"
print(f"Hello, {name}!")

# 整数型変数 s の値と type
s = 1                                          #変数 s に 1 を代入
print(f's = {s}, s のタイプ: {type(s)}')       #変数 s の値とタイプ表示
```

出力：Hello, John!
　　　s = 1, s のタイプ: <class 'int'>

2.2.2　演算

　演算に関する文法を解説する。他のプログラミング言語と同様に、多くの演算があるが、ここでは本書で用いる代表的な演算を紹介する。

■四則演算

　加減乗除の四則演算のコードは下記である。

```
# 四則演算

# 加算
s1 = 3 + 5

# 減算
s2 = 4 - 2

# 乗算
s3 = 3 * 5

# 除算
s4 = 11 / 5

print(f's1 = {s1}, s2 = {s2}, s3 = {s3}, s4 = {s4}')
```

出力：s1 =　8 ,s2 = 2 s3 =　15 ,s4 = 2.2

■ブール演算

　ブーリアン型の変数に関する演算 (AND、OR など) であるブール演算を解説する。Python
では、ブール演算は次のコードに示すように **and**、**or** のような小文字の英語で表現する。

```
# ブール演算
b1 = True
b2 = True
b3 = False

# AND 演算
c1 = b1 and b2

# OR 演算
c2 = b1 or b3

# NOT 演算
c3 = not b2

print(f'c1 = {c1}, c2 = {c2}, c3 = {c3}')
```

出力：c1 =　True ,c2 = True c3 =　False

■代入演算子

　代入演算子とは、文字通り値の代入を示す演算子である。**s=1** のように＝（イコール）の左辺
に変数を、右辺に値を記述することで変数に値が代入される。次に、Python では、＝（イコー
ル）だけではなく、**+=**、**-=**などの特殊な演算子も用意されている。このような代入演算子を、
累算代入演算子と呼ぶ。

```
# 代入演算子
d1 = 7
print(f'd1: {d1}')

# d1 = d1 + 3 と同様
d1 += 3
print(f'd1 += 3: {d1}')

# d1 = d1 - 3 と同様
d1 -= 3
print(f'd1 -= 3: {d1}')
```

出力：d1: 7
　　　d1 += 3: 10
　　　d1 -= 3: 7

2.2.3 リスト

　リストは、複数の値を順番に並べて全体を 1 つのまとまりとして扱うデータ構造である。他のプログラミング言語の配列に近いが異なる点は、配列は同じ型の変数しか格納できないが、リストは異なる型（整数型と文字型等）を格納できる点である。リストは、Python で複雑な処理をする際、最もよく利用されている。

■リストの定義

　リストは、カンマ区切りで複数のデータを並べて [ ] で囲んで定義する。コード例ではリストを定義したあとで、リスト全体を print() に渡している。Python では、このような print() の使い方が可能で、リストの全要素を表示できる。type() の出力結果は class 'list' となっている。

```
# リストの定義
a = [1,4,7,10,13]

#リストの値とタイプ
print(f'a = {a}, type: {type(a)}')
```

出力:a = [1, 4, 7, 10, 13] ,type: <class 'list'>

■リストの要素数

　リストの要素数を知りたい場合、len() が用意されている。この関数を呼び出すことで、下記のコード例のようにリストの要素数が 5 であることがわかる。

```
# リストの要素数
print(f' リストの要素数 {len(a)}')
```

出力：リストの要素数 5

■リスト要素の参照

　リスト要素の参照とは、リストの特定の要素にアクセスする処理である。特定の要素にアク

セスするには、a[2] のように記述する。Python では、最初の要素は 0 で指定するため、a[2] は 3 番目の要素を意味する。Python 固有の参照方法として、リストの最後を取り出す場合、a[-1] という書き方もある。最後から 2 番目の場合は、a[-2] と書ける。また、a[0]=30 のように特定要素の値を書き換えることも可能である。

　リストの一部を抜き出す部分参照の方法を説明する。a[(インデックス 1):(インデックス 2)] のように、コロンを挟んで 2 つのインデックス値を指定することで、指定した範囲内の要素を全て参照することができる。コード例では a[2:4] で、3 番目の要素である a[2] から始まり、4 未満の要素である a[4] の 1 つ手前、a[3] までの部分リストが参照できる。

　また、a[:4] のように開始要素の値を省略した場合、開始要素は a[0] を意味する。そのため、a[0:4] と a[:4] は同じ結果となる。

　リストに値を追加する場合は、リスト.append(値) とすると、引数に指定した値をリストの最後に追加することができる。出力を確認すると、追加したリストの要素数が 6 になっている。

```
#リスト要素の参照
# a[0]　リストの最初の要素、a[2]　リストの 3 番目の要素、a[-1]　リストの最後の要素
print(f'a[0] = {a[0]}, a[2] = {a[2]}, a[-1] = {a[-1]}')

#リスト要素の書き換え
a[0] = 30

# リストの部分参照
# a[2:4]　インデックスが 2 以上、4 未満
print(f'a[2:4] = {a[2:4]}')
# a[:4]　開始インデックスを省略
print(f'a[:4] = {a[:4]}')

# リストへの値の追加
a.append(16)
print(f'a = {a}, a の要素数 = {len(a)}')
```

```
出力：a[0] = 1 ,a[2] = 7 ,a[-1] = 13
      a = [30, 4, 7, 10, 13]
      a[2:4] = [7, 10]
      a[:4] = [30, 4, 7, 10]
      a = [30, 4, 7, 10, 13, 16] ,a の要素数 = 6
```

2.2.4　タプル

　リストとよく似たデータ構造としてタプルと呼ばれるものがある。タプルとリストで異なる

のは定義方法である。リストは [ ] で囲むのに対して、タプルでは ( ) を使う。`type()` で型を表示すると `class 'tuple'` と返ってくる。要素数を `len()` で調べたり `t[0]` のような形で要素を参照したりする点はリストと全く同じである。

```
# タプルの定義
t = (1,4,7,10,13)

# タプルの値とタイプ
print(f't = {t}, type: {type(t)}')

# タプルの要素数
print(len(t))

# タプル要素の参照
# t[0]   タプルの最初の要素、t[2]   タプルの3番目の要素、t[-1]   タプルの最後の要素
print(f't[0] = {t[0]}, t[2] = {t[2]}, t[-1] = {t[-1]}')

# タプルの部分参照
# t[2:4]   インデックスが2以上、4未満
print(f't[2:4] = {t[2:4]}')
```

```
出力：t = (1, 4, 7, 10, 13) ,type: <class 'tuple'>
     5
     t[0] = 1 ,t[2] = 7 ,t[-1] = 13
     t[2:4] = (7, 10)
```

一方で、リストとタプルの振る舞いで異なる点が1つある。それは、事前に定義したタプル t の特定の要素、例えば、`t[1]` を別の値で書き換えようとした場合、エラーになることである。リストは、一度定義した内容を自由に書き換えることができる。タプルは、一度定義した値を書き換えることができない。そのため、タプルは、要素の並びや値をプログラムの中で固定したい場合に用いる。ただし、要素の追加はできる。

```
#タプル要素の書き換え
t[0] = 30
print(f't = {t}')
```

```
出力：
---------------------------------------------------------------------------
TypeError                                 Traceback (most recent call last)
<ipython-input-46-51990b3087a5> in <module>
     1 #タプル要素の書き換え
----> 2 t[0] = 30
     3 print(f't = {t}')

TypeError: 'tuple' object does not support item assignment
```

2.2.5　タプル、リストのアンパック

　左辺に変数をカンマ (,) で区切って書くと、それぞれの変数に右辺のタプルやリストの要素が代入される。左辺の変数の数とリスト、タプルの要素数が一致していない場合はエラーとなる。

```
#アンパック
a1 = [' りんご',3] #リスト
t1 = (4,5,6)      #タプル

y1,y2 = a1
y3,y4,y5 = t1
print(f'y1 = {y1}, y1 のタイプ: {type(y1)}, y2 = {y2}, y2 のタイプ: {type(y2)}')
print(f'y3 = {y3}, y3 のタイプ: {type(y3)}, y4 = {y4}, y4 のタイプ: {type(y4)},
      y5 = {y5}, y5 のタイプ: {type(y5)}')
```

出力：y1 = りんご ,y1 のタイプ: <class 'str'> ,y2 = 3 ,y2 のタイプ: <class 'int'>
　　　y3 = 4 ,y3 のタイプ: <class 'int'> ,y4 = 5 ,y4 のタイプ: <class 'int'> ,
　　　y5 = 6 ,y5 のタイプ: <class 'int'>

2.2.6　辞書

　リスト、タプルと並んで重要なデータ構造に辞書がある。定義方法は、{ }で囲んだ中に、{キー：値}という形式をカンマで区切って記述する。type() で型を調べると class 'dict' である。また、辞書をキーで検索するには、my_dict['red'] のように記述する。リストの参照と似ているが、[ ] の内部が整数でなく、文字列の場合、辞書の参照を意味する。一度作った辞書 my_dict に新しい項目'orange' を追加する場合、my_dict['orange']=3 とする。

```
# 辞書の定義
my_dict = {'red':1, 'blue':2}
print(type(my_dict))

# キーから値を参照
#key='red' で検索
print(my_dict['red'])

#辞書への項目追加
my_dict['orange'] = 3
print(my_dict)
```

出力：<class 'dict'>
　　　1

```
{'red': 1, 'blue': 2, 'orange': 3}
```

2.2.7　制御構造

プログラムの制御構造として、条件分布 (if) とループ処理、関数について説明する。

■条件分岐

Python にかぎらず多くのプログラミング言語で、条件に応じてプログラムの流れを切り分けるのに if 文と呼ばれる制御構造が使用される。本項では if 文の基本的な使い方を説明する。

if とは「もし〜ならば」という意味であり、ある条件が成立したら指定した処理を行う。コード例では、年齢が 20 歳以上と 20 歳未満で出力されるコメントが異なる。if の次に条件式と呼ばれる条件判断を行う式（age >= 20) を記述する。条件式の後にコロン (:) が必要である。

条件が満たされた場合、その後ろのブロックが実行される。ブロックとはプログラムの処理のまとまりのことである。大抵のプログラミング言語は、プログラムを読みやすくする目的で、行の先頭に空白やタブを挿入する。これをインデントと呼ぶ。インデントは単に人間の可読性を向上するためであり、文法的にはインデントがなくても問題ない。それに対し、Python では、インデントによりブロックを表すため、正しくインデントを行わないとエラーになる。インデントは、複数の半角スペースもしくはタブが使用可能である。Python では 1 段階のインデントには半角スペース 4 つを使用することが推奨されている。Colab では、コロンの後改行すると自動的にインデントされる。

```
#if 文のサンプル
agestr = input("あなたの年齢を入力してください。")
age = int(agestr) #入力された年齢を整数型 (int) に変換する
if age >= 20:
    print(f' 年齢は{agestr}です。お酒を購入できます。')
else:
    print(f' 年齢は{agestr}です。20 歳未満の方はお酒を購入できません。')
```

入力：15
出力：
　あなたの年齢を入力してください。15
　年齢は 15 です。20 歳未満の方はお酒を購入できません。

　条件式が偽の時に実行する処理を `else:` のあとのブロック内に記述する。条件式は必ず真か偽のどちらかとなるので、真か偽のどちらかのブロックが必ず実行される。コード例の `input()` はユーザーがキーボードに入力したデータを受け付ける関数である。実行すると年齢の入力を求められる。例では、15 と入力した結果を示した。

■ループ処理

　プログラムにおいて、一連の処理を繰り返し実行する処理は頻繁に行われる。処理を繰り返すための代表的な制御構造が for 文である。本項では、`for` 文について説明する。Python には、ループ処理の方法が複数ある。典型的な方法はリストを引数とするパターンである。他の方法としては、`range` 関数を使ったループ処理や辞書の `items` 関数を使う方法がある。

```python
#ループ処理

#月を表示
#リストによる繰り返し
ml = [1,2,3]
print('リストによる表示')
for item in ml:
    print(f'{item}月')

#range 関数による繰り返し
print('range による表示')
for item in range(1,4):
    print(f'{item}月')

#辞書による繰り返し
print(my_dict.items())
for key, value in my_dict.items():
    print(f'{key}: {value}')
```

```
出力：リストによる表示
    1 月
    2 月
    3 月
    range による表示
    1 月
    2 月
    3 月
    dict_items([('red', 1), ('blue', 2), ('orange', 3)])
    red : 1
    blue : 2
    orange : 3
```

■関数

　よく使う処理を関数として定義しておくと、何度でも呼び出して使用することができる。

Python で関数を定義する場合、行の頭に def と書いて、その後、＜関数名＞(＜引数 (複数指定可)＞) : という書き方をする。例では関数名が alcohol()、引数が age である。値を返す際には、return 値と記述する。

```
#関数の定義
#お酒が購入できるか判断する関数
def alcohol(age):
    if age >= 20:
        sa = 0
        print(f' 年齢は{age}歳です。お酒を購入できます。')
    else:
        print(f' 年齢は{age}歳です。20 歳未満の方はお酒を購入できません。')

    return 20 - age #お酒が飲めるようになるまでの年数を返す

tarou = 28              #年齢を指定
sa1 = alcohol(tarou) #関数に年齢を渡し、20 歳との差を受け取る
if sa1 > 0:                    #差が 0 より大きい場合は、後何年でお酒が購入できるか提示する
    print(f' あと{sa1}年でお酒が飲めるようになります。')

hanako = 15
sa2 = alcohol(hanako)
if sa2 > 0:
    print(f' あと{sa2}年でお酒が飲めるようになります。')
```

出力：年齢は 28 歳です。お酒を購入できます。
　　　年齢は 15 歳です。20 歳未満の方はお酒を購入できません。
　　　あと 5 年でお酒が飲めるようになります。

2.2.8　オブジェクト指向プログラミング

　Python はオブジェクト指向言語に分類される言語である。最初にオブジェクト指向について解説する。

■オブジェクト指向の基礎概念

　オブジェクト指向言語では、クラス、インスタンスという概念が最も重要である。オブジェクトを作成するひな型のことをクラス、クラスをもとに作成されて使用可能になったオブジェクトのことをインスタンスと呼ぶ。たとえば、図 2.10 のようなドローンをクラスとしてプログラムを作成する場合を考える。クラスは、メソッドと呼ばれる処理機能と属性（プロパティ）と呼ばれる変数を持つ。図 2.10 では、メソッドとして離陸するための take off と着陸のための landing、属性としてボディの色を表す color と電池の残量を表す battery を持つ。Drone とい

うクラスから my_drone1 や my_drone2 といったインスタンスを作成することができる。

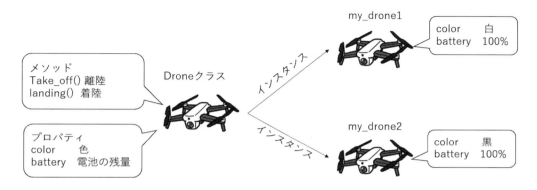

図 **2.10**●ドローンのオブジェクト

オブジェクト指向言語の大きなメリットの1つは、既存クラスの機能を引き継ぎ、新たな機能を追加したクラスを作成できることである。これを継承と呼ぶ。継承機能によりプログラムの再利用が可能となる。例えば、Drone クラスの機能を引き継いで、新たに前に進む機能を追加した MoveDrone というクラスを作成することができる。

2.2.9　ファイルデータの読み込み

Python でデータを扱う際、csv ファイルを読み込むことが多い。読み込む方法は、標準ライブラリや numpy、Pandas というライブラリを使う3つの方法がある。本項では、よく使われる numpy と Pandas ライブラリを使った読み込み方法を説明する。

■ numpy を用いたファイルデータの読み込み

numpy を用いた csv ファイルの読み込みは、numpy ライブラリの `loadtxt()` を使う。Python では、`import` 文を使ってライブラリを読み込む。`import` 文を使う場合に `as` を使うことで、ライブラリ名に好きな名前をつけることができる。ここでは、`np` とする。

`loadtxt()` の呼び出しは、`np.loadtxt(`クラス名`.`関数名`)` で行う。引数には、ファイルが格

納されているパスを指定する。本書の実行環境では、drive/My Drive/toyodaAI/(章) の下に
ファイルが格納されている。本項では、第 2 章 (Ch02) のお札.csv を指定する。**delimiter** で
区切り文字 (csv ファイルの場合、カンマ (,))、**dtype** にデータを読み込む際のデータ型 (文字列
の場合 **str**)、ファイルに日本語が含まれているため、**encoding** で'shift-JIS' を指定する。

```
import numpy as np    #numpy をインポート

#numpy の loadtxt を使ってデータを読み込む
data_np = np.loadtxt("drive/My Drive/toyodaAI/Ch02/お札.csv",
                     delimiter=",",dtype= 'str',encoding='shift-JIS')
print(data_np[:3])
```

出力：[['TrueFalse' 'bottom_margin' 'diagonal']
　　　 [' 偽札' '10.1' '142']
　　　 [' 偽札' '11' '141.8']]

■ pandas を用いたファイルデータの読み込み

　pandas を用いた csv ファイルの読み込みは、pandas ライブラリの **read_csv()** を使う。引
数には、ファイルが格納されているパスと header に 0 行目、ファイルに日本語が含まれている
ため、**encoding** で'shift-JIS' を指定する。**head()** により先頭の 3 行を表示する。

```
import pandas as pd    #pandas をインポート

#pandas の read_csv を使ってデータを読み込む
data_pd = pd.read_csv("drive/My Drive/toyodaAI/Ch02/お札.csv",header=0, encoding='shift-JIS')
data_pd.head(3)
```

出力：

	TrueFalse	bottom_margin	diagonal
0	偽札	10.1	142.0
1	偽札	11.0	141.8
2	偽札	7.2	140.2

　ファイルを読み込む場合、Python では numpy より Pandas の方がより頻繁に使用される。
pandas では **header** や **index** を指定することで行名や列名を付けられ、表形式のデータを効
率的に扱うための機能を提供し、csv、excel、SQL、JSON などのさまざまな形式のファイル
を簡単に読み込むことができる。pandas はデータをデータフレームとして表現し、行や列の操

作、欠損値の処理、データの結合などの高度なデータ処理機能を提供している。そのため、表形式のファイルを読み込む場合には、一般的に pandas の方が使用される。

2.2.10 pandas 形式を numpy 形式への変更方法

一方、numpy は主に数値計算に特化しており、多次元配列や数学関数などを提供する。そのため、pandas でファイルを読み込み分析用の処理を行った後、機械学習モデルの学習においては、numpy 形式がよく使用される。その理由は、numpy が高速な数値計算を実現し、効率的なデータ処理が可能だからである。また、numpy は多次元配列を扱うための機能を提供し、機械学習でよく使用される行列やテンソルを直感的に操作でき、データの形状を変更したり、数学的な操作を行ったりすることが容易であるなどが揚げられる。

```python
# data_pd のタイプを確認
print(f'data_pd のタイプ:{type(data_pd)}')

# pandas の DataFrame を numpy の配列に変換
array = data_pd.values

# array のタイプを確認
print(f'array のタイプ:{type(array)}')
```

出力：
```
data_pd のタイプ:<class 'pandas.core.frame.DataFrame'>
array のタイプ:<class 'numpy.ndarray'>
```

values を使用することで、pandas の DataFrame である data_df を numpy の配列 varray に変換している。type() を確認すると、'pandas.core.frame.DataFrame' から 'numpy.ndarray' に変わっていることが確認できる。

2.3 課題

Colab と Python を実行してみよう。

1. **Colab にログインする**　Colab が使えるように、Colab にアクセスし、ノートブックの新規作成を行う。

2. **Google ドライブのマウント**　Google ドライブのマウントを行い、自身の Google ドライブに接続し、配布されているお札.csv を自身の Google ドライブに保存せよ。

3. **ファイルの読み込み（numpy）**　保存したお札.csv を numpy を使って読み込み、先頭 5 行を表示せよ。次に、要素数を表示せよ。

4. **ファイルの読み込み（pandas）**　保存したお札.csv を pandas を使って読み込み、先頭 5 行を表示せよ。次に、要素数を表示せよ。

5. **形式の変更**　pandas を使って読み込んだデータフレームを、numpy 形式に変更し、先頭 5 行を表示せよ。

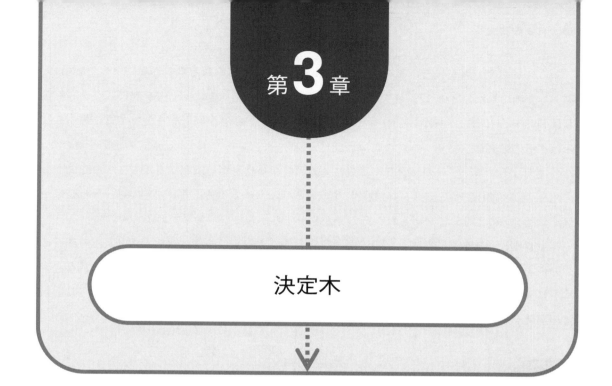

第3章

決定木

　あるスーパーで調査したところ、顧客の 40%が店舗で配布される割引券を買い物で利用し、割引券を利用した顧客の 82%がリピーターであった。それに対し、割引券を利用しなかった顧客は 36%しかリピーターがいなかった。このとき「もし、顧客が割引券を使って買い物するならば、その顧客はリピーターになる（可能性が高い）」といった if then 形式の規則を導ける。この規則はそのスーパーの経営者にとって単純明快かつ有用な知識となるだろう。このような if then 形式の規則をデータから自動的に生成する手法が決定木である。決定木は、分析結果が例えば図 3.1 のようにまとめられ、その分かりやすさからビジネス場面でよく用いられる。

　本章では、分類を目的とする 2 つの例と数値を予測する 1 つの例を通して、決定木の基礎について学んでいく。具体的には、決定木の概要と分岐基準について解説したのち、実用的な決定木を構築するための手法である交差検証とプルーニングについて解説する。章末では Python での実装を行う。

3.1　決定木とは

3.1.1　決定木

　1912 年 4 月 10 日正午、豪華客船タイタニック号は乗客 2228 人を乗せ、イギリス・サウサンプトン港を出港し、アメリカ・ニューヨーク港への処女航海に出た。しかし、タイタニック号は目的地にたどり着くことなく、同年 4 月 14 日午後 11 時 40 分に氷山と衝突し、その約 2 時間 30 分後に沈没してしまった。

　タイタニック号において生死を分けた要因を、決定木を用いて見てみよう。表 3.1 にタイタニック号

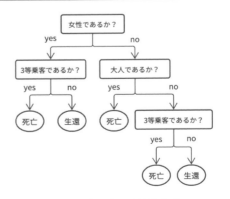

図 3.1●決定木の具体的表現

の乗客の死亡者と生還者を、条件別にカウントした表を示す。このデータには、「等級/立場」「大人/子ども」「性別」という3つの予測変数と「生死」の1つの基準変数がある。

表3.1のデータをもとに、「生死」を分ける要因について分析した結果を表3.2に示す。このような出力を決定木 (decision tree) と呼ぶ。また、視覚的により分かりやすくするため、前述した図3.1のように決定木は、枝分かれするデータの分類の表現を併用することが多い。

図3.1の決定木を構成する要素を説明する。まず、四角あるいは丸で描かれている部分をノード (node) という。そしてデータの分岐を表現する、木の枝にあたる線をブランチ (branch) あるいは単純に枝ともいう。

決定木において、判断は上から下に向かって行われ、逆行することはない。一番初めに分岐が始まるのは一番上のノードであり図3.1では「女性であるか？」である。このノードは特にルートノード (root node)、あるいは根という。反対に、分岐の終着点となる一番下のノードのことをターミナルノード (terminal node)、あるいは葉と呼ばれる。

直接ブランチによって上下につながっているノードは親子関係にあるという。この時、上にあるノードを親ノード (parent node)、下にあるノードを子ノード (child node) と呼ぶ。例えば、図3.1において、「大人であるか？」のノードに着目すると、親ノードは「女性であるか？」であり、子ノードは「3等乗客であるか？」と「死亡（大人）」となる。

表 3.1 ● タイタニック号の生還者と死亡者

等級/立場	大人/子ども	性別	生死	人数
1等乗客	大人	男性	生還	57
1等乗客	大人	男性	死亡	118
1等乗客	大人	女性	生還	140
1等乗客	大人	女性	死亡	4
1等乗客	子ども	男性	生還	5
1等乗客	子ども	女性	生還	1
2等乗客	大人	男性	生還	14
2等乗客	大人	男性	死亡	154
2等乗客	大人	女性	生還	80
2等乗客	大人	女性	死亡	13
2等乗客	子ども	男性	生還	11
2等乗客	子ども	女性	生還	13
3等乗客	大人	男性	生還	75
3等乗客	大人	男性	死亡	387
3等乗客	大人	女性	生還	76
3等乗客	大人	女性	死亡	89
3等乗客	子ども	男性	生還	13
3等乗客	子ども	男性	死亡	35
3等乗客	子ども	女性	生還	14
3等乗客	子ども	女性	死亡	17
乗務員	大人	男性	生還	192
乗務員	大人	男性	死亡	670
乗務員	大人	女性	生還	20
乗務員	大人	女性	死亡	3

3.1.2 決定木の解釈

決定木においては、ルートノードに近い分岐に用いられる変数が、より基準変数に強い影響を与えていると解釈する。タイタニックの決定木では、「性別」が「生死」を分ける第一の要因

であることが示されている。表 3.2 全女性の 73% は生還し、全男性の 79% は死亡している。

「女性」のブランチに注目すると、女性の中でも「1 等乗客」「2 等乗客」「乗客員」であれば 93% が生還している。しかし「3 等乗客」は死亡率が 54 % と、客室のクラスによって大きな生存率（死亡率）の違いがあることが分かる。女性のブランチでは「大人/子ども」はあまり「生死」に影響を与えていない。

「男性」のブランチでは、「等級/立場」よりも先に「大人/子ども」で分岐しており、大人か子どもかがより強い影響を持っていることが分かる。「男性」の「大人」は 25% しか助からなかったが、「男性」の「子ども」は 45 % 助かっている。さらにその下の「子ども」のブランチでは、「1 等乗客」「2 等乗客」であればほぼ助かっており

表 3.2 ● タイタニックの決定木

```
女性 (470 人中 73%) ⟹ 生還
    1 等・2 等・乗務員 (274 人中 93%) ⟹ 生還
    3 等乗客 (196 人中 54%) ⟹ 死亡
男性 (1731 人中 79%) ⟹ 死亡
    大人 (1667 人中 75%) ⟹ 死亡
    子ども (64 人中 55%) ⟹ 死亡
        1 等・2 等乗客 (16 人中 100%) ⟹ 生還
        3 等乗客 (48 人中 73%) ⟹ 死亡
```

り（実際には「1 等乗客」の子どもが一人死亡しているが、このデータからは漏れている）、「3 等乗客」の死亡率は 73% であり、多くが助からなかったことが分かる。

3.1.3　ルール抽出

決定木は、その全体を用いて、予測の的中の有無にかかわらず、各観測対象をターミナルノードに位置づける。しかし決定木全体を参照するのは煩雑である。全体の観測対象でなく、興味のある特定の属性のみに関わる知識のみを抽出したい場合もあるだろう。

このようなときに用いられる技術がルール抽出 (decision rules) である。ルール抽出はルール生成ともいう。ルールは、ルートノードからターミナルノードをたどって生成する。よって決定木全体では、表 3.3 に示されているようにターミナルノードの数だけルールが生成される。抽出されたルールは個別に解釈・利用ができるので、ビジネス場面で利用しやすい。

表 **3.3**●決定木から抽出されたルール

> 死亡規則：
>
> もし 女性 かつ 3 等乗客 ならば 死亡 (196 人中 54%)
>
> もし 男性 かつ 大人 ならば 死亡 (1667 人中 80%)
>
> もし 男性 かつ 子ども かつ 3 等乗客 ならば 死亡 (48 人中 73%)
>
> 　生還規則：
>
> もし 女性 かつ 1 等乗客・2 等乗客・3 等乗客 ならば 生還 (274 人中 93%)
>
> もし 男性 かつ 子ども かつ 1 等乗客・2 等乗客 ならば 生還 (16 人中 100%)

3.2　分類木　—予測変数が質的変数の場合—

　基準変数が質的変数である決定木を分類木 (classification tree) と呼ぶ。ここで質的変数 (qualitative variable) とは、属性や有無など数値の大小で表現できない変数を指す。それに対し、数値の大小で表現できる変数を量的変数 (quantitative variable) と呼ぶ。

　どのような基準で分類木は分岐を決めているのだろうか。本章では、現在の主流なモデルの一つと言われている CART について説明する。CART では、ジニ係数 (gini index) という指標を用いて 2 分岐の判断を行う。本節ではジニ係数とそれを用いた分岐判断とその計算例について解説する。

3.2.1　分岐基準

　分岐基準は決定木が分岐する地点、すなわち親ノードと子ノードの間で計算される。この計算がなされる時点で、親ノード A はすでに J 個の水準を持つ質的な基準変数 C によって、$c_1, \ldots, c_j, \ldots, c_J$ に分割されている。

　ここで、親ノード A に属する観測対象を任意に 1 つ選び、それが c_j である確率を p_{Aj} とする。このとき基準変数 C が水準 c_j である場合に 1、そうでない場合に 0 をとるダミー変数とすると、c_j の分散は $p_{Aj}(1 - p_{Aj})$ である。

　これを用いて、親ノード A における基準変数 C の分散の総和を不純度 (impurity) として定

義すると

$$I(A) = \sum_{j=1}^{J} p_{Aj}(1 - p_{Aj}) = 1 - \sum_{j=1}^{J} p_{Aj}^2 \tag{3.1}$$

となる。これがジニ係数である。

　c_j の分散 $p_{Aj}(1 - p_{Aj})$ は、$p_{Aj} = 0.5$ の時に 0.25 で最大となり、p_{Aj} が 1.0 または 0.0 に近づくほどに 0 に近づく。つまり不純度は、ノードに含まれる水準 c_j である観測対象の割合がほぼ 1、あるいはほぼ 0 の状態（＝純粋な状態）であるとき低くなり、反対にノードに含まれる水準 c_j である観測対象と水準 c_j でない観測対象の割合が半々くらいの状態（＝不純な状態）のときは高くなるような指標なのである。

　親ノード A が子ノード A_L と A_R に分岐する場合、以下の ΔI を最大化するような分岐基準を選択する。

$$\Delta I = P(A)I(A) - \{P(A_L)I(A_L) + P(A_R)I(A_R)\} \tag{3.2}$$

ここで、$P(\cdot)$ は分岐確率を表している。これは、分岐確率を重みづけた子ノードの不純度の平均 $P(A_L)I(A_L) + P(A_R)I(A_R)$ と、同様の重みがついた親ノードの不純度の差を計算することで、分岐による誤分類の改善度を定義している。不純度を分岐確率で重みづけるのは、分岐後のノードに含まれる観測対象の数に応じて分岐基準に対する不純度の影響を調整するためである。たとえば、分岐の結果子ノードの一方である A_L が親ノード A の 90% の観測対象を含むのであれば、A_L の不純度はもう一方の子ノード A_R の不純度よりも分岐基準に強く影響することになる。この分岐基準を候補に挙がったすべての予測変数に関して計算し、値が最大になった予測変数で分岐を行う。また、「等級/立場」のように 3 値以上の水準を含む予測変数の場合は、変数内の水準を 2 つに分ける全通りの組み合わせ (分割しない場合を除く) について分岐基準を計算する。

　不純度を表す関数はジニ係数だけでなく、平均情報量やエントロピーと呼ばれる以下の式

$$I(A) = -\sum_{j=1}^{J} p_{Aj} \log p_{Aj} \tag{3.3}$$

がある。どちらを用いてもほとんど同じ分類結果を得られることが知られている。

3.2.2 **分岐基準の計算例**

「タイタニック」の決定木を例に、ジニ係数を用いた分岐基準の計算例を示そう。基準変数の「生死」の水準数は $J = 2$ であり、2201 人中「生還」は 711 人、「死亡」は 1490 人である。これよりルートノードのジニ係数 (3.1) 式は

$$I(A) = 1 - \left\{ \left(\frac{711}{2201} \right)^2 + \left(\frac{1490}{2201} \right)^2 \right\} = 0.43737 \tag{3.4}$$

である。

次に、実際に分岐に使われた「性別」を予測変数とした場合のジニ係数を計算する。「男性」は 1731 人いて 0.212 の確率で生還し、「女性」は 470 人いて 0.732 の確率で生還しているので、各子ノードのジニ係数は

$$I(A_{男}) = 1 - \left[(0.212)^2 + (0.788)^2 \right] = 0.33411 \tag{3.5}$$

$$I(A_{女}) = 1 - \left[(0.732)^2 + (0.268)^2 \right] = 0.39235 \tag{3.6}$$

となる。したがって「性別」の分岐基準 (3.2) 式は

$$\Delta I = 0.43737 - \left(\frac{1731}{2201} \right) \times 0.33411 - \left(\frac{470}{2201} \right) \times 0.39235 = 0.09082 \tag{3.7}$$

と計算される。

比較のために「大人/子ども」の分岐基準を計算してみよう。「大人」は 2092 人、「子ども」は 109 人いてそれぞれ 0.313、0.523 の確率で生還しているので、「大人/子ども」を予測変数とした場合のジニ係数は

$$I(A_{大人}) = 1 - \left[(0.313)^2 + (0.687)^2 \right] = 0.43006 \tag{3.8}$$

$$I(A_{子ども}) = 1 - \left[(0.523)^2 + (0.477)^2 \right] = 0.49894 \tag{3.9}$$

となる。したがって「大人/子ども」の分岐基準は

$$\Delta I = 0.43737 - \left(\frac{2092}{2201} \right) \times 0.43006 - \left(\frac{109}{2201} \right) \times 0.49894 = 0.0039 \tag{3.10}$$

と計算される。

　「性別」の分岐基準の方が、「大人/子ども」の分岐基準よりも大きいため、ジニ係数を用いた分岐基準の観点からは、ルートノードは「大人/子ども」ではなく「性別」で分岐させるべきだと判断される。

3.3　分類木　—予測変数が量的変数の場合—

　タイタニックのデータは、予測変数も基準変数も質的変数で構成されていた。本節では予測変数が量的変数になった場合の分類木を見ていこう。

3.3.1　お札の真贋の判定

　図 3.2 はフェルレーとリドウェル (1988)[†1] によって示されたお札のデータを基に作成した散布図である。横軸は「下部マージン幅 (mm)」、縦軸は「絵の対角線の長さ (mm)」であり、マーカーには「真 (真札)」あるいは「偽 (偽札)」の 2 種類がある。あるスイス銀行で発見された紙幣の特徴が収められている。

　このデータは基準変数が「真札」と「偽札」の 2 水準の質的変数であり、予測変数となる「下部マージン」と「対角線」は量的変数である。前節と同様に、「真札」と「偽札」を見分ける基準を探すため、分析結果を表 3.4 に示した。

表 3.4 ● お札の真贋の決定木

対角線 ≤ 140.45mm (103 枚中 99%)　⟹ 偽札
対角線 > 140.45mm
　　下部マージン ≥ 9.45mm (16 枚中 81%)　⟹ 偽札
　　下部マージン < 9.45mm (96 枚中 100%)　⟹ 真札

3.3.2　予測変数が量的変数の場合の分岐基準

前節で論じた分岐基準は、基準変数・予測変数共に質的変数の場合に定義されていた。

[†1] Flury, B. and Riedwyl, H. (1988) Multivariate Statistics, A Practical Approach, Cambridge University Press

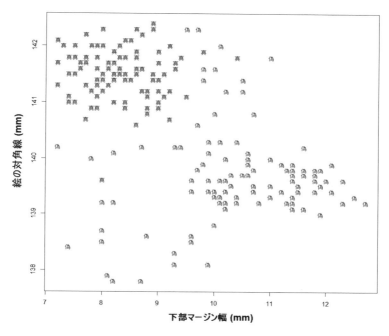

図 **3.2**●真札と偽札の散布図

　偽札と真札のデータのように、予測変数が量的変数であるような場合には、まず当該の親ノード内の N 個の観測対象を、その変数に関してソートする。

　次に重複のない測定値が何種類あるか数え、それを M 個とする。量的変数による測定値の種類は数学的に言えば $M = N$ 個となるのだが、現実場面においては測定精度があるため必ずしも一致しない。たとえば 0.5kg の精度で小学校 1 年生の体重を測定すれば、何百人測定しても測定値の種類は 30 前後である。このように、分析現場の量的変数は M と N は必ずしも一致しないし、大抵は N に比べて M はずっと小さい値になる。

　測定値の種類を M 個であるとすると、その変数には、植木算の考え方から両側を省いて $M-1$ 個の 2 分割点の候補があることになる。そこで $M-1$ 個の分岐基準 ΔI を計算して、ΔI が最大になる点をその量的変数の分割点とする。つまり予測変数が量的変数である場合には、1 つの量的変数の代わりに、あたかも $M-1$ 個の質的変数があるように扱うということである。こ

うすれば 2 分岐となる。1 つの変数で多数の分岐が必要になる場合には、後述する分析例に登場するように、同じ変数による 2 分岐が決定木の中で何度も繰り返される。

3.4　回帰木　—基準変数が量的変数である場合—

　前節までで扱った、基準変数が質的変数である分類木に対し、基準変数が量的変数である決定木を回帰木 (regression tree) と呼ぶ。回帰木においても、予測変数の扱いは分類木と同様である。質的変数はその水準によって枝の分岐を行い、量的変数はソートして適当な分割点を決めて枝の分岐を行う。本節では基準変数が量的変数である回帰木について見ていこう。

3.4.1　生徒の成績の予測

表 3.5●生徒の数学の成績の変数

変数名	性質	内容
予測変数		
性別	2 値	生徒の性別
インターネット	2 値	家にインターネット環境があるか
通学時間	連続	家から学校までの移動時間、4 段階（1:短い〜4:長い）
勉強時間	連続	週当たりの勉強時間、4 段階（1:短い〜4:長い）
課外授業	2 値	学校以外で教育を受けているか
クラブ活動	2 値	クラブ活動に参加しているか
進学希望	2 値	高等教育への進学希望の有無
恋愛	2 値	恋愛関係にあるか
自由時間	連続	放課後の自由時間、5 段階（1:少ない〜5:多い）
友人との外出	連続	友達と外出する頻度、5 段階（1:少ない〜5:多い）
欠席数	連続	生徒の欠席数
基準変数		
成績	連続	学生の数学の最終成績、20 段階 (1〜20)

表 3.5 はパウロとアリス（2008）[†2] の、ポルトガルにある中学校 2 校の 3 年生 382 名のデータからいくつかの変数を抜粋したものである。このデータには、生徒の属性を表す計 11 個の予測変数と、基準変数となる、生徒の 3 年生の時点の「数学の成績」が含まれている。成績は 20 段階でつけられている。

回帰木では、基準変数の平均の差が子ノード間で大きくなるように分岐していく。これは、子ノード内の分散が小さくなるように回帰木が成長していく、と言い換えることもできる。ここで、表 3.6 に作成された回帰木を示す。

表 3.6 の 1 行目には「欠席数 < 0.5、平均：8.362、効果：−2.025」と出力されている。これは、全生徒の中で「欠席数」が 0.5 未満、実質的には 0 である生徒の「成績」は 20 段階中の平均 8.362 であり、ここでの分岐の効果が −2.025 であることを示している。分岐の効果とは、「欠席数 < 0.5」という指定がなければ、「成績」の平均は 10.387 であったのに対し、「欠席数 < 0.5」という条件を付すことによって、10.387 から 2.025 を引いた 8.362 が「成績」の平均になることである。

同様に 2 行目には「進学希望 ＝ no、平均：1.667、効果：−6.695」と出力されている。これは、「欠席数」が 0.5 未満であり、かつ「進学希望」をしない生徒の「成績」の平均は 1.667 であり、ここでの分岐の効果が、1.667 から 8.362 を引いた −6.695 であることを示している。

分岐に用いられた変数は 5 変数であり、残りの 6 変数はこの決定木には現れなかった。これらの 6 変数は、生徒の「数学の成績」に無関係というわけではないが、前の 5 変数

表 3.6 ● 生徒の数学の成績の回帰木

欠席数 < 0.5、平均：8.362、効果：−2.025
進学希望 ＝ no、平均：1.667、効果：−6.695
インターネット ＝ yes、平均：1.000、効果：−0.667
インターネット ＝ no、平均：7.000、効果：+5.333
進学希望 ＝ yes、平均：8.925、効果：+0.563
友人との外出 > 4.5、平均：3.545、効果：−5.380
友人との外出 ≦ 4.5、平均：9.542、効果：+0.617
欠席数 ≧ 0.5、平均：11.271、効果：+0.884
欠席数 ≧ 13.5、平均：9.415、効果：−1.856
自由時間 ≦ 2.5、平均：7.249、効果：−2.166
自由時間 > 2.5、平均：12.059、効果：+2.664
欠席数 < 13.5、平均：11.609、効果：+0.338
性別 ＝ 女性、平均：10.938、効果：−0.671
性別 ＝ 男性、平均：12.274、効果：+0.665

[†2] Paulo, C.,Alice, S.,(2008) Using Data Mining to Predict Secondary School Student Performance, *Proceedings of 5th Future Business Technology Conference*, 5-12

よりかは基準変数に影響を与えなかったということである。

3.4.2　予測変数が量的変数である場合の分岐基準

　生徒の成績データのように、基準変数が量的変数であるときには、ジニ係数を用いた分岐基準は使用できない。回帰木の分岐には、平方和の分解が用いられる。

　回帰木の 2 分岐は次のように選択する。まず親ノードにおける基準変数の偏差平方和

$$SS = \sum_{i=1}^{N} (y_i - \bar{y})^2 \tag{3.11}$$

を計算する。ここで N は、親ノード内の観測対象の数であり、y_i は基準変数の測定値、$\bar{y}$ は親ノード内の基準の平均値である。

　予測変数 T によって 2 分岐すると、右に N_R 個、左に N_L 個の観測対象に分かれるものとすると、子ノード内の偏差平方和は、それぞれ

$$SS_{TR} = \sum_{i=1}^{N_R} (y_i - \bar{y}_R)^2 \tag{3.12}$$

$$SS_{TL} = \sum_{i=1}^{N_L} (y_i - \bar{y}_L)^2 \tag{3.13}$$

となる。ここで $\bar{y}_R$ と $\bar{y}_L$ は、それぞれの子ノード内の基準の平均値である。子ノード内の偏差平方和の和

$$SS_{TW} = SS_{TR} + SS_{TL}$$

はノード内平方和と呼ばれている (W は Within の頭文字)。

　親ノードの平方和と子ノード内平方和の差

$$SS_{TB} = SS - SS_{TW} \tag{3.14}$$

はノード間平方和と呼ばれ (B は Between の頭文字) 、予測変数 T による基準変数の分離の程度の基準として利用される。候補になる予測変数ごとに SS_{TB} を計算し、その値が最大になる予測変数で分岐を行い回帰木を成長させる。

SS は予測変数とは関係なく計算され、値が固定されているから、ノード内平方和 SS_{TW} が最小になる予測変数で回帰木を成長させても結果は一致する。

3.5 より実用的な決定木を構築するために

本節では、より実用的な決定木を構築するための方法である交差検証とプルーニングについて解説する。

3.5.1 交差検証

データ分析の実際場面において、単一のデータセットのみから学習した決定木モデルは見かけ上成績が良くても、他のデータセットを適用した際に成績が悪くなる場合がある。成績が悪くなるとは、基準変数が質的変数の場合は誤分類率が高く（正解率は低く）なり、基準変数が量的変数の場合は予測の誤差分散が大きくなる状態を指す。単一のデータセットのみで学習し作成されたモデルは、しばしば学習したデータセットに対してだけ成績が良くなる。この状態を過学習 (over fitting) という。

過学習を検出し防ぐためには、交差検証 (cross validation) を行う。交差検証とは、モデルの評価を行う際に、学習に用いたデータは利用せずに、それとは別に得られたデータへの当てはまりの良さを確認することである。交差検証では、図 3.3 のように手元にあるデータセットを学習データ (train data) と検証データ (validation data) とテストデータ (test data) に分割する。

具体的な手順としては、まず学習データのみを用いてモデルを学習する。学習したモデルは学習データのみに過学習している可能性があるため、検証データを用いてモデルの成績を評価する。得られた結果に基づいてモデルを修正し、再度訓練を行う。これを何度も繰り返し、検証データで好成績を修めるモデルを探索する。ただし、何十（あるいは何百）個もモデルを学

習し検証データで評価すると、最終的なモデルは検証データと統計的に独立でなくなってしま
う。この弊害を克服するためには、学習データにも検証データにも含まれていないテストデー
タを用いて、最終的なモデルの成績を評価することが推奨されている。[†3]

図 3.3 ● 交差検証

　　プルーニング

　決定木は成長させるほど見かけ上の成績が良くなる。しかしこれは学習データに対して過学
習の状態である。交差検証はメタアルゴリズムであり、多くの機械学習モデルに適用されるし、
決定木に限定しても様々な方法が存在するが、ここでは決定木における交差検証の具体例とし
てプルーニング (pruning) を紹介する。

　プルーニングは枝刈りや剪定とも呼ばれており、一度深く決定木を作成した後で不要な枝を
削除することでよりシンプルな決定木を作成する。プルーニングには様々な手法がある。その
中でしばしば用いられるのは、ある枝を伸ばすと検証データの成績が悪くなる場合に、その枝
を削除する方法である。

　3.3 節で用いた偽札データにおけるプルーニングの一例を図 3.4 に示した。左側の決定木は
学習データに対する成績が頭打ちになるまで茂らせたモデル (一部省略) である。右側の決定木
は、左側の決定木の「対角線 ≤140.45mm」が「yes」であるノードから伸びる枝と「下部マー
ジン ≤9.4mm」が「no」であるノードから伸びる枝 (枠線部分) を削除したモデルである。左
側の決定木は学習データに対する正解率が 100%と高いものの、検証データに対する正解率は
右側の決定木の方が約 1.6%高くなる。枠線部分の枝は伸ばすと検証データの成績が悪くなるた

[†3] 最近の機械学習の分野では、このようにデータを分割する方法をホールドアウト法と呼ぶことがある。

め削除する。

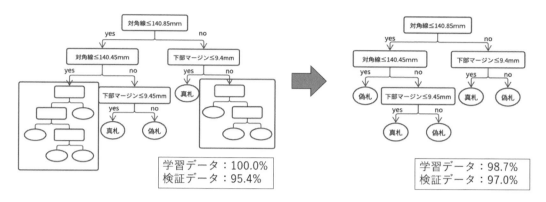

図 3.4 ● プルーニング

3.6　Python による実装

本節では、Python で実際に決定木による分析を行う。これまでに用いたタイタニックデータ、偽札データ、生徒の成績データで決定木モデルの構築、描画、プルーニングを行う。

3.6.1　準備

最初に分析の準備として、ドライブを読み込み分析に使うライブラリを読み込む。この際、図を描画するライブラリ matplotlib を日本語表示できるようにするライブラリ japanize matplotlib は colab に入っていないため!pip install japanize_matplotlib でインストールする。

```
#ドライブをマウントする
from google.colab import drive
drive.mount('/content/drive')

#Google colab には入っていないライブラリをインストールする
!pip install japanize_matplotlib

#ライブラリの読み込み
import pandas as pd
```

```
import matplotlib.pyplot as plt
import japanize_matplotlib
from sklearn.tree import DecisionTreeClassifier, DecisionTreeRegressor, plot_tree
from sklearn.model_selection import train_test_split
```

3.6.2　タイタニックデータの分析

　タイタニック号の生還者と死亡者を分類する決定木モデルを構築してみよう。データを読み込み、データに含まれる変数を、予測変数と基準変数とで分類する。

　生データは変数のカテゴリーが数値でなく、文字で記述されている。Python の決定木の関数では数値しか読み込むことができないので、関数 pd.get_dummies() を使って質的変数を全て 0,1 の数値 (ダミー変数) で表現する。この関数の引数 drop_first は、変数の水準数が n 個であるとき True を指定すれば $n-1$ 個のダミー変数に、False あるいは指定なし (デフォルト値) であれば n 個のダミー変数に変換する。

　後に決定木の描画の際必要になる、変数の名前のリストを作る。.columns はデータフレームのヘッダーを出力する関数でそれを関数 list() でリスト形式に変換して df1_x_names に格納する。

```
#タイタニックデータを読み込む
df1 = pd.read_csv('/content/drive/MyDrive/chapter3/data/タイタニック.csv',
encoding='shift-jis')

#予測変数と基準変数とで分ける
df1_x = df1[['等級','大人子ども','性別']]
df1_y = df1[['生死']]

#ダミー変数への変換
df1_x = pd.get_dummies(df1_x)
df1_y = pd.get_dummies(df1_y, drop_first=True)

#ダミー変数化した中身
df1_x.head(5)
df1_y.head(5)

#変数名のリストを作る
df1_x_names=list(df1_x.columns)
```

　次は決定木モデルの構築を行う。タイタニックや偽札などの分類木のモデルを扱うのはライブラリ sklearn.tree 内にある関数 DecisionTreeClassifier() である。括弧内でモデルに関する指定をすることができ、ここではシードと cp(complexity parameter) の下限値を指定し

ている (Python 上では `ccp_alpha` で表記される)。シードとは同じ分析結果を再現するために指定する任意の数値であり、変数 `random_state` で指定できる。今回は 0 を指定している。cp は決定木の複雑さを表すパラメータであり、0 に近づくほど複雑な木であることを表している。cp の下限値を指定することで、複雑で冗長な枝を成長させないようにしている。

モデルを指定したら、関数 `fit()` でモデルを構築する。括弧内の第 1 引数には予測変数を、第 2 引数には基準変数を指定する。`fit()` では決定木の出力がされないので、関数 `plot_tree()` で決定木を描画する。引数 `feature_names` は予測変数の名前を入れるところであり、先程作成した変数名のリストを渡す。引数 `class_names` には予測変数の名前を入れる。引数 `filled` を `True` に指定すると決定木のノードがカラーで描画され、色の濃さで規則の強さを表現してくれる。

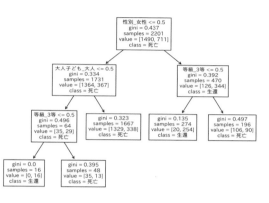

図 3.5●タイタニックの決定木

Google colab 上では図が小さくノード内の文字が見えないので、#図を拡大して見やすくする、の下の関数で拡大表示することができる。出力を図 3.5 に示す。

```
#決定木モデルの作成
tree1 = DecisionTreeClassifier(random_state=0, ccp_alpha=0.003)
tree1.fit(df1_x,df1_y)

#決定木の可視化
plot_tree(tree1, feature_names=df1_x_names, class_names=[' 死亡',' 生還'], filled=True)

#図を拡大して見やすくする
fig_dt = plt.figure(figsize=(16,8))
ax_dt = fig_dt.add_subplot(111)
plot_tree(tree1, feature_names=df1_x_names, class_names=[' 死亡',' 生還'], filled=True,
fontsize=9,ax = ax_dt)
plt.show()
```

3.6.3 　偽札データの分析

データを読み込み、データを予測変数と基準変数に分け、予測変数名のリストを作る。

　偽札データの予測変数は量的変数であり、既に数値で表現されているので予測変数に関して
は手を加える必要はない。基準変数に関しては真札か偽札かの 2 値の値をとるのでタイタニッ
クデータの時と同様に 0,1 の数値に変換する。決定木の出力を図 3.6 に示す。

```
#偽札データを読み込む
df2 = pd.read_csv('/content/drive/MyDrive/chapter3/data/お札.csv',encoding='shift-jis')

#予測変数と基準変数とで分ける
df2_x = df2[['下部マージン','対角線']]
df2_y = df2[['真偽']]

#ダミー変数への変換
df2_y = pd.get_dummies(df2_y, drop_first=True)

#変数名のリストを作る
df2_x_names=list(df2_x.columns)

#決定木モデルの作成
tree2 = DecisionTreeClassifier(random_state=0, ccp_alpha=0.01)
tree2.fit(df2_x,df2_y)

#決定木の可視化
plot_tree(tree2, feature_names=df2_x_names, class_names=['偽物','本物'], filled=True)

#図を拡大して見やすくする
fig_dt = plt.figure(figsize=(16,8))
ax_dt = fig_dt.add_subplot(111)
plot_tree(tree2, feature_names=df2_x_names, class_names=['偽物','本物'], filled=True,
fontsize=9,ax = ax_dt)
plt.show()
```

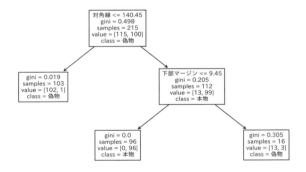

図 **3.6**●お札の真贋の決定木

3.6.4　生徒の成績データの分析

　まずはデータを読み込む。生徒の成績データは予測変数の中に量的変数と質的変数が混じっ

ている。この場合それら2つを分けたうえで、質的変数だけ0,1の数値に変換し、その後2つを結合させる。データフレームを結合する関数は `pd.concat()` で、引数 `axis` は 0(デフォルト) を指定すれば縦に、1を指定すれば横にデータフレームを結合する。

```
#生徒の成績データを読み込む
df3 = pd.read_csv('/content/drive/MyDrive/chapter3/data/生徒の成績.csv',encoding='shift-jis')

#予測変数と量的変数とで分ける
df3_x1 = df3[['通学時間','勉強時間','自由時間','友人との外出','欠席数']]
df3_x2 = df3[['性別','インターネット','課外授業','クラブ活動','進学希望','恋愛']]
df3_y = df3['成績']

#ダミー変数への変換
df3_x2 = pd.get_dummies(df3_x2)

#一度分けた予測変数を結合する
df3_x = pd.concat([df3_x1, df3_x2],axis=1)
```

　結合した予測変数の変数名のリストを作り、決定木のモデルの構築をする。この際、生徒の成績データは、基準変数が量的変数であるので回帰木として決定木を作成する。回帰木を構築する関数は `DecisionTreeRegressor()` である。今回は引数に `max_depth` を指定しておりこれによって決定木の深さを指定できる。決定木の深さはルートノードからターミナルノードまでの分岐回数の最大値であり、例えばタイタニックの決定木であれば深さは3、偽札であれば深さは2である。深さを指定することで、決定木を解釈できる程度の大きさに留めておくことができる。決定木の出力を図3.7に示す。

```
#変数名のリストを作る
df3_x_names=list(df3_x.columns)
df3_x_names

#決定木モデルの作成
tree3 = DecisionTreeRegressor(random_state=0, max_depth = 3)
tree3.fit(df3_x,df3_y)

#決定木の可視化
plot_tree(tree3, feature_names=df3_x_names, filled=True)

#図を拡大して見やすくする
fig_dt = plt.figure(figsize=(16,8))
ax_dt = fig_dt.add_subplot(111)

plot_tree(tree3, feature_names=df3_x_names, filled=True,fontsize=9,ax = ax_dt)
plt.show()
```

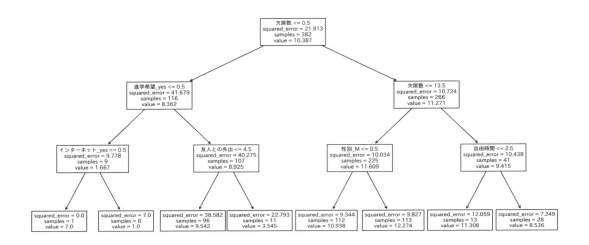

図 3.7 ● 生徒の成績の決定木

3.6.5　偽札データのプルーニング

　3.6.3 項で作成した `df2_x` と `df2_y` を使う。関数 `train_test_split()` でデータを学習デー タと検証データに分割できる。今回はテストデータを用意しないが、テストデータも作成する場合は関数 `train_test_split()` を使ってもう一度分割し、一回目の分割で得られた検証データをテストデータとして扱うとよい。引数 `test_size` には検証データの割合を指定できる。引数 `random_state` は任意の数値を入力することで分割の結果を固定することができる。`DecisionTreeClassifier()` で用いられる引数 `random_state` も同様の機能を持つ。

　関数 `cost_complexity_pruning_path()` を用いてプルーニングを行う。この関数で各プルーニング時の cp 値を取り出す。そして各 cp 値における学習データに対する成績と検証データに対する成績を算出し見比べて、どの cp 値を持つモデルであれば検証データの成績が上がるのかを観察する。木の成績は関数 `score()` で出力でき、分類木の場合は正解率が用いられる。視覚的にわかりやすくするため、各 cp 値における学習データに対する成績と検証データに対する成績をプロットした図を出力する。その図が図 3.8 である。

```
#学習データと検証データに分ける（テストデータはなし）
x_train, x_test, y_train, y_test = train_test_split(df2_x, df2_y,
stratify=df2_y,test_size=0.3,random_state=0)

#cost_complexity_pruning_path で cp を取り出す
model = DecisionTreeClassifier(random_state=0)
path = model.cost_complexity_pruning_path(x_train, y_train)
ccp_alphas = path.ccp_alphas

#各 cp 値を持つモデルのリストを作る
models = []
for ccp_alpha in ccp_alphas:
    model = DecisionTreeClassifier(random_state=0, ccp_alpha=ccp_alpha)
    model.fit(x_train, y_train)
    models.append(model)

#各 cp 値におけるモデルの正解率を算出しリストを作る
train_scores = [model.score(x_train, y_train) for model in models]
test_scores = [model.score(x_test, y_test) for model in models]

#作ったリストをもとにグラフにプロットする
fig, ax = plt.subplots()
ax.set_xlabel(' 木の複雑さ (cp)')
ax.set_ylabel(' 正解率')
ax.plot(ccp_alphas, train_scores, marker='s', label=' 学習データ',
drawstyle='steps-post',c='black',mfc='white')
ax.plot(ccp_alphas, test_scores, marker='o', label=' 検証データ',
drawstyle='steps-post',c='black')
ax.legend()
plt.show()
```

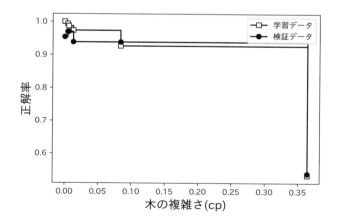

図 3.8 ● 各 cp 値における学習データと検証データの成績のプロット

3.7 課題

　コンビニやスーパーにお菓子を買いに行く場面を想像してみよう。あなたはどのようなお菓子を買うだろうか。Drive 内にある、お菓子.csv にリストアップされている 28 個のお菓子について、自分が買いそうなお菓子には「買う」を、買わなさそうなお菓子には「買わない」を入力し、Python で自分がどのようなお菓子を買うかを予測する決定木モデルを作ってみよう。

1. お菓子.csv の変数「買う買わない」の欄に、対応するお菓子を「買う」か「買わない」かを入力せよ。
2. お菓子.csv のデータを読み込もう。
3. 自分のお菓子の購買を予測する決定木を描画し、決定木を解釈せよ。
4. 決定木のルールを抽出せよ。
5. 決定木の指標 (深さや cp の下限値) を変化させ、描画される決定木の違いを考察せよ。

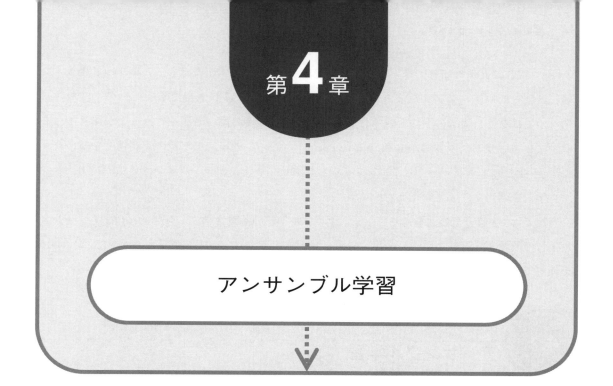

第 **4** 章

アンサンブル学習

　「三人寄れば文殊の知恵」ということわざがある。これは、「凡人でも三人集まって相談すれば、素晴らしいアイデアが生まれる」という意味である。AI においても、一つの手法だけに頼るのではなく、複数の手法を組み合わせることで、精度の高い予測を行うことができる。この手法をアンサンブル学習 (ensemble learning) と呼ぶ。近年、モデルの予測精度を競い合う Kaggle などのようなデータサイエンスの競技において、上位にランクインする人が、アンサンブル学習を活用することが増えている。

　本章では、2 値分類の例を通じて、アンサンブル学習の基礎を学ぶ。具体的には、アンサンブル学習の概要と代表的な手法、そして結果を評価する方法について説明する。最後に、Python を使ってアンサンブル学習のプログラムを実装する。

4.1　アンサンブル学習

　機械学習は、データに対し様々な手法を用いて学習 (learning) し、自動的にルールやパターンを見つけ出す技術である。具体的には、学習器 (learner) と呼ばれるシステムにデータを与えて学習させ、モデルを構築し、このモデルを用いて予測を行う。

　学習データを用いてモデルが予測した値 (予測値) と実測値との差を訓練誤差 (training error) または経験誤差 (empirical error) と言い、一方で、新たなデータに対してモデルが予測した値と実測値の差は汎化誤差 (generalization error) と言う。

　機械学習では、訓練誤差がなく 100% の精度を誇るモデルを得ることは珍しくない。しかし、そのようなモデルは必ずしも良いモデルとは言えない。機械学習の目的は、新たに与えられたデータの結果を予測することであるため、汎化誤差の小さいモデルが良いモデルである。

　本章では、アンサンブル学習という手法を紹介する。アンサンブル学習は、複数の学習手法を組み合わせることで、より汎化誤差が小さいモデルを構築する手法である。

4.1.1　アンサンブル学習の概要

　機械学習で使用される代表的な手法は、決定木やニューラルネットワーク、サポートベクターマシンなどがある。これらの手法は、データを一つの学習器で学習する。一方で、アンサンブル学習で用いられる手法は、複数の学習器を用いてモデルを構築する。

　アンサンブル学習は、複数の学習器を処理する方法の違いからバギング (bagging) とブースティング (boosting) の 2 種類に大別される。

　バギングは、並列アンサンブル法 (parallel ensemble method) とも呼ばれ、複数の学習器を並列に学習して予測結果を統合する手法である (図 4.1(a))。

　一方のブースティングは、逐次アンサンブル法 (sequential ensemble method) とも呼ばれ、複数の学習器を順番に学習し、前の学習器が誤分類したデータに重みを付けて、優先的に正しく分類できるように学習して予測結果を統合する手法である (図 4.1(b))。

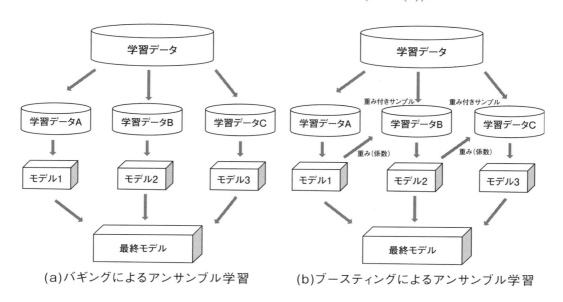

(a)バギングによるアンサンブル学習　　(b)ブースティングによるアンサンブル学習

図 4.1●アンサンブル学習の仕組み

4.1.2　弱学習器の多様さと正確さ

　複数の学習器を結合したアンサンブル学習は、多くの場合、単一の学習器より精度の高いモデルを得ることができる。なぜ、高い性能を持つ個別の学習器よりもアンサンブル学習の方が高い性能が得られるのだろうか。直感的には、異なる性能の学習器を混ぜると、その性能は最も低い性能の学習器よりは高いが、最も高い性能の学習器よりは低くなりそうである。

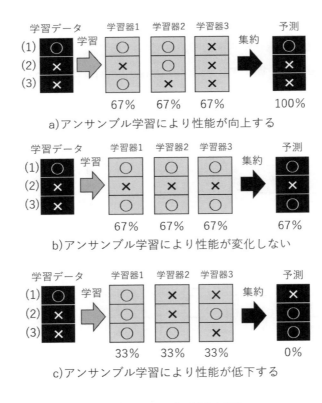

図 4.2●アンサンブル学習の効果

　ここで図 4.2 のような基準変数が○と×の簡単なバギングの例を用いて考えてみる。(a) は、3 つの学習器によるモデルの予測結果が示されており、各学習器の精度は平均すると 67% しか

ない。3 つの学習器を集約し、予測結果を求める。アンサンブル学習において、複数の学習器を集約する方法として最もよく知られているのは多数決である。(a) のデータ (1) の予測値は。が 2 個、× が 1 個であるため、最終予測は。となる。データ (2) と (3) も同様に多数決で判定するとモデル全体の最終予測が 100% になり、個別の学習器より集約した場合の方が高い予測能力がある。

　一方で、アンサンブル学習を行えば常に良い結果を得られるというわけではない。(b) は、3 つの学習器の予測結果に違いがなく、集約しても結果は変わらず、性能は向上しない。次に (c) は、各学習器の精度が 33.3% しかなく、アンサンブル学習で集約すると 0% になり、性能が低下している。

　この簡単な例から、アンサンブル学習で良い予測結果を得るには、個別の学習器がある程度の多様さ（ばらつき）と正確さを持たなければならないことがわかる。通常、アンサンブル学習で利用される個別の学習器には、単純なモデルで、単独で使うと互いに多様で、できるだけ精度が高い学習器が求められる。このような学習器を弱学習器 (weak learner) と言う。

　本章の範囲を超えるため、詳細は割愛するが、数理的にも弱学習器の数が増えると個々の弱学習器の影響を相殺しあい、予測が外れる確率が指数関数的に減少することがわかっている。

4.2　アンサンブル学習の代表的な手法

　本節では、アンサンブル学習の手法であるバギングとブースティングについて具体例を用いて解説する。

4.2.1　バギングの概要

　バギングはアンサンブル学習の中でも代表的かつ主流な手法である。バギングの特徴は、学習データからランダムなデータ抽出を複数回繰り返し、そのデータを各学習器の学習データと

し、4.1.1 項で説明したように学習器を並列に処理することである。各学習器に異なる学習データの一部を学習させる工夫を加えることで、学習器に多様さを与えている。

バギングでは、ブートストラップ法 (bootstrap method) を用いてデータを抽出する。ブートストラップ法とは、データから復元抽出を繰り返して新しい標本を生成することによって、その標本の統計的性質を推定する手法である。学習データからブートストラップ法を用いて抽出する方法を図 4.3 に示す。復元抽出されるため、データセット 1 では、データ (3) が、データセット 3 ではデータ (1) が重複して抽出されている。一方で、データ (4) のように 1 度も抽出されていないデータもある。

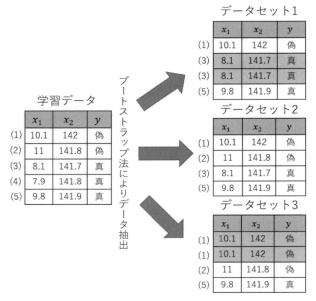

図 4.3 ● ブートストラップ法

ブートストラップ法を T 回行うことで、m 個のデータを持つ T 個のデータセットが得られ、各データセットにもとづいて学習器を学習させることができる。

4.2.2　バギングの手順

バギングのアルゴリズムの手順を第 3 章で利用したお札のデータを利用して説明する。x_1 が下部のマージン、x_2 が絵の対角線の長さ、y が真札か偽札を表している。

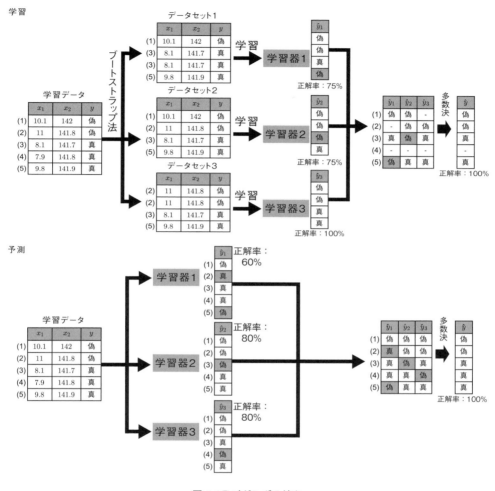

図 **4.4** バギングの流れ

STEP1 (データ抽出):図 4.4 のような 5 つのデータの入った学習データから、ブートストラップ法により、4 つのデータを含む 3 つのデータセットを作成する。

STEP2 (学習):3 つのデータセットを学習する。学習の結果、学習器 1 は正解率 75% で、データ (5) を偽と誤分類している。学習器 1 はデータ (5) を上手く分類ができない学習器である。

また、学習器 2 はデータ (3) を誤分類している。学習器 3 は誤分類がなかった。3 つの学習器の予測結果を多数決により判定した結果は 100%である。

STEP3 (予測):STEP2 で構築したモデルで学習データの予測を行う。ここで、データ (4) は学習時には利用されていない新しいデータである。学習器 1、2 では、データ (4) を正しく分類し、学習器 3 は誤分類している。

STEP4 (集約):各学習器による予測結果の多数決を行い、モデルの最終的な予測結果 $\hat{y}$ を求める。

4.2.3　ランダムフォレスト

　バギングは、ブートストラップ法を使って学習に利用するデータを変えることで、弱学習器に多様さを持たせていた。しかし、同じ予測変数を使用して学習するため、複数のデータセットを抽出すると似たデータが抽出される場合がある。

　そこで、学習器に、より多様さを持たせるために、図 4.5 のように、ブートストラップ法によるデータ抽出を行う際、データセットに含まれる予測変数もランダムに選ぶ。

　このような方法でデータを抽出し、決定木ベースの学習器を用いる手法をランダムフォレスト (random forest) と呼ぶ。データセット 1 は、予測変数 x_1 と x_2 から、x_1 が選ばれてい

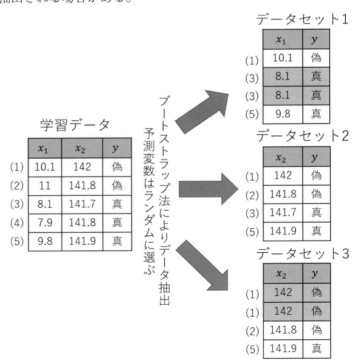

図 4.5 ●ランダムフォレストのデータ抽出

る。このデータを元に学習を行い、モデルを構築する。その後は、バギングの手順と同様に学習、予測を行う。このような工夫により、バギングよりも学習器の多様性が高くなり、過学習を防ぐことが可能である。

4.2.4　ブースティングの概要

アンサンブル学習の 2 つ目の手法としてブースティングを解説する。

ブースティングは、学習器を順番に学習させる。その際、前の学習器が正しく予測できなかったデータに焦点を当て、次の学習器に学習させることで予測精度を向上させる。

4.2.5　ブースティングの手順

ここではブースティングの代表的な手法であるアダブースト (adaboost) の手順を、野菜か果物かを分類する 2 値分類を例に解説する。アダブーストにデータ数 N の学習データを用い、T 個の弱学習器で学習し、モデルを構築する。

STEP1 (初期値):重みの初期値を設定する。t 個目の弱学習器で算出された i 番目のデータの重みを w_{ti} とすると、最初の弱学習器 $t = 1$ の重み w_{1i} は (4.1) 式のようにデータ数の逆数で表される。

$$w_{1i} = \frac{1}{N} \tag{4.1}$$

STEP2 (繰り返し処理):STEP3 から STEP7 を T 回繰り返し、T 個の弱分類器を得る。

STEP3 (学習):t 番目の弱学習器の学習を行い、その予測結果と実測値の誤差を用いて、重み付き誤り率 ϵ_t を

$$\epsilon_t = \sum_{i=1}^{N} w_{ti}[\hat{y}_{ti} \neq y_i] \tag{4.2}$$

で求める。ここで、$\hat{y}_{ti}$ は t 番目の弱学習器による i 番目のデータの予測値、y_i は i 番目

のデータの実測値である。また、$[\hat{y}_{t\,i} \neq y_i]$ は、i 番目のデータの予測値と実際値が一致している場合は 0、一致していない場合は 1 を表す。予測値と実測値が全てのデータで一致していない場合は $\epsilon_t = 1$ となり、予測値と実測値が全てのデータで一致している場合は $\epsilon_t = 0$ となる。

STEP4 (誤分類率の判定):ここで、$\epsilon_t = 0$(誤分類がない) の場合は、T 回実施せずに計算を終了する。一方で、$\epsilon_t \geq 0.5$ の場合は、弱学習器の精度がランダムな推測より悪いため、T 回実施せずにエラーで計算を終了する。

STEP5 (信頼度の計算):STEP3 で求めた t 番目の重み付き誤り率 ϵ_t から α_t を

$$\alpha_t = \frac{1}{2} \log \left(\frac{1 - \epsilon_t}{\epsilon_t} \right) \tag{4.3}$$

で求める。ここで、log とは底が e の自然対数を表す。α_t と ϵ_t の関係を図 4.6 に表す。α_t は単調減少関数であり、$\epsilon_t > 0.5$ で負となる。

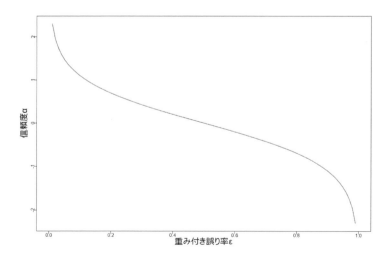

図 4.6●重み付き誤り率 ϵ_t と信頼度 α_t

重み付き誤り率 ϵ_t が小さいほど、α_t は大きくなり、一方、ϵ_t が大きいほど、α_t は小さく

なる。そのため、α_t は弱学習率の信頼度を表す。

STEP6（重みの更新）:信頼度 α_t を用いて、重み更新する。

$$w'_{t+1\,i} = w_{t\,i}\exp\left\{\alpha_t[\hat{y}_{t\,i} \neq y_i]\right\} \tag{4.4}$$

ここで、左辺の $w_{t\,i}$ はSTEP1より正であり、α_t はSTEP4より正である。$\exp\left\{\alpha_t[\hat{y}_{t\,i} \neq y_i]\right\}$ は、予想が当たっていた場合は、$\exp\left\{\alpha_t[\hat{y}_{t\,i} \neq y_i]\right\} = 1$ で $w'_{t+1\,i} = w_{t\,i}×1$ となり、重みは変わらない。予測が外れたときには、$w'_{t+1\,i} \geq 1$ となり、予測が外れたデータの重みを増やし、次の学習の際、予想が外れたデータを重点的に学習する。

STEP7（重みの正規化）:重みが全体で1になるように

$$w_{t+1\,i} = \frac{w'_{t+1\,i}}{\sum_{i'=1}^{N} w'_{t+1\,i'}} \tag{4.5}$$

で調整した $w_{t+1\,i}$ を求める。

STEP8 (最終予測):モデルの最終予測は、

$$H_{(x_i)} = \mathrm{sign}\left(\sum_{t=1}^{T} \alpha_t h_t(x_i)\right) \tag{4.6}$$

で求める。ここで、$H_{(x_i)}$ は i 番目のデータの最終予測である。$h_t(x_i)$ は t 番目の学習器に i 番目のデータを入れた際の予測結果で、1か -1 を返す。$h_t(x_i) = 1$ は野菜、$h_t(x_i) = -1$ は果物を表す。sign は、括弧の中の $\sum_{t=1}^{T} \alpha_t h_t(x_i)$ が正の場合は1を、0の場合は0、負の場合は -1 を返す関数である。$\alpha > 0$、$h_t(x_i)$ は1か -1 であるため、$H_{(x_i)} \neq 0$ で、1(野菜)か -1(果物)のどちらかになる。

　最終予測は、t 番目の弱学習器の予測結果 $h_t(x_i)$ に信頼度 α_t をかけた加重平均（多数決）を取る。単純な多数決ではなく、信頼度の高い弱学習器の予測結果が最終結果に反映される信頼度に応じた多数決といえる。

4.2.6　具体例

　前章で利用したお札のデータを利用してアダブーストの手順を具体的に説明する。今回の例では、弱学習器を 3 個用意する。予測結果は、真札は 1、偽札は −1 で表す。

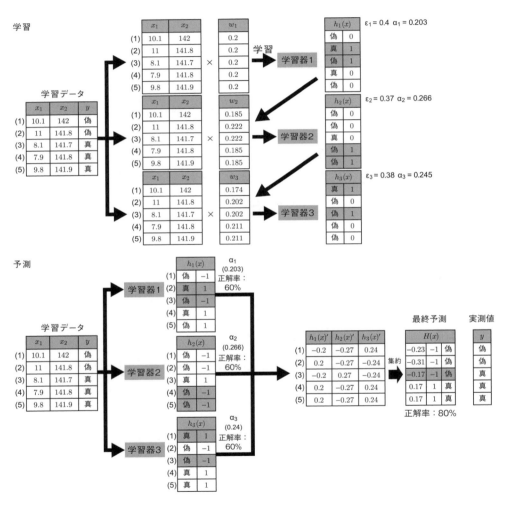

図 **4.7**● ブースティング (アダブースト) の仕組み

STEP1 (初期値):今回の例では、データ数が 5 であるので、$w_1 = 1/5 = 0.2$ で各データの重みは $w_{11} = w_{12} = w_{13} = w_{14} = w_{15} = 0.2$ である。

STEP2 (繰り返し処理):弱学習器が 3 個あるため、STEP3〜STEP7 を 3 回繰り返す。

学習器 1: 図 4.7 の学習器 1 の学習結果からデータ (2)、(3) が誤っているため、$\epsilon_1 = 0.2 \times 0 + 0.2 \times 1 + 0.2 \times 1 + 0.2 \times 0 + 0.2 \times 0 = 0.4$ となり、$\epsilon_1 \leq 0.5$ のため計算を続ける。学習器 1 の信頼度は、$\alpha_1 = \frac{1}{2} \log \left\{ \frac{1-0.4}{0.4} \right\} \simeq 0.203$ である。更新された重み w_2 は、$w_{21} \simeq 0.185$、$w_{22} \simeq 0.222$、$w_{23} \simeq 0.222$、$w_{24} \simeq 0.185$、$w_{25} \simeq 0.185$ となる。

学習器 2: w_2 を加味して学習を行った学習器 2 の結果からデータ (4)、(5) が誤っているため、$\epsilon_2 = 0.185 \times 0 + 0.222 \times 0 + 0.222 \times 0 + 0.185 \times 1 + 0.185 \times 1 = 0.37$ となり、$\epsilon_2 \leq 0.5$ のため計算を続ける。学習器 2 の信頼度は、$\alpha_2 = \frac{1}{2} \log \left\{ \frac{1-0.37}{0.37} \right\} \simeq 0.266$ である。w_3 は、$w_{31} \simeq 0.174$、$w_{32} \simeq 0.202$、$w_{33} \simeq 0.202$、$w_{34} \simeq 0.211$、$w_{35} \simeq 0.211$ となる。

学習器 3: w_3 を加味して学習を行った学習器の結果からデータ (1)、(3) が誤っているため、$\epsilon_3 = 0.174 \times 1 + 0.202 \times 0 + 0.202 \times 1 + 0.211 \times 0 + 0.211 \times 0 = 0.38$ となり、$\epsilon_3 \leq 0.5$ のため計算を続ける。学習率 3 の信頼度は、$\alpha_3 = \frac{1}{2} \log \left\{ \frac{1-0.38}{0.38} \right\} \simeq 0.245$ である。w_4 は、$w_{41} \simeq 0.194$、$w_{42} \simeq 0.185$、$w_{43} \simeq 0.231$、$w_{44} \simeq 0.194$、$w_{45} \simeq 0.194$ となる。

STEP8 (最終予測): 各学習器の予測結果に信頼度 α_t を掛けた重み付けた加重和を取る。データ (1) であれば、$\sum_{j=1}^{3} \alpha_j h_J(x_i) = 0.2 \times (-1) + 0.27 \times (-1) + 0.24 \times 1 = -0.23$ である。そのため、$H(x_1)$ は -1 で、最終予測は偽札となる。各学習器の予測は 60% であったが、アダブーストの最終予測結果は 80% であった。

4.3 モデルの評価方法

モデルの汎化誤差を評価するためには、そのモデルの汎化能力を数値化するための基準であ

る評価指標 (performance measure) が必要となる。本節では、分類におけるモデルの評価指標について解説する。

4.3.1　評価指標

2 値分類や多クラス分類の問題に対する評価指標の一つとして、正解率（accuracy）がある。正解率は、モデルから予測された結果と実測値を比較し、正解した数をデータ数で割った値であり、0.0(= 0%)〜1.0(= 100%) の範囲の値で 1.0 に近づくほど良い。

ただし、実際の機械学習の評価では、正解率をだけを使用することはあまりない。前節で解説した真札と偽札のような 2 値分類の場合を例を考えると、正解率という指標は、正しく偽札を予測できた場合と正しく真札を予測できた場合を混ぜて評価している。そのため、モデルが真札と偽札のどちらを間違いやすい傾向があるかなど、より詳細な情報がわからない。

そのため、真札と予測した場合と、偽札と予測した場合は分けて集計する必要がある。この場合、正解は真札と偽札を正しく予測した際の 2 パターン、予測結果も同様に 2 パターンになる。すなわち表 4.1 のように 2 × 2 の表を作ることで、情報を漏れなく表現することができる。このように正解と予測結果を対応させた表を混同行列 (confusion matrix) と呼ぶ。

表 4.1 ● 混同行列

		予測値	
		陽性（Positive） 例：予測が真札	陰性（Negative） 例：予測が偽札
正解値	陽性（Positive） 例：正解が真札	TP (True Positive：真陽性) 正解（True）　真札　15	FN (False Negative：偽陰性) 不正解（False）　真札　5
	陰性（Negative） 例：正解が偽札	FP (False Positive：偽陽性) 不正解（False）　偽札　3	TN (True Negative：真陰性) 正解（True）　偽札　7

表 4.1 の混同行列では、真札を Positive、偽札を Negative としている。このように正解値も予測値も、真札や偽札などの情報 (機械学習用語ではラベルと呼ぶ) を Positive (陽性) と Negative (陰性) で表す。そして予測値が正解である場合、頭に True (真) を付け、不正解の

場合は頭に False (偽) を付ける。2 値分類の結果を評価する際には、これらの 4 項目の件数を確認、比較する必要がある。

混同行列を使って、モデルの性能を測るための指標である正解率、適合率、再現率、F1 スコアを以下のように算出することができる。

正解率は次のように記述できる。

$$正解率 = \frac{TP + TN}{TP + FN + FP + TN} = \frac{15 + 7}{15 + 5 + 3 + 7} = \frac{22}{30} \simeq 0.733 \tag{4.7}$$

適合率 (precision) は、陽性と予測した結果のうち、実際に陽性である結果の割合を表す指標で、

$$適合率 = \frac{TP}{TP + FP} = \frac{15}{15 + 3} \simeq 0.833 \tag{4.8}$$

で表される。適合率は、FP を小さくすることを重視する指標であり、この値が高いほど性能が良く、間違った分類が少ないということを意味する。誤って陽性と判断しては困る場合に用いると有効である。一方、適合率の弱点は陰性の予測を無視している点で、どれだけ偽陰性の予測を出しても、適合率には反映されない。偽陰性が多いことが問題になる場合には用いないようにする。

再現率 (recall) は、実際に陽性であるもののうち、正しく陽性と予測できたものの割合で、

$$再現率 = \frac{TP}{TP + FN} = \frac{15}{15 + 5} = 0.75 \tag{4.9}$$

で表される。再現率は、適合率と対照的な指標で、FN を小さくすることを重視する指標となっている。そのため、誤って陰性と判断しては困る場合に用いられる。一方、再現率は偽陽性を無視する指標であるため、どれだけ陽性判定をしてたくさん偽陽性を出したとしても、再現率が下がることはない。偽陽性が多いと困る場合には重視しないようにする。

適合率と再現率共に高くしたい指標なので、2 つの指標をまとめた指標として F1 スコア (f1-score) がある。F1 スコアは、

$$F1 スコア = \frac{2 \times 適合率 \times 再現率}{適合率 + 再現率} \simeq \frac{2 \times 0.833 \times 0.75}{0.833 + 0.75} \simeq 0.789 \tag{4.10}$$

のように、適合率と再現率の調和平均によって計算される。

　ここまで解説した評価指標は、分類アルゴリズムに対するものである。一方、回帰アルゴリズムの場合には、ROC 曲線と AUC、平均二乗誤差、二乗平均平方根誤差などがある。

4.4　Python による実装

　本節では、Python を使って実際にモデルを構築してみよう。具体的には、必要ライブラリの導入、データの読み込みと加工、アンサンブル学習のモデル定義、学習手続きの記述と実行、結果の確認という順に進める。

4.4.1　食用キノコか毒キノコか決定する要因の探索

　本節で利用するデータセットについて説明する。UCI Machine Learning Repository にあるキノコデータ（Mashroom dataset[†1]）は、8,124 個のキノコに対して、毒キノコか否か、胞子の色は何か、どんな生息地かといった計 23 の観点から評価がされている。全ての観点の説明については表 4.2 に示した。アンサンブル学習により、キノコデータに対して食用キノコか毒キノコか判断するモデルを構築する。

表 4.2 ● キノコデータの列名

列名	内容
class	毒キノコか否か（毒キノコ=p, 食用キノコ=e）
cap-shape	傘形状（ベル型=b, 円錐型=c, 饅頭型=x, 扁平型=f, コブ型=k, 凹んだ扁平型=s）
cap-suface	傘表面（繊維=f, 溝=g, 鱗片=y, 滑らか=s）
cap-color	傘の色（ブラウン=n, バフ=b, シナモン=c, グレー=g, グリーン=r, ピンク=p, パープル=u, レッド=e, ホワイト=w, イエロー=y）
bruises	斑点（斑点あり=t, 斑点なし=f）

[†1] https://archive.ics.uci.edu/ml/datasets/mushroom

列名	内容
odor	臭気（アーモンド=a, アニス=l, クレオソート=c, フィッシュ=y, ファウル=f, ミューズイ=m, なし=n, 辛味=p, スパイシー=s）
gill-attachment	ひだの付き方（直生=a, 垂生=d, 離生=f, 凹生=n）
gill-spacing	ひだの間隔（近い=c, 過密=w, 長い=d）
gill-size	ひだのサイズ（広い=b, 狭い=n）
gill-color	ひだの色（ブラック=k, ブラウン=n, バフ=b, チョコレート=h, グレー=g, グリーン=r, オレンジ=o, ピンク=p, パープル=u, レッド=e, ホワイト=w, イエロー=y）
stalk-shape	柄の形状（広がり=e, 先細り=t）
stalk-root	柄の根（球根=b, クラブ=c, カップ=u, 等しい=e 根茎形態=z, 根=r, 無し=？）
stalk-surface-above-ring	柄表面-上記リング（繊維状=f, 鱗片状=y, 絹毛=k, 滑らか=s）
stalk-surface-below-ring	柄-表面下のリング（繊維状=f, 鱗片状=y, 絹毛=k, 滑らか=s）
stalk-color-above-ring	柄の色-上記リング（ブラウン=n, バフ=b, シナモン=c, グレー=g, オレンジ=o, ピンク=p, 赤=e, 白=w, 黄色=y）
stalk-surface-below-ring	柄-表面下のリング（繊維状=f, 鱗片状=y, 絹毛=k, 滑らか=s）
veil-type	つぼの種類（内皮膜=p, 外皮膜=u）
veil-color	つぼの色（ブラウン=n, オレンジ=o, ホワイト=w, イエロー=y）
ring-number	つばの数（none=n, one=o, two=t）
ring-type	つばの種類（クモの巣状=c, 消失性=e, 炎のような=f, 大きな=l, 無し=n, 垂れた=p, 鞘=s, 環帯=z）
spore-print-color	胞子の色（ブラック=k, ブラウン=n, バフ=b, チョコレート=h, グリーン=r, オレンジ=o, パープル=u, ホワイト=w, イエロー=y）
population	集団形成方法（大多数=a, 群れを成して=c, 多数=n, 分散=s, 数個=v, 孤立=y）
habitat	生息地（牧草=g, 葉=1, 牧草地=m, 小道=p, 都市=u, 廃棄物=w, 森=d）

4.4.2　準備

はじめに、必要なライブラリを読み込み、ドライブをマウントし、データを読み込む。

```
#ライブラリのインポート
import numpy as np
import pandas as pd
from sklearn.model_selection import train_test_split
from sklearn.tree import DecisionTreeClassifier
from sklearn.ensemble import RandomForestClassifier
from sklearn.ensemble import AdaBoostClassifier
```

```
#評価指標を出力するためのライブラリ
from sklearn.metrics import accuracy_score,classification_report
from sklearn.metrics import precision_score, recall_score
from sklearn.metrics import f1_score

#ドライブをマウントする
from google.colab import drive
drive.mount('/content/drive')

#データの準備
mushroom_data = pd.read_csv("drive/My Drive/toyodaAI/Ch04/agaricus-lepiota.csv",
                            encoding="Shift-jis")

#class の e と p をわかりやすいように、'Edible' と'Poisonous' に置き換える
mushroom_data['class'].replace(['e','p'],['Edible','Poisonous'],inplace=True)
#行名を取得する
colname=mushroom_data.columns.values

#データの上位 3 つを表示する
mushroom_data.head(3)
```

次に、読み込んだデータを加工する。読み込んだデータから予測変数と基準変数を取り出す。基準変数は関数 reshape(-1) を用いて 1 次元配列にする。また、分析後に結果を評価するため、それぞれを学習データと検証データに分ける。

```
x1 = mushroom_data.loc[:,colname[1:]] # 予測変数を取得
x = pd.get_dummies(x1, drop_first=True)

y1 = mushroom_data.loc[:,['class']] # 基準変数を取得
y2 = pd.get_dummies(y1, drop_first=True)
y = y2.values.reshape(-1)               # 基準変数ベクトルを 1 次元配列に変更

y = pd.get_dummies(y1, drop_first=True)

# 交差検証用にデータを学習用・検証用に分割する
# 学習用 (train)・検証用 (test)
x_train, x_test, y_train, y_test \
= train_test_split(x, y,stratify=y,random_state=0,test_size=0.2)

print(x_train.head())
print(y_train)
```

4.4.3　決定木による分析結果

```
# モデルの定義（決定木）
tree_model = DecisionTreeClassifier(random_state=0,max_depth=4)

# モデルの学習
tree_model.fit(x_train, y_train)

# 予測して精度を確認する
tree_y_pred = tree_model.predict(x_test)

print(f' 正解率: {accuracy_score(y_test, tree_y_pred):.6f}')    #正解率
print(f' 適合率: {precision_score(y_test, tree_y_pred):.6f}')   #適合率
print(f' 再現率: {recall_score(y_test, tree_y_pred):.6f}')      #再現率
print(f'F1: {f1_score(y_test, tree_y_pred):.3f}')              #F1 スコア
```

アンサンブル学習による結果を比較するために決定木で学習を行う。

テストデータによる結果の評価は、正解率：0.98954、適合率：0.98237、再現率：0.99617、F1 スコア：0.98922 であった。これ以降、それぞれの評価指標の値は小数点 6 位を四捨五入して示す。

4.4.4　ランダムフォレストによる分析結果

```
# データを学習 (ランダムフォレスト)
rf_model = RandomForestClassifier(n_estimators=18,max_depth=4,criterion='gini'\
                                  ,random_state=10)

# モデルの学習
rf_model.fit(x_train, y_train)

# 予測して精度を確認する
rf_model_y_pred = rf_model.predict(x_test)

print(f' 正解率:{accuracy_score(y_test, rf_model_y_pred):.6f}')    #正解率
print(f' 適合率:{precision_score(y_test, rf_model_y_pred):.6f}')   #適合率
print(f' 再現率:{recall_score(y_test, rf_model_y_pred):.6f}')      #再現率
print(f'F1:{f1_score(y_test, rf_model_y_pred):.6f}')              #F1 スコア
```

ランダムフォレストで学習を行う。ランダムフォレストは sklearn.ensemble 内にある関数 RandomForestClassifier() を用いる。括弧内にハイパーパラメータが指定できる。ハイパーパラメータ (hyperparameter) は機械学習の設定値で、分析者が設定する必要がある。ハ

イパーパラメータを調整することでモデルの性能が向上することがあるが、調整には試行錯誤が必要となる。

　今回は `n_estimators`、`max_depth`、`criterion`、`random_state` を指定する。それぞれのハイパーパラメータは、`n_estimators` は学習器として利用する決定木の数、`max_depth` は決定木の深さ、`criterion` は不純度評価指標の種類、`random_state` は乱数のシードを表す。

　テストデータによる結果の評価は、正解率：0.99015、適合率：0.98483、再現率：0.99489、F1 スコア：0.98983 であった。

4.4.5　アダブーストによる分析結果

```
# データを学習 (アダブースト)
ada_model = AdaBoostClassifier(learning_rate = 0.6, random_state=0)

# モデルの学習
win_ada.fit(x_train, y_train)

# 予測して精度を確認する
ada_model_y_pred = ada_model.predict(x_test)

print(f' 正解率:{accuracy_score(y_test, ada_model_y_pred):.6f}')   #正解率
print(f' 適合率:{precision_score(y_test, ada_model_y_pred):.6f}')  #適合率
print(f' 再現率:{recall_score(y_test, ada_model_y_pred):.6f}')     #再現率
print(f'F1:{f1_score(y_test, ada_model_y_pred):.6f}')             #F1 スコア
```

　アダブーストで学習を行う。アダブーストは `sklearn.ensemble` 内にある関数 `AdaBoostClassifier()` を用いる。ランダムフォレストと同様に括弧内にハイパーパラメータを指定する。

　今回は `learning_rate`、`random_state` を指定する。それぞれのハイパーパラメータは、`learning_rate` は学習率、`random_state` は乱数のシードを表す。

　テストデータによる結果の評価は、正解率：0.99815、適合率：1.0、再現率：0.99617、F1 スコア：0.99808 であった。

4.4.6 分析結果の評価

表 **4.3**●評価指標の比較

	決定木	ランダムフォレスト	アダブースト
正解率	0.98954	0.99015	0.99815
適合率	0.98237	0.98483	1.0
再現率	0.99617	0.99489	0.99617
F1 スコア	0.98922	0.99808	0.99808

　決定木、ランダムフォレスト、アダブーストの分析結果を表 4.3 に示す。正解率、F1 スコアでは、アダブーストが最も性能が良く、ランダムフォレスト、決定木の順番となった。

4.5 課題

　第 3 章の課題では事前に用意されたお菓子データに自分の好みを入力して、学習させた。本章の課題では、テーマも自分の好きなものを決めて、好き・嫌いデータを作成し、アンサンブル学習を行う。

1. テーマと観測対象・評価基準を決める　まず、自分の興味があるテーマを選ぶ（例えば、好きな旅行先はどこか 等）。そのテーマの観測対象を 20 個程度用意し、観測対象に対して、順序カテゴリカル変数として値がバラつきそうな評価基準を 6 つ以上考える（例えば、好きな旅行先であれば、景色の良さ、観光スポットの数、非日常感、費用、宿泊場所、食事等）。

2. 観測対象に対する評価する　観測対象に対して、評価する。基準は 5 件法 (5:よくあてはまる、4:ややあてはまる、3:どちらともいえない、2:あまりあてはまらない、1:全くあてはまらない) で評価してもよいし、値段やカロリーのような数値はそのまま利用しても良い。

3. 好き嫌いの評価　最後に、それぞれの観測対象が好きか嫌いかを 1：好き、0：嫌いで評価する。これを csv ファイルにする。文字コードは UTF-8 にすること。

4. ランダムフォレスト　前節のコードを使って、ランダムフォレストを用いて学習させる。学習させた結果のモデル評価指標を求めよ。

5. アダブースト　前節のコードを使って、アダブーストを用いて学習させる。学習させた結果のモデル評価指標を求めよ。

6. 新たなデータの追加　新たな観測対象を 5 つ程度作成し、2 と 3 を再度実施した結果を csv ファイルにする。4 と 5 で作成したモデルに予測させる。予測した結果をもとにモデル評価指標を求めよ。

第**5**章

ニューラルネットの基礎

5.1 モデルの数式化

　私たちは、ネコとウサギを何の気なしに見分けることができたり、「ペンが 5 ほんある」という言い方になんとなく違和感を覚えたりする。これらの直観は、私たちが生まれたときから知っているというよりも、周囲の大人や書物に教わって後天的に培った能力であろう。もし、機械に教え込むことで自分と同じような感覚を持たせることができるならば、面白いに違いない。答えを教えていないものや自分ですらまだ見たことのないものについても、自分と同じように評価してくれるはずだ。

　そこで本章では、自分の好き嫌いを学習させた分身を作る行程を通して、ニューラルネット (neural network) の基礎を学ぶ。具体的には、ニューラルネットのモデルを数式で表現し、モデルがどのように学習を進めるかを数理的に解き明かして、最後に Python で実装を行う。

　なお、1.3 節にもあるように、本章で扱う範囲は多層パーセプトロン (multi-layer perceptron, MLP) と呼ばれることもあるが、ここでは後の章との繋がりを鑑みてニューラルネットという呼称に統一する。

5.1.1 各ユニットの働き

　ニューラルネットは、脳の神経細胞を模して作られたモデルである。まずは簡単な例を使って、神経細胞の働きを数式化してみよう。例えば、おやつに食べたいスイーツとしてケーキの好き嫌いについて考えてみる。あるケーキの特徴を 3 つの評価基準 x_1, x_2, x_3（甘さ、濃厚さ、華やかさ）で表すことにし、その好き嫌いを z（1 か 0）とする。すると私たちの目標は、色々なケーキについてそれぞ

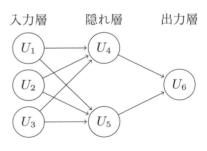

図 5.1 ● モデルの例

れ x_1, x_2, x_3 を入力すると、対応する好き嫌いの正解 z と同じ（少なくとも近い）出力 y が得られるモデルの構築である。

　図 5.1 中の円はユニット (unit) あるいはノード (node) と呼ばれるもので、ひとつひとつが脳の神経細胞に相当する。説明のため、各ユニットには U_1 から U_6 まで番号を付した。ユニット同士は矢印で結ばれており、これは脳における軸索での神経細胞同士の結びつきを表現している。この矢印は、一方が入力、もう一方が出力となる単方向の情報伝達をおこなう。図では、入力層 (input layer) のユニット U_1, U_2, U_3 から隠れ層 (hidden layer) のユニット U_4, U_5 へ、U_4, U_5 から出力層 (output layer) のユニット U_6 へと情報が渡されている。情報は、常に出力層の方向へ 1 層ずつ進み、逆戻りすることがない。

　まず入力層は、モデルに入力されたデータをそのまま次のユニットへ受け渡す。例えばユニット U_1 は $y_1 = x_1$ として、y_1 という情報を隠れ層のユニット U_4, U_5 へ伝達する。

　次に、隠れ層のユニット U_4 に注目してみよう。U_1, U_2, U_3 からそれぞれ y_1, y_2, y_3 という入力を受け取った U_4 は、それぞれの情報に重み (weight) をつけながら和を取る。重みとは、その情報を重要視する度合いである。U_i が U_j からの入力に与える重みを w_{ij} と記述すると、和 s_4' は

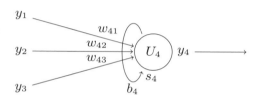

図 5.2●隠れ層のユニット U_4 の働き

$$s_4' = y_1 w_{41} + y_2 w_{42} + y_3 w_{43}$$

と表現できる。ここで、例えば w_{41} は U_1 からの入力 y_1 に対して U_4 が与える重みである。そしてユニット U_4 は、s_4' がある一定の値 b_4 以上ならば 1、b_4 未満ならば 0 を出力する。この b_4 は U_4 のバイアス (bias) や閾値 (threshold) と呼ばれている。すなわち、U_4 の出力 y_4 は

$$y_4 = \begin{cases} 1, & s_4' \geq b_4 \\ 0, & s_4' < b_4 \end{cases}$$

という関数によって決定される。ところで、s_4' が b_4 以上であることと、$s_4' - b_4$ が 0 以上であることは等しいから、これらの式は

$$s_4 = s_4' - b_4 = y_1 w_{41} + y_2 w_{42} + y_3 w_{43} - b_4 \tag{5.1}$$

$$y_4 = \begin{cases} 1, & s_4 \geq 0 \\ 0, & s_4 < 0 \end{cases} \tag{5.2}$$

のように書き換えることができる。以上が、ユニット U_4 が入力を受けてから出力を返すまでの一連の過程である（図 5.2）。例えば、入力層からの情報が $(y_1, y_2, y_3) = (3, 5, 1)$、重みが $(w_{41}, w_{42}, w_{43}) = (0.2, 0.1, 0.4)$、バイアスが $b_4 = 0.7$ とすると、(5.1) 式は

$$s_4 = 3 \times 0.2 + 5 \times 0.1 + 1 \times 0.4 - 0.7 = 0.8 \tag{5.3}$$

であり、$s_4 \geq 0$ より $y_4 = 1$ となる。隠れ層のもう 1 つのユニット U_5 も、違った値の重みやバイアスを使って同じように処理をおこなう。

　最後に、出力層のユニット U_6 が隠れ層の計算結果 y_4, y_5 を受け取り、隠れ層と同様の計算を経て最終的な予測値 y_6 を算出する。

5.1.2　活性化関数

　ユニットが入力情報の和に対してどのように出力するかを決定する関数を活性化関数 (activation function) と呼ぶ。ニューラルネットの研究初期には、(5.2) 式で示したように、入力の線形和がある閾値を超えたかどうかで 0 か 1 を出力するステップ関数 (step function)（図 5.3）が活性化関数として提案されていた。これは、モデルの元となった神経細胞の挙動（発火するかしないかの 2 値）を忠実に表現したものである。ところが、この関数には実用上の問題があり、複雑な課題を解決するのに役立つモデルとは言えなかった。

　そこで提案されたのが、活性化関数にシグモイド関数 (sigmoid function) $\sigma(x)$ を利用することである。これは

$$\sigma(x) = \frac{1}{1 + e^{-x}} \tag{5.4}$$

と定義される関数で、$-\infty < x < \infty$ から $0 < \sigma(x) < 1$ への写像である（図 5.4）。出力が $0, 1$ の 2 値でなくなったが、代わりに神経細胞の興奮の度合いとして見ることができる。好き嫌い

の例で言えば、1に近いほど好き、0に近いほど嫌いだと予測したと解釈する。例えば、(5.3)式の数値例を使うと $s_4 = 0.8$ より $y_4 = 1/(1 + e^{-0.8}) \simeq 0.69$ となる。

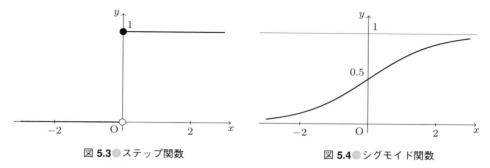

図 5.3 ● ステップ関数　　　　　　　　　図 5.4 ● シグモイド関数

また、シグモイド関数はステップ関数と異なり、全区間において滑らかで微分可能である。この事実は、後述する最適化において重要となる。なお、活性化関数には他にもいくつか提案されている関数があるが、いずれも導関数が利用できるという点で共通している。

5.1.3　モデルは多種多様

例示したモデルは入力層が3つ、隠れ層が2つ、出力層が1つの計3層からなるモデルだったが、各層のユニット数や隠れ層の層数は分析対象に応じて変えることができる。例えば図5.5左は合わせて4層からなるモデルで、第1層が入力層、第2、3層が隠れ層、そして第4層が出力層である。入力データと正解データの関係が複雑になるほど、隠れ層の層数とユニット数は増えていくことになる。

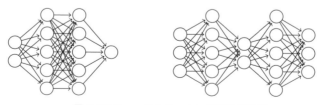

図 5.5 ● ニューラルネットの構造モデル例

5.2　学習とは何か

　私たちがニューラルネットに求めるのは、刺激 x を入力すると正しい反応 y が得られることである。そのために、入力データ x と対応する正解データ z の2つ（学習データ）を使ってモデルに学習させる。学習前のモデルはでたらめな予測値を返してくるが、予測値 y が正解値 z に近づけば学習が進んだと言える。これを数式で表現しよう。

5.2.1　最小 2 乗法

　まず、前節の例で学んだユニットの働きを再表現してみよう。

　いま、合わせて A 層からなるニューラルネットがあるとする。n_a 個のユニットを持つ第 a 層 $(a = 1, 2, \ldots, A)$ について、各ユニットの出力は $y_i^{(a)}$ $(i = 1, 2, \ldots, n_a)$ と書ける。

　ここで、第 a 層 $(a = 2, 3, \ldots, A)$ において、1 つ前の第 $a-1$ 層の各ユニットの出力を $y_j^{(a-1)}$ $(j = 1, 2, \ldots, n_{a-1})$ とすると、ユニット $U_i^{(a)}$ の振る舞いは以下のように表せる。

$$s_i^{(a)} = \sum_{j=1}^{n_{a-1}} y_j^{(a-1)} w_{ij}^{(a)} - b_i^{(a)} \tag{5.5}$$

$$y_i^{(a)} = \sigma\left(s_i^{(a)}\right) \tag{5.6}$$

　次に、出力層の出力 $y_i^{(A)}$ に対応して、M 個ある学習データのうち m 番目のデータの答えは z_{mi} $(i = 1, 2, \ldots, n_A)$ と書ける。ケーキの例では、1 つのケーキに対して z は 1 つで自分の好き嫌いを表していたが、ここでは一般化のため z が複数あるとする。状況例としては、ケーキの好き嫌いだけでなくケーキの値段も一緒に学習させたい、などと考えられる。

　さて、予測値と正解値のズレを評価するために、誤差の 2 乗について考える。m 番目のデータの予測値と正解値について 2 乗誤差は

$$e^{(m)} = \frac{1}{2} \sum_{i=1}^{n_A} \left(y_i^{(A)} - z_{mi}\right)^2 \tag{5.7}$$

と表せる。ただし 1/2 は後の計算のための係数である。これが M 個あるから、誤差の和は

$$E = \sum_{m=1}^{M} e^{(m)} \tag{5.8}$$

となる。(5.8) 式を誤差関数 (error function) と呼ぶ。いま登場した 4 つの式の構成要素を遡っていくと、E は $e^{(m)}$ の関数であり、$e^{(m)}$ は $y_i^{(A)}$ の関数であり、$y_i^{(A)}$ は $s_i^{(A)}$ の関数であり、そして $s_i^{(A)}$ は $y_j^{(A-1)}$ や $w_{ij}^{(A)}$, $b_i^{(A)}$ の関数であり、さらに $y_j^{(A-1)}$ は $s_i^{(A-1)}$ の関数である、というように入れ子構造が続いていくことが分かる。このうち、ユニット（神経細胞）が学習によって値を変化させていくのは、入力情報をどう評価するかを決める重みとバイアスの 2 つである。

つまり誤差関数は、第 a 層 $(a = 2, 3, \ldots, A)$ の各ユニットが持つ重み $w_{ij}^{(a)}$ やバイアス $b_i^{(a)}$ といったモデルを特徴付ける母数（パラメータ）を大量に含んだ多変数関数である。

そして、誤差が小さくなるほど学習が進んだと言えるのだから、ニューラルネットにおいて学習とはこの誤差関数の値を最小化するような母数の値を見つけることである。2 乗誤差を使った誤差関数を最小化するような母数の推定法は最小 2 乗法 (least squares method) と呼ばれる。

5.2.2　勾配降下法

ここまでの議論から、誤差関数の値を最小化すれば良いことが分かった。ある関数の値を最小化（または最大化）することを最適化 (optimization) という。

単純な例として、α, β という 2 つの母数からなる関数 $f(\alpha, \beta)$ を考えてみる。この関数を 3 次元空間に図示したところ、図 5.6 のようになったとしよう。このとき最小化とは、この曲面の中から標高の最も低い地点を見つけることに相当する。

ところが、いま私たちが図を見てどの辺りの標高が低いか俯瞰できるのとは異なり、実際には曲

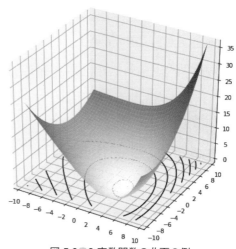

図 5.6 ● **2 変数関数の曲面の例**

面の状況は全く見えない。図の曲面はすべての地点の標高を計算したから分かるのであって、私たちが実際に最適化したい関数では膨大な計算が必要になるから効率的とはとても言えない。そこで、最適化法の 1 つである勾配降下法 (gradient descent) の出番になる。

　勾配降下法の仕組みを探検家になぞらえて説明する。まず探検家は、ランダムに与えられた α_0, β_0 という初期値によって標高 $f(\alpha_0, \beta_0)$ の地点に降り立つ。その視界は図示できないため真っ暗闇である。しかし、その地点において斜面がどちらに傾いているかは知ることができる。関数 f を α, β で偏微分することで、α 軸と β 軸それぞれにおける斜面の傾き $\partial f/\partial\alpha_0$ と $\partial f/\partial\beta_0$ が分かるのだ。すると探検家は、最も急な勾配になっている方向を選んで下っていくことができる。少し歩いて次の地点 α_1, β_1 に移動したら、再び偏微分でその地点での傾きを求め、谷になっている方角へと進む。これを

$$\begin{pmatrix} \alpha_{h+1} \\ \beta_{h+1} \end{pmatrix} = \begin{pmatrix} \alpha_h \\ \beta_h \end{pmatrix} - c \begin{pmatrix} \partial f/\partial\alpha_h \\ \partial f/\partial\beta_h \end{pmatrix} \tag{5.9}$$

のように繰り返せば、$h+1$ 番目での位置が得られ、いずれは谷底に到達できるはずである。ここで、係数の c は学習率と呼ぶ。学習率については、5.4.2 項で解説する。

　これが勾配降下法の基本的な考えだ。実際に私たちが最適化したい誤差関数は母数が何十何百にもなるため、図 5.6 のような曲面を図示することさえできない。けれども、偏微分によって傾きを知ることができることに変わりはない。

5.3　誤差逆伝播法

　勾配降下法に必要なのは、誤差関数を母数で偏微分した結果である。だが、何十何百とある重みやバイアスで偏微分した結果を求めるのは容易ではない。これを解決するのが誤差逆伝播法 (backpropagation) である。なお、本節の微分に関する式変形の詳細については付録 A を参照してほしい。

　さて、誤差関数 E の偏微分を考えるわけだが、(5.8) 式より E は $e^{(m)}$ の単純な和であった。和の微分は微分の和だから、$e^{(m)}$ それぞれを微分してから足し合わせればよいことが分かる。

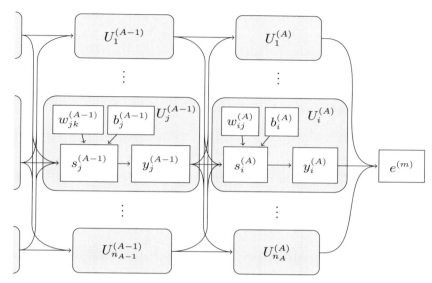

図 5.7 ● ニューラルネットの関数の入れ子構造

　手始めに、出力層である第 A 層の i 番目のユニット $U_i^{(A)}$ における重み $w_{ij}^{(A)}$ とバイアス $b_i^{(A)}$ で $e^{(m)}$ を偏微分することについて考えよう。図 5.7 右の $e^{(m)}$ から関数の入れ子構造をたどって合成関数の微分公式を使うと、

$$\frac{\partial e^{(m)}}{\partial w_{ij}^{(A)}} = \frac{\partial e^{(m)}}{\partial y_i^{(A)}} \frac{\partial y_i^{(A)}}{\partial s_i^{(A)}} \frac{\partial s_i^{(A)}}{\partial w_{ij}^{(A)}} \qquad \frac{\partial e^{(m)}}{\partial b_i^{(A)}} = \frac{\partial e^{(m)}}{\partial y_i^{(A)}} \frac{\partial y_i^{(A)}}{\partial s_i^{(A)}} \frac{\partial s_i^{(A)}}{\partial b_i^{(A)}} \tag{5.10}$$

である。両式の右辺で共通している、前 2 つの偏微分を求める。特定の i 番目だけに注目していることに気をつけると、(5.7) 式と (5.6) 式より

$$\frac{\partial e^{(m)}}{\partial y_i^{(A)}} \frac{\partial y_i^{(A)}}{\partial s_i^{(A)}} = \left(y_i^{(A)} - z_{mi} \right) y_i^{(A)} \left(1 - y_i^{(A)} \right) \tag{5.11}$$

である。次に、残った部分の微分を求める。ここでも特定の j 番目に注目していることに気をつけると、(5.5) 式より、それぞれ

$$\frac{\partial s_i^{(A)}}{\partial w_{ij}^{(A)}} = y_j^{(A-1)} \qquad \frac{\partial s_i^{(A)}}{\partial b_i^{(A)}} = -1 \tag{5.12}$$

となる。これで、第 A 層のユニット $U_i^{(A)}$ における偏微分は

$$\frac{\partial e^{(m)}}{\partial w_{ij}^{(A)}} = \left(y_i^{(A)} - z_{mi} \right) y_i^{(A)} \left(1 - y_i^{(A)} \right) y_j^{(A-1)} \tag{5.13}$$

$$\frac{\partial e^{(m)}}{\partial b_i^{(A)}} = - \left(y_i^{(A)} - z_{mi} \right) y_i^{(A)} \left(1 - y_i^{(A)} \right) \tag{5.14}$$

と求まった。

　次に、第 $A-1$ 層の j 番目のユニット $U_j^{(A-1)}$ における重み $w_{jk}^{(A-1)}$ とバイアス $b_j^{(A-1)}$ で $e^{(m)}$ を偏微分することについて考えよう。ここで注意すべきは、$y_j^{(A-1)}$ から $e^{(m)}$ まで第 A 層のどのユニットを経由しても辿り着けることである。合成関数の偏微分を用いると、第 A 層のユニットそれぞれを経由した偏微分を足し合わせれば良いと分かるので、

$$\frac{\partial e^{(m)}}{\partial w_{jk}^{(A-1)}} = \sum_{i=1}^{n_A} \frac{\partial e^{(m)}}{\partial y_i^{(A)}} \frac{\partial y_i^{(A)}}{\partial s_i^{(A)}} \frac{\partial s_i^{(A)}}{\partial y_j^{(A-1)}} \frac{\partial y_j^{(A-1)}}{\partial s_j^{(A-1)}} \frac{\partial s_j^{(A-1)}}{\partial w_{jk}^{(A-1)}} \tag{5.15}$$

$$\frac{\partial e^{(m)}}{\partial b_j^{(A-1)}} = \sum_{i=1}^{n_A} \frac{\partial e^{(m)}}{\partial y_i^{(A)}} \frac{\partial y_i^{(A)}}{\partial s_i^{(A)}} \frac{\partial s_i^{(A)}}{\partial y_j^{(A-1)}} \frac{\partial y_j^{(A-1)}}{\partial s_j^{(A-1)}} \frac{\partial s_j^{(A-1)}}{\partial b_j^{(A-1)}} \tag{5.16}$$

となる。今度は、両式において右辺の前 4 つの偏微分が共通している。さらに注目すべきは、そのうち前 2 つの偏微分は第 A 層の偏微分のときに求めた (5.11) 式である点である。そこで、(5.11) 式の結果を $\delta_i^{(A)}$ とすると、

$$\sum_{i=1}^{n_A} \frac{\partial e^{(m)}}{\partial y_i^{(A)}} \frac{\partial y_i^{(A)}}{\partial s_i^{(A)}} \frac{\partial s_i^{(A)}}{\partial y_j^{(A-1)}} \frac{\partial y_j^{(A-1)}}{\partial s_j^{(A-1)}} = \sum_{i=1}^{n_A} \delta_i^{(A)} w_{ij}^{(A)} y_j^{(A-1)} \left(1 - y_j^{(A-1)} \right) \tag{5.17}$$

である。$\delta_i^{(A)}$ はユニット $U_i^{(A)}$ の誤差と呼ばれる。また、残る偏微分はそれぞれ、第 A 層のときと全く同様の計算によって

$$\frac{\partial s_j^{(A-1)}}{\partial w_{jk}^{(A-1)}} = y_k^{(A-2)} \qquad \frac{\partial s_j^{(A-1)}}{\partial b_j^{(A-1)}} = -1 \tag{5.18}$$

と分かる。これで、第 $A-1$ 層のユニット $U_j^{(A-1)}$ における偏微分は

$$\frac{\partial e^{(m)}}{\partial w_{jk}^{(A-1)}} = \sum_{i=1}^{n_A} \delta_i^{(A)} w_{ij}^{(A)} y_j^{(A-1)} \left(1 - y_j^{(A-1)}\right) y_k^{(A-2)} \tag{5.19}$$

$$\frac{\partial e^{(m)}}{\partial b_j^{(A-1)}} = -\sum_{i=1}^{n_A} \delta_i^{(A)} w_{ij}^{(A)} y_j^{(A-1)} \left(1 - y_j^{(A-1)}\right) \tag{5.20}$$

と求まった。

図 5.7 は、さらに左側に次の隠れ層がある。その層における偏微分も、今見てきたように出力層の方から偏微分を重ねて求めていくことができる。

誤差逆伝播法ではこのようにして、出力層に近い層の母数での偏微分から導出し、徐々に入力層に近い層の母数での偏微分を求めていく。通常、入力から出力へ向かって計算が進んでいくところを、逆向きに流れていくことから逆伝播と呼ばれているのである。

誤差逆伝播法の本質は、ニューラルネットにおける特徴的な偏微分の導出方法であるという点にある。偏微分の結果さえ分かってしまえば、あとの最小 2 乗法や勾配降下法は統計学における一般的な母数の推定法や最適化法と同じである。

5.4　学習の流れ

最後に、ここまで見てきたニューラルネットの学習の流れについて整理しておこう（図 5.8）。

まず、母数に初期値を入れたモデルに入力データ x を投入して予測値 y を出力する。次に、予測値 y と正解データ z のズレを誤差関数で評価し、誤差を求める。そして、誤差関数を誤差逆伝播法を使って母数で偏微分し、求まった勾配を用いて勾配降下法で母数の値を修正する。母数の値が修正されたモデルに再びデータ x を入力し、新たな予測値 y を得る。

以上を繰り返すことでニューラルネットの学習は進む、すなわち、予測値と正解の誤差が小さくなるような母数の値に近づいてゆく。

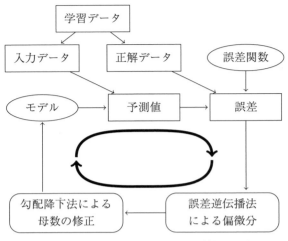

図 5.8●ニューラルネットがデータを学習する流れ

5.4.1　誤差関数の補足

　5.2 節において誤差関数として直感的な 2 乗誤差を扱ったが、ここでもう 1 つ交差エントロピー (cross entropy) と呼ばれる誤差関数を紹介する。

　ケーキの例は、好き嫌いの 2 値に分類する課題であった。すると予測値 y は、モデルが予測した好きである確率と解釈することができ、その場合嫌いである確率は $1 - y$ となる。好き嫌いの正解データ z は好きのとき 1、嫌いのとき 0 だから、実数の 0 乗が 1 になることを用いると、あるケーキの好き嫌いを正しく予測できた確率は $y^z(1 - y)^{1-z}$ と表現できる。

　すると、モデルが M 個のケーキの好き嫌いを正しく予測できた確率は

$$\prod_{m=1}^{M} y_m^{z_m}(1 - y_m)^{1-z_m} \tag{5.21}$$

となる[†1]。この確率は、モデルの母数を所与とした入力データ x の関数である。

　ここで統計学の推定法のひとつである最尤法 (maximum likelihood method) の考え方を導入する。最尤法では、実際に所与なのはデータであることから、逆に (5.21) 式を母数の関数と見て、データが最も観察されやすいような母数の値を求める。このとき (5.21) 式を尤度 (likelihood) と呼ぶ。つまり、尤度を最大化する母数の値を推定値とするのである。

[†1] $\sum$ がすべての和を取る記号であるのに対して、$\prod$ はすべての積を取る記号である。

最尤法では、計算しづらい積の連なりである (5.21) 式を直接最大化するのではなく、

$$\sum_{m=1}^{M} \{z_m \log y_m + (1 - z_m) \log(1 - y_m)\} \tag{5.22}$$

のように底を e とする対数を取った対数尤度について考える。単調増加変換である対数変換に
よって情報損失せずに積を和にできるうえ、変換後も同じ母数の値で最大化される。

ここで、(5.22) 式に -1 をかけると、最大化は最小化の問題になるので、

$$-\sum_{m=1}^{M} \{z_m \log y_m + (1 - z_m) \log(1 - y_m)\} \tag{5.23}$$

を最小化すべき誤差として見ることが可能になる。この (5.23) 式を交差エントロピーと呼ぶ。

2 つの誤差関数は、モデルが何を予測するかによって使い分けられている。顧客満足度や来店
人数といった連続的な変数を予測する回帰の課題には 2 乗誤差を、果物と野菜と魚のどれに属
するかといった離散的な変数を予測する分類の課題には交差エントロピーを用いることが多い。

5.4.2　勾配降下法に関する補足

5.2 節において勾配降下法による最適化の概要を
説明したが、ここで 2 点ほど補足をおこなう。

第一に、学習率 (learning rate) である。これはス
テップサイズとも呼ばれ、5.2 節の例で登場した探
検家が 1 回の移動でどれくらい動くかに相当する。
地点から地点への移動中は地面の傾きを計算しな
いので、学習率をいくつとするかは重要である。な
ぜなら、探検家が大股すぎると気付かずに谷を飛
び越えてしまうかもしれないし、逆に小股だと小
さな谷に入ったまま抜け出せなくなってしまうこ
とがあるからだ。このように、小さな谷に捕まっ

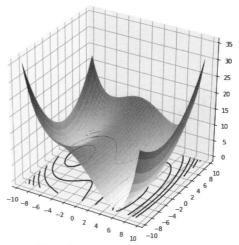

図 5.9　局所最適解がある曲面の例

て得た答えを局所最適解 (local optimum) と言う。例えば図 5.9 では、右手前に深い谷がある

が、左奥にも小さな谷があり局所最適解になっている。最適化においてはもちろん、全体として最も標高の低い地点である大域最適解 (global optimum) が知りたいのだ。ところが、実際にどれくらいの歩幅がよいかは最適化したい関数の形状に依存するため、一般的な基準がなく、試行錯誤が必要である。

　第二に、学習をいつやめるかである。まず、勾配降下法の観点からは2つ基準がある。ひとつは、その母数の値の地点での偏微分の値が一定以下であること、つまり勾配が無く地面が平らなので底にたどり着いたと見なすということだ。言い換えると、平らな地面では少し移動しても標高が変わらないので、母数の値を修正しても誤差が一定以下しか改善しなかったときである。もうひとつは、エポック数 (epoch number) と呼ばれる、繰り返し計算の回数上限に達することだ。いつまで経っても計算が終わらない場合は、初期値や学習率を変えて再チャレンジする。

　また、3.5 節で学んだように、交差検証 (cross validation) の観点からは、検証データの正解率が上がらなくなった頃に学習をやめればよいと言える。教師あり学習では、学習を進めすぎると学習に用いたデータに過剰に適合してしまい、他のデータを予測させたときの精度が落ちてしまうという、過学習 (over fitting) と呼ばれる問題が起きることがある。過学習を防ぐ最も簡単な方法は、データを学習用と検証用の2つに分けておき、検証データでの予測精度が上がらなくなったときに学習をやめることである。

5.5　Pythonによる実装

　本章冒頭に登場したケーキの例を使って、Python で実際にモデルを構築してみよう。

　具体的には、必要ライブラリの導入、データの読み込みと加工、ニューラルネットのモデル定義、学習手続きの記述と実行、結果の確認という順に進める。

```
# ライブラリのインストール
!pip install japanize_matplotlib | tail -n 1

# ライブラリのインポート
%matplotlib inline
import numpy as np
np.set_printoptions(suppress=True, precision=3)  # 指数表記オフ、小数点以下は 3 桁まで表示
import matplotlib.pyplot as plt
import japanize_matplotlib
import torch
import torch.nn as nn
import torch.optim as optim
```

まず、必要なライブラリを導入する。

```
# ドライブをマウントする
from google.colab import drive
drive.mount('/content/drive')

RawData = np.loadtxt('drive/MyDrive/toyodaAI/Ch05/cake.csv',delimiter=',',skiprows=1)
print(type(RawData))
print(RawData)
```

次に、データを読み込む。Google Colab から Google Drive のデータを参照するため、ドライブのマウントをするコードを通す。そして Numpy ライブラリを使って、手持ちの csv ファイルを numpy の ndarray 型として読み込む。csv ファイルの中身を表5.1に示す。

表 5.1●好き嫌いデータ（上から 5 行）

高級感	甘さ	新奇性	濃厚さ	食感	華やかさ	値段	好き嫌い
2	3	1	3	4	5	280	1
4	2	4	2	5	4	280	1
4	4	1	4	2	4	260	0
3	5	1	5	4	2	280	0

```
# 正規化
NpData = np.zeros(RawData.shape)
for i in range(RawData.shape[1]) :
  tmp = RawData[:,i]
  NpData[:,i] = (tmp - tmp.min()) / (tmp.max() - tmp.min())
  # 標準化したい場合は NpData[:,i] = (tmp - tmp.mean()) / tmp.std()

# データの形式を tensor にする
# X が入力データ、Z が正解データ
X = torch.tensor(NpData[:,:-1]).float()
Z = torch.tensor(NpData[:,-1]).float().view((-1,1))
# 1 列だけ抜くとベクトルになってしまうので、 view で行列にし直している
```

データを加工する。勾配降下法による最適化は、データの絶対値が小さい方が安定して学習

できることが知られている。そのため、必須ではないが、正規化あるいは標準化を行っておいたほうがよい。コードでは、まず RawData と同じ大きさの行列を用意し、RawData を 1 列ずつ取り出して正規化したものを格納している。

　また、データをモデルが読み込める形式にする。データの型を PyTorch の 2 階テンソル（つまり行列）にし、その数字の型を float に指定する。

　それと同時に、入力データと正解データを分割する。NpData[:,-1] の-1 は後ろから 1 列目を参照している。また、view((-1,1)) の -1 は行数や列数の自動補完機能である。いま列数に 1 を指定したので、データの要素数に応じて -1 と書いた部分が補われる。例えば、24 個の要素を持った行列に対して (6,-1) とすれば、-1 には 4 が補われて 6 行 4 列の行列に変形される。

```python
# モデルの定義
class myNet(nn.Module):
  def __init__(self, n_input, n_output):
    super().__init__()  # 親クラスからの継承
    # 線形和 s
    # 第 2 層のユニット数を 3 にしている
    self.s2 = nn.Linear(n_input, 3)
    self.s3 = nn.Linear(3, n_output)
    # 活性化関数
    self.sigmoid = nn.Sigmoid()
  # 順伝播の定義
  def forward(self,x):
    # 第 2 層の処理
    x = self.s2(x)
    x = self.sigmoid(x)
    # 第 3 層の処理
    x = self.s3(x)
    x = self.sigmoid(x)
    return x
```

　最も重要なモデルの定義である。Python では、自分のニューラルネットモデルをクラスとして定義し、そこからインスタンスを生成して分析に使う、という手順を踏む。

　まず自作モデルのクラスを myNet と命名し、雛型として用意されているクラス nn.Module を継承する。

　次に、モデル内で使用する関数を呼び出す。必要な関数はそれぞれ PyTorch のクラスとして準備されているので、nn.Linear() や nn.Sigmoid() とするだけで関数のインス

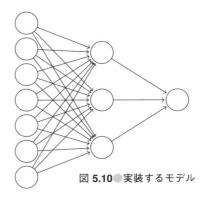

図 5.10●実装するモデル

タンスを生成できる。`self.s2` は第 2 層の線形和 s_2 を求める関数である。引数に第 1 層（入力層）と第 2 層のユニット数を代入する。入力層と出力層（第 3 層）のユニット数はデータに依存するので、インスタンス生成時に必要な引数とした。同様に `self.s3` も用意する。

　そして、`forward` メソッド内に、モデル内の関数の繋がりを定義する。言い換えると、入力データ `x` がどのような関数を通って予測値として出力されるか（順伝播）を記述する。

```
# 学習の手続きを記述

#乱数固定
torch.manual_seed(12345)

# インスタンスを生成
net = myNet(X.shape[1],Z.shape[1])

criterion = nn.MSELoss()
optimizer = optim.Adam(net.parameters(), lr=0.01)

# net の中に入っている母数（パラメータ）を確認してみよう
for parameter in net.named_parameters():
  print(parameter)
```

　次に、学習の手続きを記述する。

　先ほど定義したモデル `myNet` からインスタンス `net` を生成する。引数は入力層と出力層のユニット数、すなわち入力データと正解データの列数である。

　誤差の評価基準 `criterion` として、誤差関数に 2 乗誤差 `MSELoss` を選択する。誤差関数に `loss` と書かれているのは、誤差関数を損失関数 (loss function) と呼ぶこともあるからである。

　最適化法 `optimizer` を選択する。勾配降下法の基本的な原理は既に説明した通りだが、収束が早まるよう改良を加えたオプションが多数存在している。最適化法は同じ誤差関数の斜面を降りる手段であり、欲しい解は同じだから、学習が進むならどれを選んでも問題ない。今回はその中から Adam と呼ばれる方法を選んだ。学習率 `lr` は 0.01 とした。

　ここで、`net` の中に入っている母数を確認してみよう。モデルのインスタンスを生成すると、必要な母数の個数を自動で求めて初期値まで代入してくれる。乱数の値を変えて再度コードを通すと初期値が変わっているのが分かる。今回のモデルでは入力データが 7 つ、隠れ層のユニットが 3 つだから、s_2 の重み w は $7 \times 3 = 21$ 個、バイアス b は 3 個あるのが分かる。次に出力層が 1 つだから、s_3 の重み w は $3 \times 1 = 3$ 個、バイアス b は 1 個である。

```
('s2.weight', Parameter containing:
tensor([[ 0.3641,  0.2870,  0.3720, -0.0294, -0.3151, -0.2431, -0.1002],
        [ 0.0511, -0.1228, -0.2177, -0.0307,  0.2384,  0.3143, -0.1866],
        [-0.2167, -0.0174,  0.1664,  0.1692, -0.1407,  0.1309, -0.0643]],
       requires_grad=True))
('s2.bias', Parameter containing:
tensor([-0.0454, -0.3065,  0.2708], requires_grad=True))
('s3.weight', Parameter containing:
tensor([[-0.4071,  0.1439, -0.2890]], requires_grad=True))
('s3.bias', Parameter containing:
tensor([-0.4867], requires_grad=True))
```

```
num_epochs = 1000
progress = np.zeros((0,2))
# ループ処理
for epoch in range(num_epochs):
  Yp = net.forward(X)
  err = criterion(Yp,Z)
  err.backward()

  optimizer.step()
  optimizer.zero_grad()

  if (epoch % 10 == 0):
    item = np.array([epoch, err.item()])
    progress = np.vstack((progress, item))
    print(f'epoch = {epoch}   err = {err:.4f}')
```

いよいよニューラルネットの学習を行う。

　学習の上限として、エポック数 num_epochs を 1000 回に設定した。progress は、エポック数と誤差の推移を記録するため用意した空の行列である。

　ループ処理内部を見ていこう。まずモデルに定義した順伝播のメソッドを net.forward() で呼び出す（なお、.forward を書かなくても動作するように PyTorch 側で設計されている）。

入力データ X を代入して予測値 Yp を得る。次に、予測値 Yp と答え Z を誤差関数 criterion() に代入し、誤差 err を求める。err.backward() が誤差逆伝播法の関数である。求まった勾配を用いて、optimizer.step() でパラメータの値を修正する。最後に、今求めた勾配の値を初期化して次のループで勾配が正しく求められるようにする。この処理がループするから、新たなパラメータの値を使って再び X から予測値 Yp が求まり、誤差を計算し、

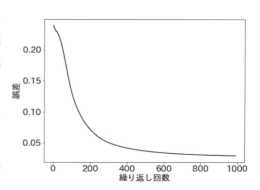

図 5.11●誤差が減少し学習が進む様子

と繰り返されることになる。

また、繰り返し回数が 10 の倍数になるたびに、誤差の値を `progress` に記録している。

```
# 学習曲線の表示
plt.rcParams['font.size'] = 19
plt.rcParams['figure.figsize'] = (8,6)
plt.plot(progress[:,0], progress[:,1], 'k')
plt.xlabel(' 繰り返し回数');plt.ylabel(' 誤差');
plt.savefig('learning_curve.png')
```

記録していた誤差の値を使って、学習の進んだ様子を図示する（図 5.11）。

```
Yp_np = Yp.data.numpy().copy()
Z_np = Z.data.numpy().copy()
YZ = np.hstack([Yp_np,Z_np])
print(YZ.T)
```

学習が進んだモデルによる好き嫌いの予測値 Yp と答え Z を行列にして表示する。モデルがデータを学習して自分の分身になったか確認しよう。

```
[[0.881 0.977 0.007 0.001 0.002 0.002 0.016 0.001 0.001 0.985 0.05  0.979
  0.002 0.93  0.007 0.03  0.003 0.894 0.912 0.796 0.064 0.001 0.978 0.844
  0.001 0.001 0.843 0.843 0.203 0.003 0.036 0.102 0.993 0.987 0.003]
 [1.   1.   0.   0.   0.   0.   0.   0.   0.   1.   0.   1.
  0.   1.   0.   0.   0.   1.   0.   1.   0.   0.   1.   1.
  0.   0.   1.   1.   0.   0.   0.   1.   1.   0.   ]]
```

5.6 課題

第 4 章の課題で作成した好き嫌いデータを、ニューラルネットに学習させよ。

1. 前節のコードを使って、ニューラルネットに学習させよ。
2. 前節のコード内で定義したモデル myNet を参考にしながら、隠れ層を 2 層に増やした新モデル myNet2 を構築して学習させよ。隠れ層のユニット数は自由とする。
3. 同じデータに対して第 3 章で学んだ決定木でも分析し、ニューラルネットによる分析と結果の比較をせよ。

付録 A：微分

第 5 章に登場する誤差逆伝播法の数理的な理解のため、微分に関する基礎知識を解説する。

一変数の関数 $f(x)$ について、x が定義される区間で

$$f'(x) = \lim_{h \to 0} \frac{f(x+h) - f(x)}{h}$$

が存在するとき、$f'(x)$ を $f(x)$ の導関数と呼ぶ。また、$f(x)$ から $f'(x)$ を求めることを、$f(x)$ を x で微分するという。導関数の値は、$f(x)$ のグラフの x における接線の傾きを表す。また、

$$f'(x) = \frac{d}{dx}f = \frac{df}{dx}$$

などと導関数を書き表すこともある。

微分について以下の公式が成り立つ。証明は一般的な高校数学の教科書に見ることができる。

定数の公式： $\dfrac{d}{dx}k = 0$ （k は定数）

和と差の公式： $\dfrac{d}{dx}(f(x) \pm g(x)) = \dfrac{d}{dx}f(x) \pm \dfrac{d}{dx}g(x)$

定数倍の公式： $\dfrac{d}{dx}(k\,f(x)) = k\dfrac{d}{dx}f(x)$

べき乗の公式： $\dfrac{d}{dx}x^a = ax^{a-1}$ （a は整数）

また、定数 e を $e = 2.71828\cdots$ と定めると、e^x について

$$\frac{d}{dx}e^x = e^x$$

となり、微分しても変化しない。e はネイピア数と呼ばれている。

A.1　合成関数の微分

$z = f_0(y),\ y = f_1(x),\ x = f_2(w)$ のとき、すなわち $z = f_0(f_1(f_2(w)))$ のように関数が入れ子構造になっているとき、以下の式が成り立つ。

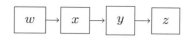

図 **A.1**●関数の入れ子構造のイメージ

$$\frac{dz}{dw} = \frac{dz}{dy}\frac{dy}{dx}\frac{dx}{dw}$$

例えば、$z = 5y,\ y = x^2,\ x = 3w + 1$ すなわち $z = 5(3w + 1)^2$ のとき、

$$\frac{dz}{dw} = \frac{d}{dw}\{5(3w + 1)^2\} \qquad\qquad \frac{dz}{dy}\frac{dy}{dx}\frac{dx}{dw} = 5 \times 2x \times 3$$
$$= \frac{d}{dw}(45w^2 + 30w + 5) \qquad\qquad\qquad = 30(3w + 1)$$
$$= 90w + 30 \qquad\qquad\qquad\qquad = 90w + 30$$

となり、左辺と右辺で計算が一致する。この微分の連鎖はいくらでも繋ぐことができる。

A.2　シグモイド関数の微分

(5.4) 式で定義したシグモイド関数 $y = \sigma(x)$ の微分は、

$$\frac{d}{dx}y = \frac{d}{dx}\sigma(x) = \frac{d}{dx}\frac{1}{1 + e^{-x}} = \frac{d}{dx}(1 + e^{-x})^{-1} = (-1)(1 + e^{-x})^{-2} \times (-e^{-x})$$
$$= \frac{1}{1 + e^{-x}}\frac{e^{-x}}{1 + e^{-x}} = \frac{1}{1 + e^{-x}}\left(1 - \frac{1}{1 + e^{-x}}\right) = y(1 - y)$$

より、自分自身の関数になる。4 つ目の等式において、k を定数として e^{kx} を x で微分すると、合成関数の微分より ke^{kx} となる点に注意してほしい。

A.3　偏微分

複数の変数を含んだ関数を多変数関数という。多変数関数を 1 つの変数に注目して微分することを偏微分という。偏微分は、注目している変数以外の変数をあたかも定数のように扱って、微分すればよいことが知られている。ただし、偏微分の記号には d ではなく ∂ を用いる。

例えば、$z = 5x^3y^2 + 7x + 8y$ のとき、x や y による偏微分の結果はそれぞれ以下となる。

$$\frac{\partial z}{\partial x} = 15x^2y^2 + 7 \qquad \frac{\partial z}{\partial y} = 10x^3y + 8$$

A.4　合成関数の偏微分

合成関数の微分を多変数に拡張する。$z = f_0(y_1, y_2)$, $y_1 = f_1(x)$, $y_2 = f_2(x)$ のとき、すなわち $z = f_0(f_1(x), f_2(x))$ のとき、以下の式が成り立つ。

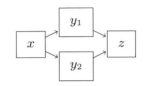

$$\frac{\partial z}{\partial x} = \sum_{i=1}^{2} \frac{\partial z}{\partial y_i} \frac{\partial y_i}{\partial x} = \frac{\partial z}{\partial y_1} \frac{\partial y_1}{\partial x} + \frac{\partial z}{\partial y_2} \frac{\partial y_2}{\partial x}$$

図 A.2 ● 関数の入れ子構造のイメージ

これを視覚的に表したのが図 A.2 である。1 変数の場合、関数の入れ子構造は x から z まで 1 本道だった。ところが今回は y_1, y_2 どちらを経由してもたどり着ける。このとき、全てのルートでの偏微分を足し合わせることで、求めたい微分を得ることができる。例えば、$z = y_1^2 + 4y_2$, $y_1 = 7x + 1$, $y_2 = 5x^3 + 2$ すなわち $z = (7x + 1)^2 + 4(5x^3 + 2)$ のとき、

$$\frac{\partial z}{\partial x} = \frac{\partial}{\partial x}\left\{(7x+1)^2 + 4(5x^3+2)\right\} \qquad \frac{\partial z}{\partial y_1}\frac{\partial y_1}{\partial x} + \frac{\partial z}{\partial y_2}\frac{\partial y_2}{\partial x} = 2y_1 \times 7 + 4 \times 15x^2$$

$$= \frac{\partial}{\partial x}(20x^3 + 49x^2 + 14x + 9) \qquad\qquad\qquad = 14(7x + 1) + 60x^2$$

$$= 60x^2 + 98x + 14 \qquad\qquad\qquad\qquad\qquad = 60x^2 + 98x + 14$$

となり、左辺と右辺で計算が一致する。変数の数はいくつに増やしても良いし、連鎖に関してもいくらでも繋ぐことができる。

ニューラルネットは多変数の合成関数で出来ている。ゆえに、誤差逆伝播法の数理的な理解において、合成関数の偏微分は極めて重要な役割を果たす。

第**6**章

再帰型ニューラルネットワーク

6.1　時系列データと再帰型ニューラルネットワーク

6.1.1　時系列データ

　要素 1 つ 1 つに順序関係があり、しかもその並びに意味が隠れているようなデータを時系列データという。例えば、時系列データとしては株価を挙げることができる。株価は時間軸に従ってデータが並んでおり、ある 1 時点の株価はその 1 時点前の株価から影響を受け、一方その後の株価に影響を与える。また、言語データも時系列データである。言語データには並び替えると意味の破綻する順序関係が存在している。例えば「開始」という熟語は「か」「い」「し」がこの順に並んで初めて意味をなすという意味で順序関係があり、時系列データとみなすことができる。

　本章では文字入力を例に説明する。スマートフォンに文字を入力するシーンを想像すると、ある程度入力すると次に続くであろう単語や句が自動的に提案される。この提案は、スマートフォンに搭載された人工知能が、直前までの入力をもとに後続の入力パターンを予測した結果である。

表 6.1 ● 文字入力の予測課題

入力したい語	1 字目の入力 $x^{(1)}$	2 字目の入力 $x^{(2)}$	予測する文字 z
かいし (開始)	か	い	し
かしか (可視化)	か	し	か
かかし (案山子)	か	か	し
しいか (詩歌)	し	い	か
しかい (歯科医)	し	か	い
ししい (獅子井)	し	し	い
いかし (活かし)	い	か	し
いしい (石井)	い	し	い
いいか (良いか)	い	い	か

　右表に示した 2 字の入力からその次に入力される文字を予測する課題を想定する。例えば、表の 1 行目に注目すると、「か」「い」という順序で文字入力を行った場合、その次は「し」という文字であると予測することが課題である。

6.1.2　再帰型ニューラルネットワークの概要

　第 5 章で紹介したニューラルネットワークでは時系列データを扱うことは困難である。これは、これまでに挙げたニューラルネットワークには過去の入力を保持する仕組みが存在しない

ことによる。時系列データでは過去の入力を保持し、その情報を踏まえて予測を行うことが肝要である。文字データの例で考えても、2字目が入力された際に、1字目の入力を保持しておくことが予測に貢献することは想像に難くない。したがって、前の時点での入力を保持する仕組みを用意する必要がある。

　このための仕組みとして有名なのは、再帰である。この仕組みをユニットに取り入れることで時系列データを扱うことを可能にしたニューラルネットワークを再帰型ニューラルネットワーク (recurrent neural network, RNN) という。

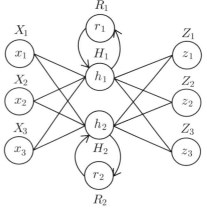

図 6.1●RNN

　RNN における各層のユニットや入出力データを表す記号を定義しておく。$j = 1, \ldots, J$ を何種類目の入力であるか、$i = 1, \ldots, I$ は隠れ層のユニットを表すとする。今回の例では、文字の種類が3文字であるため $J = 3$、隠れ層のユニット数は2個であるため $I = 2$ とする。入力層のユニットを X_j、そのデータを x_j とし、隠れ層のユニットを H_i、そのデータを h_i とする。正解データが何種類目の文字であるかを $k = 1, \ldots, K$ で表す。正解となりうる文字の種類が3文字であるため $K = 3$ である。出力層のユニットを Y_k、その予測値を y_k とし、正解データを z_k とする。

　右図における R_1 や R_2 というユニットが再帰において重要な役割を果たす。コンテクスト (context) と呼ばれるこれらのユニットは、隠れ層における結果を保持する。保持した結果 r_1, r_2 を次の処理に引き渡すことで、時系列データにおける前の時点のデータを活かすことが可能となる。また、コンテクストからなる層のことを状態層 (state layer) という。

　例えば、「か」という文字を図のような RNN に入力したいとする。まず、「か」、「い」、「し」をそれぞれ $(1, 0, 0), (0, 1, 0), (0, 0, 1)$ という0または1からなるベクトルで表現しておく[†1]。このとき、ワンホットベクトルを用いて

[†1] 質的変数を0と1からなるベクトルによって表現することをワンホットエンコーディング (one-hot encoding) といい、そのベクトルをワンホットベクトル (one-hot vector) という。

$$(x_1, x_2, x_3) = (1, 0, 0)$$

とする。入力層のユニット数を 3 に設定したのは、「か」「い」「し」の 3 種類の文字を表現するためである。

　また、出力層のユニット数が 3 であるのは、この課題が同じく「か」「い」「し」の 3 種類の分類であるためである。出力層の活性化関数にソフトマックス関数 (softmax function) を用いれば

$$(y_1, y_2, y_3) = (\text{「か」と予測する確率}, \text{「い」と予測する確率}, \text{「し」と予測する確率})$$

と解釈可能な値を得られる。ソフトマックス関数は入力ベクトル $(x_1, \ldots, x_n)$ の各成分に対して

$$y_i = \frac{\exp(x_i)}{\sum_{j=1}^{n} \exp(x_j)} \tag{6.1}$$

で表される関数である [†2]。入力ベクトルの各成分に指数関数を作用させ、作用させた値の総和で割ることにより、出力 y_i の総和は 1 であることが保証される。

　本章では入力層のユニット数と出力層のユニット数は一致している。これは入力に利用する文字の種類と予測する文字の種類が同一であるからだが、一般には一致するとは限らない。第 5 章で登場したネットのように、入力層が複数のユニットからなり、出力層が 1 つのユニットだけからなる場合もありうる。

6.1.3　RNN の展開図

　状態層が前の時点の情報を伝達する仕組みを理解する上で、展開図と呼ばれる図が便利である。展開図を用いることで、2 番目の入力と 1 番目の入力の処理結果が結合されていることが明瞭になる。

　図 6.1 の RNN の展開図が図 6.2 である。右肩添字は時系列データにおける時点を示す添字であり、$x_1^{(1)}$ や $x_2^{(1)}$ であれば 1 時点目の入力であることを示していることに注意する。例え

[†2] $\exp(x)$ は指数関数 e^x の別表記である。

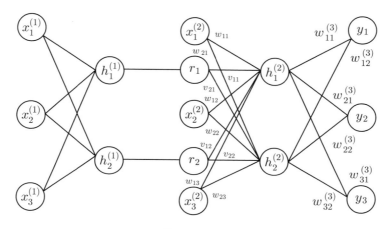

図 6.2●展開図

ば、「か」「い」という文字をこの順番で入力する場合は $x_1^{(1)}, x_2^{(1)}, x_3^{(1)}$ が「か」という入力に、$x_1^{(2)}, x_2^{(2)}, x_3^{(2)}$ が「い」という入力にそれぞれ対応する。ベクトルによる表現を用いると

$$(x_1^{(1)}, x_2^{(1)}, x_3^{(1)}) = (1, 0, 0) = 「か」$$
$$(x_1^{(2)}, x_2^{(2)}, x_3^{(2)}) = (0, 1, 0) = 「い」$$
$$(z_1, z_2, z_3) = (0, 0, 1) = 「し」$$

である。

　以下では、右肩の添字が (l) である層を第 l ブロックと呼ぶ。第 1 ブロックである入力層のユニット $X_j^{(1)}$ や隠れ層のユニット $H_i^{(1)}$ では、1 番目の入力 $x_1^{(1)}, x_2^{(1)}, x_3^{(1)}$ を処理する。そして、その結果をコンテクスト R_1, R_2 に渡し r_1, r_2 として保持する。文字入力の例として「かい」の入力を考えれば、「か」を処理してコンテクストに渡している。次に、右肩の添字が (2) である第 2 ブロックでは、2 番目の入力 $x_1^{(2)}, x_2^{(2)}, x_3^{(2)}$ だけでなく、保存された 1 番目の情報 r_1, r_2 も入力として処理する。文字入力の例なら、「い」を処理するのみならず、コンテクストに保持しておいた「か」の処理結果を合わせて処理する。

6.2 RNN の各層

RNN は、過去に入力されたデータを保持する上で重要なコンテクストというユニットからなる状態層の存在が特徴的であり、入力層・隠れ層・出力層・状態層から構成されていた。本節では各層での伝播の様子を具体的に説明する。

6.2.1 入力層から隠れ層へ

入力層から隠れ層への伝播で注意しなければならないのが、$w_{11}^{(1)}$ と $w_{11}^{(2)}$ の 2 つの重みのように、右肩の添字だけが異なる重みは共通の重みであるという点である。すなわち、$i = 1, 2$ および $j = 1, 2, 3$ に対し

$$w_{ij}^{(1)} = w_{ij}^{(2)}$$

である。1 層目と 2 層目についてはどちらの重みであろうとそれらの区別は存在しないということであるから、以降これらの重みの右肩の添字を省略して

$$w_{ij} = w_{ij}^{(1)} = w_{ij}^{(2)}$$

と表記する。なおこの後の節で登場する第 2 ブロック目の隠れ層から出力層への重み $w_{ki}^{(3)}$ についてはこれらの重みとは異なるため、省略せずに右肩添字 (3) を付けて表記する。

6.2.2 隠れ層から状態層へ

RNN が時系列データを処理することが可能であるのは、状態層においてコンテクストに前の時点の入力を保持しているためであった。

隠れ層のユニット $H_i^{(1)}$ が処理した結果 $h_i^{(1)}$ をコンテクスト $R_{i'}$ が保持するという関係は

$$r_1 = h_1^{(1)}, \quad r_2 = h_2^{(1)}$$

と表される。入力層から隠れ層への伝播に重みがあったのとは対照的ではあるが、隠れ層の値と状態層の値は要素ごとに見れば全く同一の値である。重みを 1 としているともみなせる。

6.2.3　状態層から隠れ層へ

第 1 ブロックの隠れ層のユニット $H_i^{(1)}$ からコンテクスト $R_{i'}$ への情報の保持は、同一の値を用いることで実現された。一方で、コンテクストからなる状態層から、第 2 ブロックの隠れ層 $H_i^{(2)}$ への情報の伝播には再帰的な重みを伴う。コンテクスト $R_{i'}$ からユニット $H_i^{(2)}$ への再帰的な重みを $v_{ii'}$ と表す。

6.3　RNN の構造

本節では、母数の推定に用いる誤差関数を導くための数理的準備を行う。その際、「し」という予測結果を得る文字入力課題を念頭に、「かい」を入力した場合の各層の様子を具体的に確認する。

6.3.1　第 1 ブロック

隠れ層 $H_i^{(1)}$ における、活性化関数を作用させる前の線形和は

$$s_i^{(1)} = \sum_{j=1}^{3} w_{ij} x_j^{(1)} - b_i^{(1)} \tag{6.2}$$

であり、この $s_i^{(1)}$ に対して活性化関数を作用させて

$$h_i^{(1)} = \sigma(s_i^{(1)}) \tag{6.3}$$

が隠れ層 $H_i^{(1)}$ の出力となる。

実際に文字入力の例における「か」を入力してみる。「か」をベクトルで表すと $(x_1^{(1)}, x_2^{(1)}, x_3^{(1)}) = (1, 0, 0)$ であったから

$$s_1^{(1)} = w_{11} \times 1 + w_{12} \times 0 + w_{13} \times 0 - b_1^{(1)} \tag{6.4}$$

$$s_2^{(1)} = w_{21} \times 1 + w_{22} \times 0 + w_{23} \times 0 - b_2^{(1)} \tag{6.5}$$

となり、これに活性化関数を作用させることで以下を得る。

$$h_1^{(1)} = \sigma(w_{11} - b_1^{(1)}) \tag{6.6}$$

$$h_2^{(1)} = \sigma(w_{21} - b_2^{(1)}) \tag{6.7}$$

6.3.2　第 2 ブロック

　前節で述べた通り、コンテクスト R_i は、第 1 ブロックにおける隠れ層 $H_i^{(1)}$ の値を重み 1 で保持する。したがって

$$r_1 = h_1^{(1)}, \quad r_2 = h_2^{(1)} \tag{6.8}$$

と表される。この情報は再帰的な重み $v_{ii'}$ を伴って積和

$$\sum_{i'=1}^{2} v_{ii'} r_{i'} \tag{6.9}$$

として伝播される。そこに入力 $x_j^{(2)}$ とその重み w_{ij} の積和、およびバイアス $b_i^{(2)}$ を加えることで、$s_i^{(2)}$ となる。これは

$$s_i^{(2)} = \sum_{i'=1}^{2} v_{ii'} r_{i'} + \sum_{j=1}^{3} w_{ij} x_j^{(2)} - b_i^{(2)} \tag{6.10}$$

と表される。これに活性化関数を作用させることで隠れ層 $H_i^{(2)}$ の出力 $h_i^{(2)}$ を以下の通りに得る。

$$h_i^{(2)} = \sigma(s_i^{(2)}) \tag{6.11}$$

第 1 ブロックで「か」を入力したのに続いて「い」を入力してみる。まずコンテクストは

$$r_1 = h_1^{(1)} = \sigma(w_{11} - b_1^{(1)}) \tag{6.12}$$

$$r_2 = h_2^{(1)} = \sigma(w_{21} - b_2^{(1)}) \tag{6.13}$$

である。「い」をベクトルで表すと $(x_1^{(2)}, x_2^{(2)}, x_3^{(2)}) = (0, 1, 0)$ であったから

$$s_1^{(2)} = \sum_{i'=1}^{2} v_{1i'} r_{i'} + \sum_{j=1}^{3} w_{1j} x_j^{(2)} - b_1^{(2)}$$

$$= v_{11}\sigma(w_{11} - b_1) + v_{12}\sigma(w_{21} - b_2) + w_{12} - b_1^{(2)} \tag{6.14}$$

$$s_2^{(2)} = \sum_{i'=1}^{2} v_{2i'} r_{i'} + \sum_{j=1}^{3} w_{2j} x_j^{(2)} - b_2^{(2)}$$

$$= v_{21}\sigma(w_{11} - b_1^{(1)}) + v_{22}\sigma(w_{21} - b_2^{(1)}) + w_{22} - b_2^{(2)} \tag{6.15}$$

となり、これに活性化関数を作用させることで以下を得る。

$$h_1^{(2)} = \sigma(v_{11}\sigma(w_{11} - b_1^{(1)}) + v_{12}\sigma(w_{21} - b_2^{(1)}) + w_{12} - b_1^{(2)}) \tag{6.16}$$

$$h_2^{(2)} = \sigma(v_{21}\sigma(w_{11} - b_1^{(1)}) + v_{22}\sigma(w_{21} - b_2^{(1)}) + w_{22} - b_2^{(2)}) \tag{6.17}$$

6.3.3 　出力層

第 5 章のニューラルネットワークと同様に、出力層における活性化関数は課題に応じて選択する。本節は「か」、「い」、「し」のいずれかに分類する課題であるため、ソフトマックス関数を用いることが一般的である。

$h_i^{(2)}$ とその重み $w_{ki}^{(3)}$ の積和とバイアスからなる線形和 $s_k^{(3)} = \sum_{i=1}^{2} w_{ki}^{(3)} h_i^{(2)} - b_k^{(3)}$ に指数関数を作用させれば、その出力の割合がソフトマックス関数の出力である。したがって、出力層 $Z_k(k = 1, 2, 3)$ の出力 y_k を (6.1) 式に従って以下の通りに得る。

$$y_k = \frac{\exp(s_k^{(3)})}{\sum_{k'=1}^{3} \exp(s_{k'}^{(3)})} \tag{6.18}$$

6.4 　RNN の数値例

本節では、RNN が学習する様子を具体的な数値を用いて確認する。そのためにまず正規化

線形関数 (rectified linear unit, ReLU) という活性化関数を導入し、これを用いて数値例を確認する。

<table>
<tr><td>**6.4.1**</td><td>**ReLU**</td></tr>
</table>

　第 5 章では、活性化関数に (5.4) 式のシグモイド関数を用いた。シグモイド関数の導関数を $\sigma(x)$ に関して平方完成すると

$$
\begin{aligned}
\frac{d}{dx}\sigma(x) &= \sigma(x)(1 - \sigma(x)) \\
&= -\left\{\sigma(x) - \frac{1}{2}\right\}^2 + \frac{1}{4}
\end{aligned}
$$

である。これは頂点を $(1/2, 1/4)$ とする上に凸な放物線であるため、$1/4$ 以下の値しか取りえない。1 より小さな値しか取らないため、逆伝播の勾配計算で何度も積を計算すれば、勾配は指数的に小さくなり 0 に近づく。このようにして逆伝播において勾配が 0 に近づいてしまう問題は勾配消失問題 (vanishing gradient problem) と呼ばれ、長らく問題となってきた。

　この問題への対処として導入されたのが ReLU である。ReLU は

$$
\mathrm{ReLU}(x) = \begin{cases} x & (x \geq 0) \\ 0 & (x < 0) \end{cases} \tag{6.19}
$$

という関数である。x には線形和が代入されるため、$x \geq 0$ であることは線形和が伝達されることを意味する。導関数は

$$
\frac{d}{dx}\mathrm{ReLU}(x) = \begin{cases} 1 & (x > 0) \\ 0 & (x < 0) \end{cases} \tag{6.20}
$$

である。発火したニューロンに対する勾配は常に 1 であり、勾配消失問題は生じない。なお、$x = 0$ での微分係数は数学的には定義されないが、実装の上で値が厳密に 0 となることはありえず、問題とはならない。

　ReLU は勾配消失問題に対処できるだけでなく、計算が簡便である点も有用である。それでは活性化関数に ReLU を用い、計算式の単純さの恩恵に与りつつ、数値例を確認しよう。

6.4.2 数値例

表 6.2 ● 利用するデータ

	単語	$x^{(1)}$	$x^{(2)}$	z	y	単語	$x^{(1)}$	$x^{(2)}$	z	y	単語	$x^{(1)}$	$x^{(2)}$	z	y
か		1	0	0	0.04		1	0	1	0.96		1	1	0	0
い	開始	0	1	0	0.01	可視化	0	0	0	0.02	案山子	0	0	0	0
し		0	0	1	0.95		0	1	0	0.02		0	0	1	1
か		0	0	1	0.96		0	1	0	0.03		0	0	0	0
い	詩歌	0	1	0	0.02	歯科医	0	0	1	0.95	獅子井	0	0	1	1
し		1	0	0	0.02		1	0	0	0.02		1	1	0	0
か		0	1	0	0		0	0	0	0.03		0	0	1	0.96
い	活かし	1	0	0	0.01	石井	1	0	1	0.97	良いか	1	1	0	0.02
し		0	0	1	0.99		0	1	0	0		0	0	0	0.02

$x^{(1)}, x^{(2)}$ の 2 文字を入力とし、それら 2 文字に続く z を予測することが課題であった。表 6.2 は、課題を RNN で解いた出力をまとめた表である。「開始」の部分を見ると、入力 $x^{(1)} = (1,0,0), x^{(2)} = (0,1,0)$ から $z = (0,0,1)$ を予測するよう学習させれば、「か」「い」「し」の確率がそれぞれ $(0.04, 0.01, 0.95)$ であると分かる。

右の表には学習の結果得られた重みとバイアスをまとめた。「開始」を例に、第 1 ブロック、第 2 ブロック、出力層、誤差関数の計算過程を確認する。第 1 ブロックの隠れ層の出力 $h_i^{(1)}$ は $s_i^{(1)}$ に活性化関数を作用させた (6.3) 式で表された。

まず $s_1^{(1)}$ について、表 6.3 の対応する値を用いると、(6.4) 式から

$$s_1^{(1)} = 0 \times 1 - 2.22 \times 0 + 1.95 \times 0 + 0.39 = 0.39 \quad (6.21)$$

を得る。これに (6.19) 式の ReLU を作用させて、(6.6) 式から

$$h_1^{(1)} = \mathrm{ReLU}(0.39) = 0.39 \qquad (6.22)$$

表 6.3 ● 重みとバイアス

w_{ij}		$v_{ii'}$		$w_{ki}^{(3)}$	
w_{11}	0	v_{11}	0.70	$w_{11}^{(3)}$	-1.32
w_{12}	-2.22	v_{12}	-1.22	$w_{12}^{(3)}$	-1.67
w_{13}	1.95	v_{21}	-0.58	$w_{21}^{(3)}$	2.33
w_{21}	1.88	v_{22}	1.01	$w_{22}^{(3)}$	-0.38
w_{22}	-0.43	$b_1^{(2)}$	-0.11	$w_{31}^{(3)}$	-1.55
w_{23}	-2.47	$b_2^{(2)}$	-0.31	$w_{32}^{(3)}$	2.45
$b_1^{(1)}$	-0.39			$b_1^{(3)}$	-2.42
$b_2^{(1)}$	-0.12			$b_2^{(3)}$	1.67
				$b_3^{(3)}$	1.26

を得る。$h_2^{(1)}$ についても同様に

$$h_2^{(1)} = \mathrm{ReLU}(1.88 \times 1 - 0.43 \times 0 - 2.47 \times 0 + 0.12) = 2 \tag{6.23}$$

である。

　第 2 ブロックの隠れ層の出力 $h_i^{(2)}$ は $s_i^{(2)}$ に活性化関数を作用させた (6.10) 式で表された。まず $s_1^{(2)}$ は、(6.11)、(6.6) 式と先に求めた $h_1^{(1)}, h_2^{(1)}$ の値に注意すると、(6.14) 式から

$$s_1^{(2)} = (0.70 \times 0.39 - 1.22 \times 2) + (0 \times 0 - 2.22 \times 1 - 1.95 \times 0) + 0.11 \simeq -4.28 \tag{6.24}$$

である。これに ReLU を作用させると、(6.16) 式から

$$h_1^{(2)} = \mathrm{ReLU}(-4.28) = 0 \tag{6.25}$$

を得る。$h_2^{(2)}$ についても同様に、(6.17) 式から

$$h_2^{(2)} = \mathrm{ReLU}\left((-0.58 \times 0.39 + 1.01 \times 2) + (1.88 \times 0 - 0.43 \times 1 - 2.47 \times 0) + 0.31\right)$$
$$\simeq 1.68 \tag{6.26}$$

である。

　出力層における出力 y_k は、(6.18) 式で得られた。まず、$s_k^{(3)}$ はそれぞれ

$$s_1^{(3)} = -1.32 \times 0 - 1.67 \times 1.68 + 2.42 \simeq -0.39 \tag{6.27}$$

$$s_2^{(3)} = 2.33 \times 0 - 0.38 \times 1.68 - 1.67 \simeq -2.31 \tag{6.28}$$

$$s_3^{(3)} = -1.55 \times 0 + 2.45 \times 1.68 - 1.26 \simeq 2.86 \tag{6.29}$$

である。これを指数関数に代入すると $e^{-0.39} \simeq 0.68, e^{-2.31} \simeq 0.10, e^{2.86} \simeq 17.46$ である。ソフトマックス関数を考えると、(6.18) 式から、出力 y_k はそれぞれ

$$y_1 = 0.680/(0.68 + 0.10 + 17.46) \simeq 0.04 \tag{6.30}$$

$$y_2 = 0.188/(0.68 + 0.10 + 17.46) \simeq 0.01 \tag{6.31}$$

$$y_3 = 17.39/(0.68 + 0.10 + 17.46) \simeq 0.95 \tag{6.32}$$

となって、表 6.2 の y_k を得る。このとき、(5.22) 式の交差エントロピー誤差 E を多値に拡張させてから

$$E = -(0 \times \log 0.04 + 0 \times \log 0.01 + 1 \times \log 0.95) \simeq 0.05 \tag{6.33}$$

である。

6.4.3 1字目が共通で2字目が異なる「可視化」の場合

次は「可視化」を例として確認する。「か」「し」の順に入力すると、「開始」の場合と第1ブロックまでは全く同様の計算なのに、出力 y_k では「か」が大きくなることが確認できる。

まず、第1ブロックの隠れ層の出力 $h_i^{(1)}$ は「開始」と同じく「か」を入力するだけであり、(6.21) 式から (6.23) 式までと同一の計算となる。

第2ブロックの隠れ層の出力 $h_1^{(2)}$ を求める。$s_1^{(2)}$ は (6.14) 式から

$$s_1^{(2)} = (0.70 \times 0.39 - 1.22 \times 2) + (0 \times 0 - 2.22 \times 0 - 1.95 \times 1) + 0.11 = -4.007 \tag{6.34}$$

である。これに ReLU を作用させると (6.16) 式から

$$h_1^{(2)} = \text{ReLU}(-4.007) = 0 \tag{6.35}$$

を得る。$h_2^{(2)}$ についても同様に (6.17) 式から

$$h_2^{(2)} = \text{ReLU}\left((-0.58 \times 0.39 + 1.01 \times 2) + (1.88 \times 0 - 0.43 \times 0 - 2.47 \times 1) + 0.31\right) = 0 \tag{6.36}$$

である。

出力層について確認する。$s_k^{(3)}$ はそれぞれ

$$s_1^{(3)} = -1.32 \times 0 - 1.67 \times 0 + 2.42 = 2.42 \tag{6.37}$$

$$s_2^{(3)} = 2.33 \times 0 - 0.38 \times 0 - 1.67 = -1.67 \tag{6.38}$$

$$s_3^{(3)} = -1.55 \times 0 + 2.45 \times 0 - 1.26 = -1.26 \tag{6.39}$$

である。これを指数関数に代入すると $e^{2.42} \simeq 11.25, e^{-1.67} \simeq 0.19, e^{-1.26} \simeq 0.28$ である。したがって、出力 y_k はそれぞれ

$$y_1 = 11.25/(11.25 + 0.19 + 0.28) \simeq 0.96 \tag{6.40}$$

$$y_2 = 0.19/(11.25 + 0.19 + 0.28) \simeq 0.02 \tag{6.41}$$

$$y_3 = 0.28/(11.25 + 0.19 + 0.28) \simeq 0.02 \tag{6.42}$$

となって、出力 y_k は「か」が大きくなる様子が確認できる。このとき、交差エントロピー誤差 E は (5.22) 式から

$$E = -(1 \times \log 0.96 + 0 \times \log 0.02 + 0 \times \log 0.02) \simeq 0.04 \tag{6.43}$$

である。

6.4.4　1字目から異なる「歯科医」の場合

最後に「歯科医」を例として確認する。ここまでの 2 単語とは全く異なる入力であっても、母数さえ共通であれば、出力 y_k では「い」が大きくなることが確認できる。第 1 ブロックの隠れ層の出力 $h_1^{(1)}$ を確認する。$s_1^{(1)}$ は (6.4) 式から

$$s_1^{(1)} = 0 \times 0 - 2.22 \times 0 + 1.95 \times 1 + 0.39 = 2.34 \tag{6.44}$$

である。これに ReLU を作用させて、(6.6) 式から

$$h_1^{(1)} = \text{ReLU}(0 \times 0 - 2.22 \times 0 + 1.95 \times 1 + 0.39) = 2.34 \tag{6.45}$$

を得る。$h_2^{(1)}$ についても同様に、(6.7) 式から

$$h_2^{(1)} = \text{ReLU}(1.88 \times 0 - 0.43 \times 0 - 2.47 \times 1 + 0.12) = 0 \tag{6.46}$$

である。

第 2 ブロックの隠れ層の出力 $h_1^{(2)}$ を確認する。$s_1^{(2)}$ は (6.14) 式から

$$s_1^{(2)} = (0.70 \times 2.34 - 1.22 \times 0) + (0 \times 1 - 2.22 \times 0 - 1.95 \times 0) + 0.11 \simeq 1.75 \tag{6.47}$$

である。これに ReLU を作用させて、(6.16) 式から

$$h_1^{(2)} = \text{ReLU}(1.75) = 1.75 \tag{6.48}$$

を得る。$h_2^{(2)}$ についても同様に、(6.17) 式から

$$h_2^{(2)} = \text{ReLU}\left((-0.58 \times 2.34 + 1.01 \times 0) + (1.88 \times 1 - 0.43 \times 0 - 2.47 \times 0) + 0.31\right) \simeq 0.83 \tag{6.49}$$

である。

出力層について確認する。$s_k^{(3)}$ はそれぞれ

$$s_1^{(3)} = -1.32 \times 1.75 - 1.67 \times 0.83 + 2.42 \simeq -1.28 \tag{6.50}$$

$$s_2^{(3)} = 2.33 \times 1.75 - 0.38 \times 0.83 - 1.67 \simeq 2.09 \tag{6.51}$$

$$s_3^{(3)} = -1.55 \times 1.75 + 2.45 \times 0.83 - 1.26 \simeq -1.94 \tag{6.52}$$

である。これを指数関数に代入すると $e^{-1.28} \simeq 0.28, e^{2.09} \simeq 8.08, e^{-1.94} \simeq 0.14$ である。したがって、(6.18) 式から、出力 y_k はそれぞれ

$$y_1 = 0.28/(0.28 + 8.08 + 0.14) \simeq 0.03 \tag{6.53}$$

$$y_2 = 8.08/(0.28 + 8.08 + 0.14 \simeq= 0.95 \tag{6.54}$$

$$y_3 = 0.14/(0.28 + 8.08 + 0.14) \simeq 0.02 \tag{6.55}$$

となって、出力 y_k は「い」が大きくなる様子が確認できる。このとき、交差エントロピー誤差 E は、(5.22) 式から

$$E = -(0 \times \log 0.03 + 1 \times \log 0.95 + 0 \times \log 0.02) \simeq 0.05 \tag{6.56}$$

である。

6.5 RNN の発展モデル

本章で紹介した構造を基礎としつつ、RNN の改良が進められている。実は、RNN には遠い過去の入力を記憶として保持することが難しいという短所が存在する。これを解消すべく考案されたのが、長短期記憶 (long short term memory, LSTM) である。現在でこそ第 8 章で紹介するモデルが使われているものの、LSTM は Google 翻訳のアルゴリズムにも活用されていた歴史がある。また、本章の最後に用いる magenta における音楽の生成では現在も活用されている。

6.6 Python による実装と応用例

6.6.1　PyTorch による文字入力課題

ここまでの説明に用いた文字入力課題を例に、実際に RNN のモデルを構築してみよう。

```
#ライブラリのインポート
import numpy as np
import torch
import torch.nn as nn
import torch.optim as optim
device = torch.device('cuda' if torch.cuda.is_available() else 'cpu')
```

まず、必要なライブラリをインポートする。

```
#文字をワンホットベクトルで表現
let1 = [1,0,0] #「か」
let2 = [0,1,0] #「い」
let3 = [0,0,1] #「し」

#文字の配列を用意
#入力する 2 文字 (x1 と x2)
input_data = np.array([[let1,let2],[let1,let3],[let1,let1],
                       [let3,let2],[let3,let1],[let3,let3],
                       [let2,let1],[let2,let3],[let2,let2]])
#予測したい文字 (z)
correct_data = np.array([let3,let1,let3,let1,let2,let2,
                         let3,let2,let1])
#テンソル型に変換
input_data = torch.Tensor(input_data);correct_data = torch.Tensor(correct_data)
```

学習用データを加工する。まず let1、let2、let3 にワンホット表現を用いて、それぞれ「か」「い」「し」を代入する。これを用いて入力 $x^{(1)}, x^{(2)}$ と予測したい正解 z の 3 次元配列を用意し、テンソル型に変換している。

```python
#モデルの定義
class RNN(nn.Module):
    def __init__(self, input_dim, hidden_dim,
                 output_dim):
        super().__init__() #クラスの継承
        #入力層と隠れ層
        #活性化関数は ReLU
        #batch_first で入力データの形式を指定
        self.l1 = nn.RNN(input_dim, hidden_dim,
                         nonlinearity='relu',
                         batch_first=True)
        #出力層
        self.l2 = nn.Linear(hidden_dim, output_dim)
        #出力層の活性化関数
        self.softmax =nn.Softmax(dim=1)
        #順伝播の定義.
    def forward(self, x):
        #nn.RNN はタプル型で 2 種類を出力
        x_rnn,h = self.l1(x)
        hidden = self.l2(x_rnn[:,-1,:])
        z = self.softmax(hidden)
        return z
```

モデルを定義する。PyTorch が用意するクラスを継承する点など、第 5 章のニューラルネットワークと大枠は同一である。第 5 章との相違点は、RNN を簡便に記述する nn.RNN を用いる点である。

input_dim と hidden_dim で入力層と隠れ層のユニット数を指定している。隠れ層のユニット数を定めればコンテクストの個数は自動的に定まるため指定する必要がない点に注意する。nonlinearity='relu' では、隠れ層の活性化関数に ReLU を用いることを指定している。batch_first=True で入力データの形式を (データ数 (ここでは 9 個)、入力時系列の数 (2 時点)、入力ベクトルの長さ (3)) と指定している。

nn.RNN は、複数時点での出力と最後の内部状態の 2 種類の値をタプル型で返す。それぞれを x_rnn と h に代入した上で、x_rnn[:,-1,:] で 3 時点の時系列ごとに出力されるデータの最後だけを取り出している。そのデータを hidden に代入し、出力層の活性化関数であるソフトマックス関数に渡している。

```
#インスタンスを生成
#引数は入力層，隠れ層，出力層の各ユニット数
model = RNN(3,2,3).to(device)
#交差エントロピー誤差を使用
criterion = nn.CrossEntropyLoss()
#Adam を使用
optimizer = optim.Adam(model.parameters(), lr=0.15)
```

定義したモデルからインスタンス **model** を生成している。誤差関数には交差エントロピー誤差を使用し、最適化法には Adam を用いる。学習率は 0.15 としている。

```
#モデルの学習
epochs = 1000
progress = np.zeros((0, 2))

for epoch in range(epochs):
  Z = model.forward(input_data)
  err = criterion(Z,correct_data)
  err.backward()

  optimizer.step()
  optimizer.zero_grad()

  if(epoch % 100 == 0):
    item=np.array([epoch, err.item()])
    progress = np.vstack((progress, item))
    print(f'epoch = {epoch} err = {err:.4f}')
```

モデルの学習を行う。この段階は第 5 章と同一である。

```
#学習結果の出力
Z_np = Z.data.numpy().copy()
correct_np = correct_data.data.numpy().copy()
print(np.hstack([Z_np,correct_np]))
```

結果の出力についてもスクリプトは第 5 章と同一である。本章は 3 値 (「か」「い」「し」) の分類問題であり、活性化関数にソフトマックス関数を用いた。そのため学習結果の出力は各値である確率が全て出力される。

このスクリプトを実行して得られる母数と、この数値例で紹介した母数は一般的には異なる。これには 2 つの原因がある。1 つは PyTorch が用いている RNN の細部が異なることである。もう 1 つは、入力 $x^{(1)}, x^{(2)}$ と正解の出力 z_k を再現するネットが無数に存在することである。一般に、少ないデータに対して膨大な母数が存在する場合には、母数の値は一意に定まらない。本章の例では、9 つのデータに対して 23 個もの母数が存在しており、データにうまく適合する母数の対は無数に存在することになる。

6.6.2　magenta による音楽生成

　本節では文字に代わって音楽を扱う。音楽を与えると、RNN がそれに続く音楽を予測する。音楽を予測することを音楽生成とみなし、特定の音楽に続く音楽を生成 (作曲) してみよう。

```
#モジュールのインストール
!apt-get update -qq
!apt-get install -qq fluid-soundfont-gm build-essential
!apt-get install -qq libasound2-dev libjack-dev
!pip install -qU pyfluidsynth pretty_midi
!pip install -qU magenta

#ライブラリのインポート
import magenta
import note_seq
from note_seq.protobuf import music_pb2
from magenta.models.melody_rnn import melody_rnn_sequence_generator
from magenta.models.shared import sequence_generator_bundle
from note_seq.protobuf import generator_pb2
```

　まず、必要なモジュールを用意する。これまでは PyTorch を主としてきたが、本節では magenta という芸術作品の生成に重きを置いたモジュールを用いる。magenta は作曲に利用できる学習済みの RNN を提供しており、以下ではこれを用いる。

```
# RNN に入力する音楽
# pitch：音階　start_time：開始時刻　end_time：終了時刻　velocity：強さ
origin_music = music_pb2.NoteSequence()
origin_music.notes.add(pitch=60, start_time=0.0, end_time=0.5, velocity=80)  # 「ド」
origin_music.notes.add(pitch=60, start_time=0.5, end_time=1.0, velocity=80)  # 「ド」
origin_music.notes.add(pitch=67, start_time=1.0, end_time=1.5, velocity=80)  # 「ソ」
origin_music.notes.add(pitch=67, start_time=1.5, end_time=2.0, velocity=80)  # 「ソ」
origin_music.notes.add(pitch=69, start_time=2.0, end_time=2.5, velocity=80)  # 「ラ」
origin_music.notes.add(pitch=69, start_time=2.5, end_time=3.0, velocity=80)  # 「ラ」
origin_music.notes.add(pitch=67, start_time=3.0, end_time=3.5, velocity=80)  # 「ソ」
# 3.5 秒から 4.0 秒までポーズ
origin_music.notes.add(pitch=65, start_time=4.0, end_time=4.5, velocity=80)  # 「ファ」
origin_music.notes.add(pitch=65, start_time=4.5, end_time=5.0, velocity=80)  # 「ファ」
origin_music.notes.add(pitch=64, start_time=5.0, end_time=5.5, velocity=80)  # 「ミ」
origin_music.notes.add(pitch=64, start_time=5.5, end_time=6.0, velocity=80)  # 「ミ」
origin_music.total_time = 6.0  #合計
# 再生
note_seq.play_sequence(origin_music)
```

　入力する音楽を作成する。文字入力課題では、ある程度の長さの文字入力からそれに続く文字を予測した。ここで作成する音楽は、最初に入力するある程度の文字列に相当する。

　各引数で音楽についての情報を入力する。このスクリプトは、「ドドソソララソ」を 0.5 秒

× 7 音流した後、0.5 秒間ポーズを入れ、「ファファミミ」を 0.5 秒 × 4 音流すことで、きらきら星の冒頭を表している。`pitch` で音の高さを指定する。`pitch=67` で「ソ」、`pitch=69` で「ラ」という具合に、2 増加させると全音で 1 音高くなり、1 増加させると半音で 1 音高くなる。`start_time` と `end_time` で音の開始時刻と終了時刻を秒を単位に指定する。3.5 秒から 4.0 秒の間で音を指定しないことでポーズを指定している。また、全ての音の開始と終了が重ならないよう指定しているが、複数の音の間で重なりを生じさせてもよい。`velocity` で音の大きさを指定する。値が大きくなるほど音が大きくなる。

最後に音楽の合計時間を入力する。これはこの後に作曲する曲の長さの指定を行う箇所で用いる。

```
# 学習済みモデルをダウンロード
note_seq.notebook_utils.download_bundle("basic_rnn.mag",
                                        "magenta/models/")
# モデルの読み込み
bundle = sequence_generator_bundle.read_bundle_file(
    "magenta/models/basic_rnn.mag")
# basic_RNN を利用
generator_map = melody_rnn_sequence_generator.get_generator_map()
melody_rnn = generator_map["basic_rnn"](checkpoint=None, bundle=bundle)
#初期化
melody_rnn.initialize()
```

magenta が提供する学習済みモデルのうち、basic_RNN というモデルを利用する。basic_RNN は本章で説明した LSTM を利用したモデルである。詳細は割愛するが、magenta は basic_RNN 以外にもバッハ風音楽を生成するモデルなど、様々な学習済みモデルを提供している。全てのモデルがライブラリに入っているわけではなく、必要なモデルをダウンロードして利用する。ここでは、学習済みモデルを最初のコードでダウンロードし、その次のコードで読み込んでいる。

```
# オプション
options = generator_pb2.GeneratorOptions()
# 曲の乱雑度
options.args["temperature"].float_value = 1
# 曲の長さを end_time で指定
options.generate_sections.add(start_time = origin_music.total_time,
                              end_time = 5)
```

作曲のオプションを指定する。`temparature` というパラメータは曲の乱雑度を表現するパラメータであり、この値を調整することで作曲される音楽の印象は大きく変わる。値を大き

くすると音程の上下が激しくなるなど、「乱雑な」印象に近づく。ここでは 1 を指定した。`generate_sections.add` で作曲される音楽の長さを秒単位で指定する。

`start_time=origin_music.total_time` で作曲される音楽の開始時刻を入力する音楽の合計時間を指定することで、入力する音楽に続けて作曲されるよう指定している。`end_time` によって作曲される音楽の長さを指定する。ここでは `end_time=5` とし、入力する音楽と作曲する音楽が合計で 5 秒になるよう指定している。

```
# 曲の生成
gen_seq = melody_rnn.generate(origin_music, options)
# 再生
note_seq.play_sequence(gen_seq)
```

これまでに指定したオプションにしたがって音楽を生成し、再生する。

6.7 課題

1. 「開始」と「可視化」を例として、1 字目に同じ文字を入力すると、第 1 ブロックまでは計算が共通するのに異なる出力が得られる様子を確認した。これを参考に、「詩歌」は「歯科医」と第 1 ブロックは共通するが、出力では「か」の確率が高くなることを表 6.3 の重みを用いて確認しよう。ただし、6.4 節中で「歯科医」の計算過程を示しているので、共通する部分は省略してよい。

2. magenta を用いて、音の長さ、強さ、生成する曲の乱雑度を変更すると、生成する曲がどのように変化するか観察しよう。

3. magenta を用いて、以下に示したメリーさんの羊やカエルの合唱の続きを生成しよう。

```
#メリーさんの羊
origin_music = music_pb2.NoteSequence()
origin_music.notes.add(pitch=64, start_time=0.0, end_time=0.75, velocity=80)  # 「ミ」
origin_music.notes.add(pitch=62, start_time=1.0, end_time=1.45, velocity=80)  # 「レ」
origin_music.notes.add(pitch=60, start_time=1.5, end_time=2.0, velocity=80)  # 「ド」
origin_music.notes.add(pitch=62, start_time=2.0, end_time=2.5, velocity=80)  # 「レ」
```

```
origin_music.notes.add(pitch=64, start_time=2.5, end_time=3.0, velocity=80)  # 「ミ」
origin_music.notes.add(pitch=64, start_time=3.0, end_time=3.5, velocity=80)  # 「ミ」
origin_music.notes.add(pitch=64, start_time=3.5, end_time=4.0, velocity=80)  # 「ミ」
origin_music.notes.add(pitch=62, start_time=4.5, end_time=5.0, velocity=80)  # 「レ」
origin_music.notes.add(pitch=62, start_time=5.0, end_time=5.5, velocity=80)  # 「レ」
origin_music.notes.add(pitch=62, start_time=5.5, end_time=6.0, velocity=80)  # 「レ」
origin_music.total_time = 6.0   #合計
```

```
#カエルの合唱
origin_music = music_pb2.NoteSequence()
origin_music.notes.add(pitch=60, start_time=0.0, end_time=0.5, velocity=80)  # 「ド」
origin_music.notes.add(pitch=62, start_time=0.5, end_time=1.0, velocity=80)  # 「レ」
origin_music.notes.add(pitch=64, start_time=1.0, end_time=1.5, velocity=80)  # 「ミ」
origin_music.notes.add(pitch=65, start_time=1.5, end_time=2.0, velocity=80)  # 「ファ」
origin_music.notes.add(pitch=64, start_time=2.0, end_time=2.5, velocity=80)  # 「ミ」
origin_music.notes.add(pitch=62, start_time=2.5, end_time=3.0, velocity=80)  # 「レ」
origin_music.notes.add(pitch=60, start_time=3.0, end_time=3.5, velocity=80)  # 「ド」
origin_music.notes.add(pitch=64, start_time=4.0, end_time=4.5, velocity=80)  # 「ミ」
origin_music.notes.add(pitch=65, start_time=4.5, end_time=5.0, velocity=80)  # 「ファ」
origin_music.notes.add(pitch=67, start_time=5.0, end_time=5.5, velocity=80)  # 「ソ」
origin_music.notes.add(pitch=69, start_time=5.5, end_time=6.0, velocity=80)  # 「ラ」
origin_music.total_time = 6.0   #合計
```

解答

2 字目は「か」なので $(x_1^{(2)}, x_2^{(2)}, x_3^{(2)}) = (0, 1, 0)$ である。第 2 ブロックの隠れ層の出力 $h_i^{(2)}$ は

$$h_1^{(2)} = \mathrm{ReLU}\left((0.70 \times 2.34 - 1.22 \times 0) + (0 \times 0 - 2.22 \times 1 - 1.95 \times 0) + 0.11\right) = 0$$

$$h_2^{(2)} = \mathrm{ReLU}\left((-0.58 \times 2.34 + 1.01 \times 0) + (1.88 \times 0 - 0.43 \times 1 - 2.47 \times 0) + 0.31\right) = 0$$

である。出力層を確認する。$s_k^{(3)}$ はそれぞれ

$$s_1^{(3)} = -1.32 \times 0 - 1.67 \times 0 + 2.42 = 2.42$$

$$s_2^{(3)} = 2.33 \times 0 - 0.38 \times 0 - 1.67 = -1.67$$

$$s_3^{(3)} = -1.55 \times 0 + 2.45 \times 0 - 1.26 = -1.26$$

である。$e^{2.42} \simeq 11.25, e^{-1.67} \simeq 0.19, e^{-1.26} \simeq 0.28$ に注意すれば、出力 y_k として以下を得ることができる。

$$y_1 = 11.25/(11.25 + 0.19 + 0.28) \simeq 0.96$$
$$y_2 = 0.19/(11.25 + 0.19 + 0.28) \simeq 0.02$$
$$y_3 = 0.28/(11.25 + 0.19 + 0.28) \simeq 0.02$$

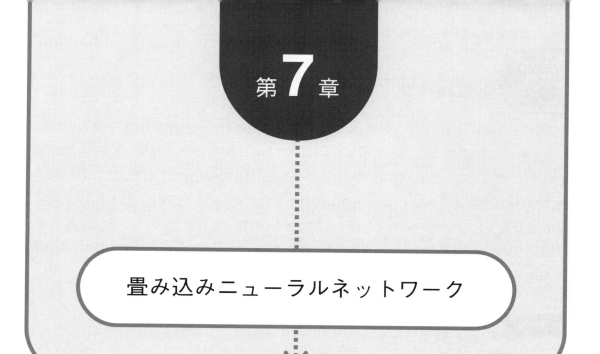

第 **7** 章

畳み込みニューラルネットワーク

7.1　計算機視覚

　畳み込みニューラルネットワーク (convolutional neural network, CNN) は、計算機視覚 (コンピュータビジョン, computer vision, CV) 課題のために開発されたアプローチの一つである。CV とは、コンピュータが人間のように、画像や動画に対して何らかの課題を達成するのが目標となる研究分野である。例えば、犬や猫の写真をコンピュータに見せて、それが犬なのか猫なのかを判断させという課題がある。我々人間からすれば簡単な課題だが、コンピュータにとっては決して簡単ではない。その理由を明らかにするために、まずコンピュータの視点から捉えた画像の様子から見てみよう。

7.1.1　コンピュータが見た画像

　コンピュータは数字、厳密には二進法の 0 と 1 しか処理することができない。そのため、コンピュータが扱う画像も色や形がすべて数字で表されている。

　図 7.1(a) に犬[†1] のモノクロ写真を示した。犬の胸元にあるリングの部分を拡大してみると、ひとつひとつ色の異なる格子によって構成されていることが分かる (図 7.1(b))。この図は色の異なる 50 × 50 の格子によって構成されており、格子ごとに色を指定する数字が割り当てられている。図 7.1(b) の上部分をさらに拡大し、各々の格子に対応する数字も添付したものが図 7.1(c) である。数字が小さいほど色が黒く、大きくなるほど色が白くなっていることが分かる。これは二進法で表された 8 桁 (8bit) の数字であり、図では十進法に換算して 0 〜 255(2^8) の整数として示している。

　したがって、コンピュータにとって画像とは、矩形に並んだ複数の格子と各々の格子に格納された 0 〜 255 (8bit の場合) の数字である。このような数字の配列は、数学の言葉にすれば行列と呼ばれる。例えば図 7.1(c) の犬の写真は幅 1028× 高さ 1028 の格子によって構成されている。この格子をピクセル (pixel) や画素、また、格子に格納された数字を画素値と呼ぶ。

[†1] 著者の愛犬で、名前は皮皮 (ピピ) である。

| (a) 全体像 | (b) リングの部分を拡大 | (c) リングの一部をさらに拡大 |

図 **7.1** 犬の写真

7.1.2　多層パーセプトロンの場合

　画像は格子と数字の組み合わせであることが分かったので、数字を 1 列に展開して入力データとすれば、第 5 章で学んだ多層パーセプトロン (MLP) を利用して CV 課題をおこなうことができるように思える。しかし、これには 2 つの大きな問題がある。

　一つは、画像のサイズが大きいためモデルのパラメータ数が膨大になることである。例えば 2023 年現在、iPhone で撮る写真は基本的に 4800 万画素、つまり 8000 × 6000 の行列によって構成されている。これを 1 列に展開して入力データとすると、仮に隠れ層が 1 つでも 4800 万もの重みのパラメータが必要だということになる。実際にはもっと複雑なモデルが要るはずであり、パラメータをこの量の規模で扱うのは計算コストを考えれば現実的ではない。

　上記の問題は画像のサイズを圧縮することによって部分的に解決できるだろう。しかし、もう一つ問題は MLP の構造上避けられない。それは、画像は 2 次元のデータであり、ピクセルの周辺の情報も重要であるにも関わらず、MLP は 1 次元のデータしか処理できないことである。ピクセル同士の位置関係という周辺情報が失われることによって、課題の成績に大きな悪影響がある。

　これらの理由から、MLP が CV 課題に用いられることはほとんど無かった。

7.2 畳み込みニューラルネットワークの構成

7.2.1　入力層

　CNN のメリットのひとつは、エンドツーエンド (end to end) のモデル、すなわち、ありのままのデータを入力すると必要な結果が出てくるモデルだということである。したがって、CNN の入力層は画像そのものの行列である。入力した行列は次の畳み込み層に送られる。

7.2.2　畳み込み層

　上述のように、2 次元情報である画像に対しては 2 次元情報を取り扱えるモデルが望ましい。そこで選ばれたのが畳み込み (convolution) という手法である。

　まずは記号を定義する。入力層の行列の各要素 (画素値) を x_{ij} ($i = 1, 2, \ldots, I$, $j = 1, 2, \ldots, J$) とする。例えば、図 7.2(a) の左の行列は $I = J = 6$ の入力行列を示しており、このとき $x_{11} = 106$ である。

　畳み込み層には、カーネル (kernel) と呼ばれる [†2]、画像より小さい行列を用意する必要がある。カーネルの

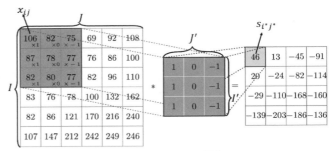

(a) ブロック 11 の場合

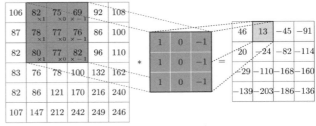

(b) ブロック 12 の場合

図 7.2●畳み込み計算の例

サイズは任意であるが、3×3 や 5×5 の奇数の正方形を使用することが多い。そのサイズを $I' \times J'$ と表記する。また、カーネルの各要素の値は学習するパラメータであり、第 5 章で学

[†2] 信号処理分野ではフィルタ (filter) とも呼ばれている。

んだ重みに相当するため、$w_{i'j'}$ $(i' = 1, 2, \ldots, I', \ j' = 1, 2, \ldots, J')$ と表記する。例えば、図 7.2(a) の真ん中の行列は $I' = J' = 3$ のカーネルを示しており、このとき $w_{12} = 0$ である。

このカーネルを用いて、入力された行列に対して畳み込みと呼ばれる計算を行う。まず、入力された行列の左上とカーネルの左上を重ねる。入力行列のカーネルと重なった部分をブロックと呼ぶ。例えば、図 7.2(a) の左の行列の影になった部分である。すると、$(x_{11}, w_{1'1'}), (x_{12}, w_{1'2'}), \ldots,$ $(x_{33}, w_{3'3'})$ のように要素が 1 対 1 対応する。畳み込み層では、このブロックとカーネルの対応する要素を掛け算して、総和をとる。式で表現すると以下のようになる。

$$s_{i*j*} = \sum_{i'=1}^{I'} \sum_{j'=1}^{J'} w_{i'j'} \times (\text{対応するブロックの } i' \text{行} j' \text{列のデータ}) \tag{7.1}$$

s_{i*j*} は畳み込み計算の出力である。図 7.2(a) の右の行列が示すように、畳み込み計算の出力も行列になるため、出力 s にも添え字 $i*$ と $j*$ を付けた。例えば図 7.2(a) のようにブロックが左上にある場合では、(7.1) 式は以下のように表現できる。

$$s_{11} = \sum_{i'=1}^{I'} \sum_{j'=1}^{J'} x_{i'j'} w_{i'j'} \tag{7.2}$$

(7.2) 式に具体的な数値を代入すると、計算は以下の通りとなる。

$$106 \times 1 + 82 \times 0 + 75 \times (-1) + 87 \times 1 + \cdots + 77 \times (-1) = 46 \tag{7.3}$$

ブロック全体でこの計算が終わったら、図 7.2(b) のようにカーネルを右に 1 コマスライドする (ブロックが右に 1 コマスライドする)。すると、$(x_{12}, w_{1'1'}), (x_{13}, w_{1'2'}), \ldots, (x_{34}, w_{3'3'})$ で再び対応関係を作ることができる。この対応関係を用いて、同じように掛け算してから総和をとる畳み込み計算を行う。式にすると以下のように表現できる。

$$s_{12} = \sum_{i'=1}^{I'} \sum_{j'=1}^{J'} x_{i'+1 \ j'} w_{i'j'} \tag{7.4}$$

　その後、図 7.3 に示すように、カーネルは入力行列をスキャンするように 1 コマずつスライドし、同様の計算を繰り返す。ここで、s_{11} も s_{12} もそれぞれ独自のブロックに対応していることに注意してほしい。この対応関係を用いて、s_{11} に対応するブロックをブロック 11、s_{12} に対応するブロックをブロック 12 と呼ぶ。したがって、この例においてスキャンはブロック 44 まで続き、得られた $s_{11}, s_{12}, ..., s_{21}, ..., s_{44}$ が畳み込み計算の結果となる。

　畳み込み計算の結果得られる行列のサイズを $I^* \times J^*$ とすると、I^* は

$$I^* = I - I^{'} + 1 \tag{7.5}$$

と計算できる。J^* も上式と同様である。図 7.2 の例の場合では、$I = 6, I^{'} = 3$ より、$I^* =$

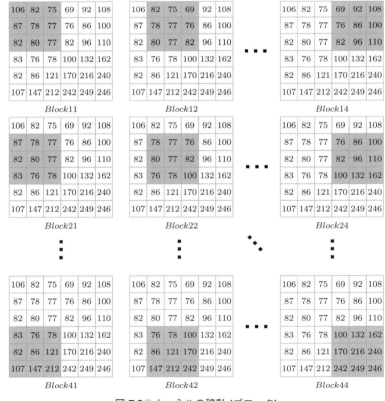

図 **7.3** ● カーネルの移動 (ブロック)

$6 - 3 + 1 = 4$ となる。同様に、$J^* = 4$ である。よって、畳み込み計算の結果 $s_{i^*j^*}$ は (7.6) 式と表せる。

$$s_{i^*j^*} = \sum_{i'=1}^{I'} \sum_{j'=1}^{J'} x_{i'j'} w_{i'j'} \tag{7.6}$$

ただし、$i = i^* + i' - 1,\ j = j^* + j' - 1$ である。

第 5 章で学んだように、畳み込み層にも同じくバイアスと活性化関数がある。畳み込み層のバイアス b はカーネルの入力行列上の位置に関係なく、常に一定である。ReLU 関数を活性化関数に用いると、畳み込み層の出力する $I^* \times J^*$ 行列の各要素 $h_{i^*j^*}$ は

$$h_{i^*j^*} = \text{ReLU}(s_{i^*j^*} - b) \tag{7.7}$$

と表現できる。例えば、$b = 45$ とすると、$s_{11} = 46$ は $h_{11} = \text{ReLU}(46 - 45) = 1$ となる。

7.2.3 畳み込みの意味とシフト不変性

なぜ畳み込み層を使用すると、写真に写った犬や猫を見分けることができるのだろうか。

まず、カーネルの重み $w_{i'j'}$ を固定して、畳み込み計算の結果 $s_{i^*j^*}$ の値の大小に影響する要因について考えてみよう。例えば、図 7.2 のようなカーネルを使用する際、入力行列の各要素を非負と仮定すると、カーネルの重みが 1 の部分に対応する入力要素が大きく、-1 の部分に対応する要素が小さいほど、$s_{i^*j^*}$ の値が大きくなる。つまり、あるカーネルとブロックに関して合致する特徴 (パターン) が存在すれば、畳み込み計算の結果 $s_{i^*j^*}$ が大きくなるのだ。よって、適切なカーネルを使用することで望ましい特徴を検知することが可能である。また、出力 $s_{i^*j^*}$ を、当該ブロックがカーネルの検出する特徴を含有する割合、あるいは当該ブロックとカーネルの相関の大きさと考えることができる。これが畳み込みの意味である。

そのため、例えば犬の特徴を検出するカーネルを使用すると、畳み込み層はこの入力に犬がいるかどうかの相関の強さを出力できる。犬の様々な特徴を反映するカーネルを総合的に利用することで、モデルは画像に犬が存在するかどうかを判断することができるのだ。

　また、先述のように、カーネルは入力行列上をスキャンするように移動しながら計算している。この動きは、畳み込み層にシフト不変 (shift invariant) あるいは位置不変 (space invariant) と呼ばれる重要な性質をもたらす。

　図 7.4 の (a) と (b) はいずれも 5 × 5 の入力に 2 × 2 のカーネルを適用した畳み込み層である。カーネルの数値は全く同じで、入力行列についても、要素の数値は同じで位置が異なっているだけである。この 2 つの畳み込み計算の結果を比べると、入力行列と同様に、要素の数値は同じで位置だけが異なっていることが分かる。つまり、あるカーネルに合致するパターンの入力があれ

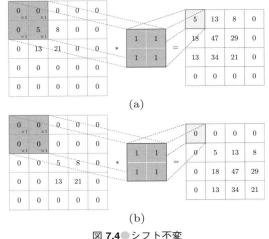

(a)

(b)

図 7.4●シフト不変

ば、それが入力行列のどの位置にあろうと識別することが可能なのである。

　例えば、あるカーネルが犬の耳を識別できるとする。写真に写る犬の耳の位置は固定ではなく、写真内のどこでも現れる可能性があるだろう。しかし、このシフト不変の性質によって、カーネルは犬の耳であれば写真のどこに写っていても認識できるのだ。

7.2.4　カーネルサイズと ResNet

　7.2.2 項で見たように、カーネルのサイズは自由に設定できる。また、7.2.3 項を踏まえると、サイズが大きいほどより広い範囲の特徴を検出できると考えられる。では、カーネルサイズは大きければ大きいほど良いのかというと、実は違う。

　例えば、図 7.2 の 4 × 4 の出力結果に対してもう一回 3 × 3 のカーネルで畳み込みをおこなうと、得られる行列のサイズは 2 × 2 となる。これは、最初の 6 × 6 の入力画像に対して 5 × 5 のカーネルで畳み込み計算をした場合と同じサイズである。したがって、適切な 3 × 3 のカーネルを 2 回使用することによって、5 × 5 のカーネルと同じ効果が実現できると考えられる。ここで 2 つ

のモデルのパラメータ数を考えると、5×5 のカーネルの場合は 5×5 (重み) $+ 1$ (バイアス) $= 26$ 個であるのに対して、3×3 のカーネル 2 つの場合は $(3 \times 3 + 1) \times 2 = 20$ 個となる。なんと 3×3 のカーネルを 2 回使用する方がパラメータの数が少なく済むのだ。よって、サイズの大きなカーネルを使用するより、小さいサイズのカーネルを用いて複数の畳み込み層を構成するほうが望ましいことが分かる。さらに、畳み込み層を複数回使用することによって、入力層に近い浅い部分のカーネルは局所的な特徴を捉えることになるが、深いカーネルになるほど、カーネルがカバーする画像の範囲が大きくなり、画像全体の特徴も検知できるようになる。

では、畳み込み層を増やしてモデルを深くすればするほど良いのかというと、実はこれも違う。

確かに、CNN は一定の深さまでは深くするほど性能が良くなるが、あるラインを超えると逆に性能が悪くなることが知られている (図 7.5(a))。何他 (2016)[†3] はこの現象をネットの退化 (degradation) と呼んだ。彼らはこの問題を解決するために、CNN に残差ブロック (residual block) と呼ばれるブロックを導入した残差ニューラルネットワーク (residual neural network, ResNet) を提案した。このネットワークでは 100 層以上の CNN を学習することが可能である (図 7.5(b))。残差ブロックは、今日では CNN のみならず他のほとんどのネットワークでも使用されるようになってきており、ある意味で現在のディープラーニングの礎の一つとなってい

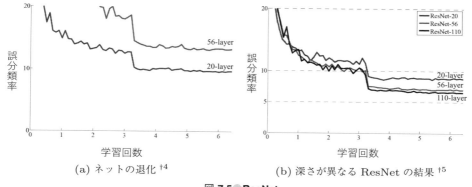

(a) ネットの退化 [†4]　　　(b) 深さが異なる ResNet の結果 [†5]

図 7.5 ● ResNet

[†3] He, K., Zhang, X., Ren, S., & Sun, J. (2016). Deep residual learning for image recognition. In Proceedings of the IEEE conference on computer vision and pattern recognition (pp. 770-778).
[†4] He et al.,(2016), Figure 1. より軸ラベルを改変
[†5] He et al.,(2016), Figure 6. より軸ラベルを改変

る。ResNet は本書の範囲を超えるため割愛するが、残差ブロック（残差連結）に関しては、第 8 章で紹介する Transformer が取り扱うため、詳細は第 8 章を参照されたい。

7.3　プーリング層

　畳み込み層では、入力画像のサイズが大きければ大きいほど、カーネルがスライドする回数も多くなり、計算負荷が高くなる。また、7.2.3 項で見たように、畳み込み層の出力のある要素の値は、入力画像の当該ブロックとカーネルが検出する特徴の相関の強さを表現している。画像のすべての位置にそのカーネルの特徴が含まれているとは考えられないため、畳み込み層の出力には多くの不要なノイズが含まれている。そのため、複数回の畳み込みをおこなうとともに、徐々に行列のサイズを小さくすることが望ましい。この役割を果たすのがプーリング (pooling) 層である。

　プーリング層には、畳み込み層のカーネルのような入力行列より小さい行列がある。これをウィンドウ (window) と呼ぶ。ウィンドウはカーネルと違って内部にパラメータを持たず、入力した行列のどの部分を処理するかを指示するために存在している。

　プーリングでは、畳み込みと同様に、まず入力行列にウィンドウを重ねる。そこで、重なった範囲の要素に対して何らかの処理をおこなう。図 7.6

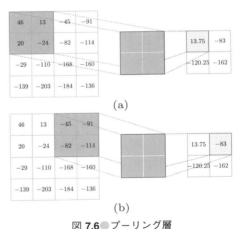

(a)

(b)

図 7.6●プーリング層

は、ウィンドウサイズが 2×2 の平均プーリング (average pooling) の例を示している。これはその名の通り、範囲内の数値の平均値を返す処理である。平均プーリング以外にも、範囲内の最大値をとる最大値プーリング (max pooling) がある。

　プーリング層の入力を $h_{i^* j^*}$ とし、出力を $p_{i^+ j^+}$ $(i^+ = 1, 2, ..., I^+,\ j^+ = 1, 2, ..., J^+)$ と表す

と、図 7.6(a) の計算は以下の式のようになる。

$$p_{11} = \text{Average}(h_{11}, h_{12}, h_{21}, h_{22}) = \frac{1}{4} \times (46 + 13 + 20 - 24) = 13.75 \qquad (7.8)$$

　ここで注意すべきは、ウィンドウは入力行列上を 1 コマずつ移動するのではなく、基本的にウィンドウサイズに合わせて移動する点である。例えばウィンドウサイズが 2 の場合では 2 コマ、3 の場合では 3 コマずつ移動する。この移動の幅をストライド (stride) と呼ぶ。図 7.6 は $stride = 2$ の例である。

　すると、入力行列の端の処理が問題になる。例えば、サイズ 5 × 5 の入力行列にウィンドウサイズ 2 × 2、$stride = 2$ のプーリング層を使用すると、ウィンドウのスキャンの際に一番右の列と一番下の行がはみ出すことになる。この場合の処理はツールによって異なるが、PyTorch ではこれらの行と列を捨てることになる。

　以上のことを踏まえて、$I^* \times J^*$ 入力行列に $I'' \times J''$ のウィンドウを使用し、ストライドの値を $stride$ と表記すると、出力行列のサイズ $I^+ \times J^+$ について I^+ は下式によって計算できる。

$$I^+ = \left\lfloor \frac{I^* - I''}{stride} + 1 \right\rfloor \qquad (7.9)$$

$\lfloor\ \rfloor$ は床関数と呼ばれる、小数点以下を切り捨てる関数である。例えば、$\lfloor 3.14 \rfloor = 3$ となる。図 7.6 の場合、上式に代入すると、$I^+ = \lfloor (4-2)/2 + 1 \rfloor = 2$ と確認できる。J^+ についても上式と同様に計算できる。

　実は、カーネルにもストライドが存在し、モデルによって値を変えることがある。これまで見てきた 1 コマずつ移動するカーネルは、$stride = 1$ のカーネルということになる。

7.4　複数カーネルへの拡張

　1 つのカーネルは、画像の 1 つの特徴を取り出している。ところで、例えば画像に写った犬を見分けるには、犬の耳を検知するだけではなく、鼻や口など様々な特徴を総合的に検知しな

ければならないだろう。CV 課題では画像の複数の特徴を取り出す必要があるのだ。

　そのため、畳み込み層には複数のカーネルを使用することになる。各々のカーネルから畳み込み計算の結果が出力されるから、畳み込み層のユニットがカーネルを各々 1 枚持っていると見なせるだろう。そして、畳み込み層のユニットの出力は、プーリング層の各ユニットに単独で繋がってプーリング処理がなされる。

　ここまでの議論では、各層における入力行列は 1 つであった。ところが、2 回目の畳み込みからは複数のユニットからの入力を受けることになる。どのように計算されるのだろうか。

　図 7.7 に、初めの畳み込み層が 2 枚のカーネルを使用した場合のネットワークを示した。前の層からの入力行列が複数枚あるとき、畳み込み層のそれぞれのユニットには同じ数だけのカーネルが用意され、入力行列とカーネルを 1 対 1 対応させて畳み込み計算をおこなう。図 7.7 右上の畳み込みユニットは、入力行列の枚数に合わせて 2 枚のカーネルを持っている。すると、同じサイズの入力行列と同じサイズのカーネルを使った畳み込み計算の結果はやはり同じサイズの行列になるから、この複数枚の行列を単純に重ねて足し合わせ 1 枚にし、バイアスと活性化関数を適用したものを出力とする。畳み込み層の出力が単なる行列になったため、その先のプーリング層はこれまでと同じである。

　1 つの層が複数枚の行列を出力するとき、その数をチャンネル (channel) 数と呼ぶ。例えば、図 7.7 において初めの畳み込み層のチャンネル数は 2、次の畳み込み層のチャンネル数は 3 である。また、入力層のチャンネルも複数のときがある。これまで例として考えていたのはモノ

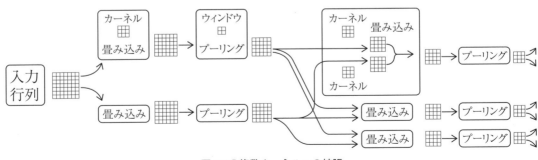

図 7.7●複数カーネルへの拡張

クロ画像だったが、カラー画像の場合、コンピュータは RGB(red green blue, 赤緑青) の 3 つのチャンネルを使って画像を認識するため、入力層のチャンネル数も 3 となる。

最後に、CNN の出力層について考えよう。画像の犬と猫を見分ける課題において、正解データ z は犬の場合 0、猫の場合 1 となる変数である。モデルはこの 2 値を予測するわけだから、複数回の畳み込みとプーリングを経た行列を、最終的に何らかの方法で 1 つの数字に変換する必要がある。ここではその方法の 1 つを紹介しよう。

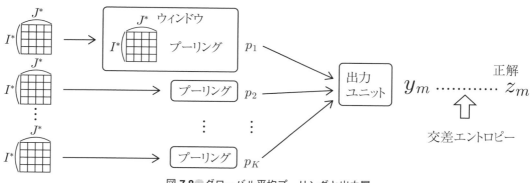

図 7.8 ● グローバル平均プーリングと出力層

プーリング層のウィンドウサイズが入力行列のサイズと同じ場合を考える（図 7.8）。K 個の $I^* \times J^*$ の入力行列に同じサイズのウィンドウによる平均プーリングを適用すると、(7.9) 式よりそれぞれの行列が 1 つの数字 p_k $(k = 1, 2, \ldots, K)$ に縮約される。これをグローバル平均プーリング (global average pooling) と呼ぶ。得られた K 個の数字ひとつひとつをユニットと見なせば、あとは第 5 章の MLP と同様に考えることができる。つまり、K 個のユニットをユニット数が 1 の出力層へ全結合すればよい。活性化関数にシグモイド関数を使用すると、出力が 0 ～ 1 の数字になる。モデルの出力が 0.5 未満ならば犬、0.5 以上ならば猫と予測したと解釈できる。

モデルの学習方法について考えよう。いま、M 個の犬猫の画像データが存在するとする。ここで m 番目の画像について、モデルの予測値を y_m、正解値を z_m とすると、誤差関数 E は

$$E = -\sum_{m=1}^{M} \{z_m \log y_m + (1 - z_m) \log(1 - y_m)\} \tag{7.10}$$

と表せる。これは 5.4 節で登場した交差エントロピー関数である。誤差逆伝播法を用いて (7.10) 式を最小化（最適化）することでモデルは学習をおこなう。

7.6　Python による実装

本節では、CV 課題の例として示した犬と猫の画像を見分けるモデルを Python で実装する。ただし紙面上の都合でここではコードの一部のみを説明する。コード全体については配布資料を参照されたい。

データセットには、が提供している「Dogs vs. Cats」を用いる [6]。このデータセットには、犬の写真と猫の写真がそれぞれ 12500 枚の計 25000 枚用意されている。モデルの学習にかかる時間を考慮し、ここでは 25000 枚のうち学習用に 3000 枚、検証用に 2500 枚、テスト用に 2500 枚使用した。実装は大きく 5 つのステップに分けられ、データの整形とデータセットの作成、モデルの定義、学習方法の定義、学習の実行、精度確認の順に進行する。

```
import os
import pandas as pd
import numpy as np
import torch.nn as nn
from torchvision.transforms import Resize
from torchvision.io import read_image
import torch
from torch.utils.data import TensorDataset, DataLoader
```

まずは必要なライブラリをインポートしよう。

---

[6] https://www.kaggle.com/c/dogs-vs-cats

```
def get_data_Loader(name_labels_df, img_dir, shuffle=True):
    img_tensor = torch.zeros([len(name_labels_df), 3, 256,256]) #データ格納テンソルを作成
    label_tensor = torch.zeros([len(name_labels_df)]) # ラベルを格納するテンソルを作成
    transform = Resize((256,256)) # Resize を利用して、データを整形する関数を定義する

    for i in range(len(name_labels_df)):
        img_path = os.path.join(img_dir, name_labels_df.iloc[i, 0]) # 写真のパスを得る
        image = transform(read_image(img_path)).float() # 写真を読み込み、整形する
        image = image / 255 # 正規化
        img_tensor[i, :, :, :] = image # 整形が済んだ写真を格納庫に入れる

        label_tensor[i] = name_labels_df.iloc[i, 1] # 対応するラベルも入れる
        dataset = TensorDataset(img_tensor, label_tensor) # データセット対象を定義する
        data_Loader = DataLoader(dataset, batch_size=BATCH_SIZE, shuffle=shuffle,
                                 pin_memory=True) # DataLoader を作成
    return data_Loader
```

次に、データを整形してデータセットを作成する関数を作成する。

表 7.1 ●name_labels_df

filename	label
cat.0.jpg	1
dog.0.jpg	0
⋮	⋮

1 行目の引数 `namae_label_df` は、表 7.1 のような、写真の名前とラベルが格納されたデータフレームである。次の引数 `img_dir` は、Drive 上に用意した学習データへのパスである。

まずデータの整形に関して、生データのサイズをすべて 256×256 に整形する。「Dogs vs. Cats」の生データは写真のサイズが揃っていないが、CNN では基本的にすべての入力行列が同じサイズである必要があるためである。

続いてデータセットの作成に移るが、ここではミニバッチ学習 (mini-batch learning) と呼ばれる方法で学習をおこなう。これまでのニューラルネットの学習では、一度に全てのデータを読み込んで誤差を求めパラメータを更新していた。これをフルバッチ学習と呼ぶが、1 つ 1 つのデータサイズが大きい場合にメモリが不足するという問題がある。そこで、あらかじめ学習データをミニバッチと呼ばれる小さなグループに分割しておき、ミニバッチごとに読み込んで少しずつ学習を進めることにする。これがミニバッチ学習である。

1 行目の引数 `shuffle` は、下から 3 行目の関数 `DataLoader()` で使用する。`True` にすると、エポックごとに、データが小分けのミニバッチになる前にシャッフルされる。これにより、例えば猫の画像ばかりのミニバッチによってパラメータが猫に偏ってしまうといった、学習時の偏りを防止できる。学習の繰り返し回数を表すエポック数は、小分けになったパラメータ更新の回数ではなく、すべての学習データを使用した回数のことを指すことになる。

```
BATCH_SIZE = 64

train_df = name_labels_dataframe[0:3000]      # 学習データの範囲は 1-3000
var_df = name_labels_dataframe[20000:22500]   # 検証データの範囲は 20000-22500
test_df = name_labels_dataframe[22500:25000]  # テストデータの範囲は 22501-25000

train_data_loader = get_data_Loader(train_df, DATA_PATH) # データを読み込む
var_data_loader = get_data_Loader(var_df, DATA_PATH, shuffle=False)
test_data_loader = get_data_Loader(test_df, DATA_PATH, shuffle=False)
```

1 つのミニバッチに含める画像の枚数 **BATCH_SIZE** を指定したら、次に、先ほど定義した関数 **get_data_Loader()** を利用して、学習用・検証用・テスト用のデータセットを作成する。

```
class Net(nn.Module):
    def __init__(self):
        super().__init__()
        self.conv1 = nn.Conv2d(in_channels=3, out_channels=128,
        kernel_size=3) # 畳み込み層
        self.conv2 = nn.Conv2d(128, 256, 3)
        self.conv3 = nn.Conv2d(256, 512, 3)
        self.max_pool = nn.MaxPool2d(kernel_size=4, stride=4) # プーリング層

        self.avg_pool = nn.AvgPool2d(3) # グローバル平均プーリング
        self.flatten = nn.Flatten() # 一列に展開する
        self.fc1 = nn.Linear(512, 512) # 全結合層
        self.fc2 = nn.Linear(512, 1)# 出力全結合層

    def forward(self, x):
        x = self.max_pool(torch.relu(self.conv1(x))) #[63x63x128]
        x = self.max_pool(torch.relu(self.conv2(x))) #[15x15x256]
        x = self.max_pool(torch.relu(self.conv3(x))) #[3x3x512]
        x = self.avg_pool(x)
        x = self.flatten(x)
        x = torch.relu(self.fc1(x))
        x = torch.sigmoid(self.fc2(x))
        return x
```

CNN モデルのクラス **Net** を定義する。今回のモデルでは、畳み込みと最大値プーリングを 3 回繰り返し、グローバル平均プーリングを適用して、第 5 章と同じ全結合の隠れ層（ユニット数 512）を 1 層通してから、ユニット数 1 の出力層へ繋げている。

畳み込みに使用するのが関数 **nn.Conv2d()** である。「Dogs vs. Cats」のデータはカラー画像のため、最初の畳み込み層の **in_channels** は 3 になっている。カーネルのサイズ $I' = J'$ はすべて 3 とし、層を深めるごとにチャンネル数を 128、256、512 とした。また、続くプーリング層のウィンドウのサイズ $I'' = J''$ を 4、ストライド $stride$ を 4 としている。

forward メソッド内にコメントアウトしたのは、出力テンソルのサイズである。今回のモデルの場合、縦横のサイズの等しいサイズ $I \times I$ の行列が畳み込みとプーリングを 1 回経て $I^+ \times I^+$

となるとき、I^+ は (7.5) 式と (7.9) 式から

$$I^+ = f(I) = \left\lfloor \frac{I - I' + 1 - I''}{stride} + 1 \right\rfloor \tag{7.11}$$

$$= \left\lfloor \frac{I - 2}{4} \right\rfloor \tag{7.12}$$

という関数 $f(I)$ で求められることが分かる。すると、入力層の画像データが $I = 256$ だから、1 回目の畳み込みとプーリングで $f(256) = 63$、2 回目で $f(63) = 15$、3 回目で $f(15) = 3$ となることが分かる。3 回目のプーリング層の出力テンソルが $3 \times 3 \times 512$ となるため、グローバル平均プーリング nn.AvgPool2d() のウィンドウサイズを指定する引数は 3 としている。

```
model = Net().to(device)

learning_rate = 0.001
loss_fn = nn.BCELoss()
optimizer = torch.optim.Adam(model.parameters(), lr=learning_rate)
```

CNN が定義できたので、モデルのインスタンスを生成して、計算効率のため .to(device) で GPU に送っておく。また、学習率を定義し、誤差関数に 2 項分類用の交差エントロピー関数 nn.BCELoss() を選び[†7]、最適化法に Adam を指定した。

```
val_loss = []  #  検証データで誤差 loss を記録する
n_epochs = 20  #  エポック数を 20 にする
for epoch in range(n_epochs):
    acc = 0
    all_val_num = 0
    for x_batch, z_batch in train_data_Loader:
        x_batch = x_batch.to(device)
        z_batch = z_batch.float().unsqueeze(1).to(device)
        outputs = model(x_batch)

        loss = loss_fn(outputs, z_batch)
        optimizer.zero_grad()
        loss.backward()
        optimizer.step()

    with torch.no_grad():
        for x_val, z_val in val_data_Loader:
            x_val = x_val.to(device)
            z_val = z_val.float().unsqueeze(1).to(device)

            outputs = model(x_val)
            val_loss_batch = loss_fn(outputs, z_val)
            val_loss.append(val_loss_batch.cpu().item())
```

[†7] BCE は binary cross entropy の意である。

```
            # 予測の正解率を計算する
            acc += (outputs.round() == z_val).cpu().sum().item()
            all_val_num += z_val.size()[0]
    print(f'epoch:{epoch}')
    print(f'val acc is {acc / all_val_num}')
```

モデルの学習をおこなう。

最初の for は、エポックごとの繰り返しを指示する。エポック数は 20 とした。

次の for がミニバッチごとの繰り返しを意味し、用意した train_data_loader から入力データと正解データを取り出し、CNN の学習をおこなっている。正解データに関して、まず、.float() を用いて、取り出した int 型のデータを float 型に変更する。次に、.unsqueeze(1) というテンソルの階数を 1 増やす関数によってベクトルを行列に変形している。

次の with torch.no.grad() の内側は、エポックごとに検証データによる誤差の記録をするコードである。パラメータ更新しないとき微分は不要だから、最初の with torch.no.grad() で勾配計算をしないと指定し、計算効率を高めている。

```
acc = 0
all_val_num = 0
with torch.no_grad():
    for x_test, z_test in test_data_Loader:
        x_test = x_test.to(device)
        z_test = z_test.float().unsqueeze(1).to(device)
        outputs = model(x_test)

        # テストデータで正解率を計算する
        acc += (outputs.round() == z_test).cpu().sum().item()
        all_val_num += z_test.size()[0]
print(acc/all_val_num)
```

モデルの学習が済んだら、最後に精度を確認する。

3000 枚の犬と猫の写真を学習した結果、検証データの正解率は 80.40%、テストデータでは 77.28%となった。モデルの精度をもっと高めたい場合、学習データを追加したり、畳み込み層を追加してより複雑なモデルにしたりすることが考えられる。実際、今回使用しなかった残りの 17000 枚の画像を学習データに追加し、合計 20000 枚で学習させたところ、検証データの正解率は 86.16%、テストデータの正解率は 85.56%に達した。

7.7 課題

MNIST データベース (Modified National Institute of Standards and Technology Database) は、アメリカ国立標準技術研究所 (NIST) が公開している手書き数字のデータセットである。それぞれの画像サイズは 28 × 28 で、60000 枚の学習データと 10000 枚のテストデータによって構成されている。図 7.9 はデータセットの例である。

(a)　　　　　　　(b)　　　　　　　(c)　　　　　　　(d)

図 **7.9** ● **MNIST** データセットの例

以下のコードを使うと、MNIST の学習データを読み込んでデータセット、および DataLoader を作成できる。また、コード中の関数 `datasets.MNIST()` の引数 `train=True` を `False` にすると、テストデータ用の関数になる。

```
from torchvision import datasets
train_dataset = datasets.MNIST('データの保存場所のパス',
                                transform=torchvision.transforms.ToTensor(),
                                train=True, download=True)
train_data_Loader = DataLoader(train_dataset)
```

1. MNIST データを用いて、手書き数字を認識する CNN を構築せよ。テストデータでの正解率 90% を目標とする。前節のコードと比較した際の注意点を以下に挙げておく。

   - 本章ではこれまで、畳み込み計算の直後に必ずプーリング処理をおこなっていたが、MNIST の画像データのサイズは 28 × 28 であるため、プーリング処理を複数回行うと、すぐ 1 × 1 になる恐れがある。畳み込み計算の直後に必ずしもプーリング処理を行う必要はない。例えば、畳み込み、プーリング、畳み込み、畳み込み、グローバルプーリングの順でモデルを作っても良い。

   - 前節は 2 値分類課題であったがこの課題は多値分類である。そのため、モデルの出力数

は 1 ではなく 10 にするべきである。また、誤差関数は多値分類のための交差エントロピーの関数、`nn.CrossEntropyLoss()` を利用せよ。また、`nn.CrossEntropyLoss()` を利用すると、出力結果はは自動的にソフトマックス関数が適用されるため、モデルの出力の部分でソフトマックス関数を適用する必要はない。

- 多値分類であるため、コード中の正解率を計算する箇所にある `outputs.round()` を `torch.argmax(outputs,dim=1)` に書き換える。これにより、最も高い確率で予測された数字を抽出できる。

2. 構築したモデルが自分の書いた数字を認識するか確認せよ。マーカーを使って紙に数字を書き、スキャナーやスマートフォンを利用して画像化したものを 5 枚用意してモデルに読み込ませる。

画像を読み込む際に注意してほしいのだが、MNIST の画像データは黒い背景に白い線で数字が書かれているため、白い紙に黒い線で数字を書いた場合は色を反転させる必要がある。また、画像のサイズを MNIST の画像データと同じ 28 × 28 に変換する必要がある。以下のコードでこれらの処理を実行できる。

```
! pip install seaborn
from seaborn import heatmap
from torchvision import transforms
from torchvision.transforms import Resize, Grayscale
import matplotlib.pyplot as plt

def read_and_process_img(path, boundary=100, plot=True):
    data = read_image(path)
    transform = transforms.Compose([Grayscale(), Resize((28, 28))])
    data = transform(data).float().squeeze(0)
    if plot:
        fig=plt.figure()
        fig.add_subplot(1,2,1)
        heatmap(data, cmap="Greys")
        data[data <= boundary] = 1
        data[data > boundary] = 0
        fig.add_subplot(1,2,2)
        heatmap(data)
    else:
        data[data <= boundary] = 1
        data[data > boundary] = 0
    data = data.unsqueeze(0).unsqueeze(0).to(device)
    return data
```

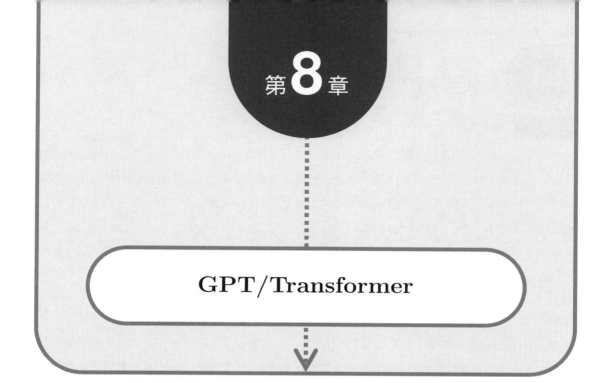

第**8**章

GPT/Transformer

8.1　言語モデル

8.1.1　確率表現

文章や単語といった言語表現に対して出現確率を与えるモデルを言語モデル (language model) という。言語モデルでは、入力として任意の言語表現を与えると、それがどの程度自然かを確率として出力する。例えば、日本語の言語モデルでは「朝早く起きたくない」という文に対しては高い確率を、「たく朝ない早く起き」に対しては低い確率を与えるということである。

言語モデルは数式を用いて定式化することができる。長さ I の単語列を $\boldsymbol{X} = (x_1, \ldots, x_I)$ とし、単語列 $\boldsymbol{X}$ が出現する確率を $P(\boldsymbol{X})$ で表す。先ほどの例で言えば

$$P(x_1 = 朝, x_2 = 早く, x_3 = 起き, x_4 = たく, x_5 = ない) \tag{8.1}$$

となる。(8.1) 式は「朝早く起きたくない」という単語列の出現確率 $P(\boldsymbol{X})$ が 5 つの単語の同時確率として表現されることを意味している。ここで、2 つの単語 x_1 と x_2 が同時に出現する確率 $P(x_1, x_2)$ について、同時確率の性質から

$$P(x_1, x_2) = P(x_1)P(x_2|x_1) \tag{8.2}$$

が成り立つ。これは、x_1 と x_2 の同時確率 $P(x_1, x_2)$ は x_1 の生成確率 $P(x_1)$ と x_1 が出現した条件での x_2 の出現する条件付き確率 $P(x_2|x_1)$ の積で表されるということである。

同様に 5 つの単語の同時確率は、各単語における条件付き確率を用いて

$$P(x_1, x_2, x_3, x_4, x_5) = P(x_1)P(x_2|x_1)P(x_3|x_1, x_2)P(x_4|x_1, x_2, x_3)P(x_5|x_1, x_2, x_3, x_4) \tag{8.3}$$

と表される。以上のことを一般化すると、長さ I の単語列 $\boldsymbol{X}$ の出現確率 $P(\boldsymbol{X})$ は

$$P(\boldsymbol{X}) = P(x_1) \prod_{i=2}^{I} P(x_i|\boldsymbol{X}_{1:i-1}) \tag{8.4}$$

ここで、x_i は単語列 $\boldsymbol{X}$ の i 番目の単語であり、$\boldsymbol{X}_{1:i-1}$ は $\boldsymbol{X}$ の先頭から $i-1$ 番目までの部分単語列である。

　ただし、一般的に文を言語モデルで扱う際には、単なる単語列ではなく文の構造を持つ単位であることを示すために文頭に BOS(beginning of sentence)、文末に EOS(end of sentence) という 2 つの特殊記号を挿入する。そのため、文の 1 番目に BOS、文の $I+2$ 番目[†1] に EOS を追加することで、文の構造をもつ単語列 $\boldsymbol{X}$ は新たに $\boldsymbol{X}=(x_1,\ldots,x_{I+2})$ と表現できる。

　ここから、(8.4) 式を用いて、文頭は BOS 以外は出現しないため $P(x_1)=1$ であることに注意すると、再定義された $\boldsymbol{X}$ の出現確率 $P(\boldsymbol{X})$ は次のように表される。

$$P(\boldsymbol{X})=\prod_{i=2}^{I+2}P(x_i|\boldsymbol{X}_{1:i-1}) \tag{8.5}$$

　ここで重要なのは、BOS と EOS を用いることで冒頭に示した「朝早く起きたくない」と「たく朝ない早く起き」には異なる出現確率が付与されることである。なぜなら、それぞれの単語列に BOS と EOS を追加すると、「BOS 朝早く起きたくない EOS」と「BOS たく朝ない早く起き EOS」となるが、$P(朝|BOS)$ や $P(EOS|ない)$ といった「朝」から始まり「ない」で終わる文が日本語として自然であるのに対して、$P(たく|BOS)$ や $P(EOS|起き)$ といった助動詞で始まり動詞の連用形で終わる文は不自然であり、低い出現確率になると考えられるからである。以降の説明では、BOS と EOS について明示しないが、すでに単語列に含まれるものとする。

　なお、実際に文の自然さを評価するためには、最適化の関係上、単語列 $\boldsymbol{X}$ の出現確率 $P(\boldsymbol{X})$ に対して負の対数尤度 $-\log P(\boldsymbol{X})$ を計算し、値が小さいほど自然であると判定する。したがって、便宜上「BOS 朝早く起きたくない EOS」を $\boldsymbol{X}_1$、「BOS たく朝ない早く起き EOS」を $\boldsymbol{X}_2$ とすると、負の対数尤度をとることで次式のように表される。

$$-\log P(\boldsymbol{X}_1) < -\log P(\boldsymbol{X}_2) \tag{8.6}$$

　以上で見てきたように、言語モデルでは任意の単語列の出現確率を、各単語のそれより前の部分単語列で条件付けた確率の積として表す。そのため、話者にとって自然な文に高い確率を与え、そうでない文に低い確率を与えるような優れた言語モデルを構築するには、この条件付

[†1] 1 番目に BOS を追加することで、文に元々含まれていた文末単語が $I+1$ 番目となり、EOS は文の $I+2$ 番目の単語となる。

き確率を適切にモデル化することが重要となる。8.1.5 項では、条件付き確率の計算にニューラルネットを使用するニューラル言語モデルについて紹介する。

8.1.2　テキスト生成

言語モデルは、任意の言語表現に対して出現確率を与えるモデルであると述べたが、これを利用して言語モデルをテキスト生成に用いることができる。テキスト生成の場合、前項で学んだ条件付き確率によって、文頭の単語から文章が完成するまで膨大な語彙の中から 1 単語ずつ次の単語を選択する過程を繰り返す。

ここで、I 単語からなる単語列 X において、新たに a 番目に選択された単語 $\hat{x}_a$ から $i-1$ 番目に選択された単語 $\hat{x}_{i-1}$ までの部分単語列を $\hat{X}_{a:i-1}$ とする [†2]。同様に、i 番目に選択される単語を $\hat{x}_i$ で表す。これらを用いると、テキスト生成のための単語選択は、次式で示す過程を繰り返すことになる。

$$\hat{x}_i \sim P(x_i | \hat{X}_{a:i-1}) \tag{8.7}$$

(8.7) 式は、$\hat{X}_{a:i-1}$ を文脈として次の単語 $\hat{x}_i$ を生成することを表現している。ただし $a \geq 0$ である。ここで (8.5) 式の $\hat{X}_{1:i-1}$ ではなく $\hat{X}_{a:i-1}$ が使われているのは、すぐ後に述べるように、テキスト全体の生成確率を考える際に、$\hat{X}_{1:i-1}$ とすると計算コストが非常に高くなってしまう場合があるからである。いずれにせよ、言語モデルを用いたテキスト生成では、BOS を所与とし最終的に EOS が選択されるまで (8.7) 式の処理を行う。

ここからは、テキスト生成における単語選択の基準について考える。基準としてすぐに思いつくのは、(8.5) 式の条件付き確率 $P(x_i | \hat{X}_{a:i-1})$ が最大となる単語を選択する方法である。これは貪欲法 (greedy research) と呼ばれる。貪欲法は一見優れているように見えるが、局所的には最大の出現確率を与える単語を生成するものの、それらの結果であるテキスト全体としての出現確率は必ずしも高くはならないという欠点がある。これは、テキスト生成においては、同じ表現を繰り返し出力してしまうという問題にもつながる。

[†2] 選択された単語を区別するために、$\hat{x}_a$ のように ^(ハット) を用いて表す。

　一方で、全ての単語のパターンを計算して、最終的にテキスト全体の出現確率が最大となるような生成を行う、しらみつぶし探索 (exhaustive search) と呼ばれる方法では、非現実的で膨大な計算量となってしまう。

　そのため、貪欲法としらみつぶし探索を改良したビームサーチ (beam search) と呼ばれる方法が用いられる。これは、それまでに選択された単語の中で累積確率が高い n 個の候補を保持して単語の選択を行う方法である。図 8.1 では、3 個の候補を保持したビームサーチが示されている。ビームサーチは、必ずしも全体として最大の出現確率を与えるテキストを生成するわけではないが、高い出現確率のテキストを効率的に生成する点で有用である。

　ただし、ビームサーチでも似た表現が繰り返し出力されるという問題が生じうる。そのため、各単語の選択で出現確率が上位の k 個の単語の確率をソフトマックス関数で正規化し、正規化した確率に従って次の単語を決

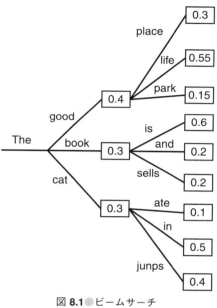

図 8.1 ● ビームサーチ

める top-k サンプリング (top-k sampling) や、累積確率が p を超えるまでの単語群の出現確率を同様に正規化して、確率的に単語を決める top-p サンプリング (top-p sampling) なども出力されるテキストの多様性を確保するために利用されている。

8.1.3　サブワード分割

　言語モデルの構造について詳しく説明する前に、ここでは一旦コンピュータが自然言語を扱う方法について考える。6 章では単語をワンホットベクトルに変換してから分析を行った。ここでも基本的に同じ方針で単語を扱う。ただしワンホットベクトルに変換するには、8.1.1 項での例のように、まず自然文を単語などの細かい単位に分割する必要がある。

　しかし、ここで二つの問題がある。一つは、単純な単語分割を行うと自然言語処理で扱う語彙サイズが膨大となることである。語彙サイズが大きくなると単に学習に時間がかかるだけでなく、単語予測タスクがより難しくなって言語モデルの性能が低下してしまう。もう一つは、仮に単語分割によって現在使われている語彙を網羅していたとしても、いずれ未知語が生まれる可能性があることである。未知語も少なからず言語モデルの性能に影響を与えてしまう。

　この二つの問題に対して、現在の自然言語処理では、主にサブワード分割 (subword tokenizer) という分割手法を用いることで対処する。サブワード分割では、単語はより細かい部分単語 (subword) に分割され、例えば「linguistic」であれば、「lingu」「ist」「ic」といったように分けられる [3]。これによって、なるべく少数の部分単語で多くの単語を構成できるような単語分割が行われるため、語彙サイズを抑え、未知語が生じるのを減らすことができる。

　また、サブワードのように、自然言語処理において文章を分析する際の最小単位はトークン (token) と呼ばれるが、本章では支障がない限りトークンではなく単語と表記して説明する。

8.1.4　分散表現

　前項のサブワード分割によって、単語をワンホットベクトルに変換する準備が整った。ここで V を語彙サイズとし、$\boldsymbol{x}_i$ を系列中の i 番目の単語 ($i = 1, \ldots, I$) とすると、$\boldsymbol{x}_i$ は V 次元のワンホットベクトルで表されることになる。

　しかし、次項で説明するニューラル言語モデルでは、このワンホットベクトルはより低次元で密なベクトルへと更に変換される [4]。この変換された単語ベクトルは、分散表現 (distributed representation) や単語埋め込み (word embedding) と呼ばれ、低次元という計算コストの観点だけでなく、単語の特徴をベクトルによって表現できることから広く用いられている。ここで単語の特徴をベクトルで表現できるとは、類似した意味を持つ単語の分散表現はベクトル空間内でも近接して存在したり、分散表現同士で意味的な演算ができるということである。例

---

[3] 詳細は割愛するが、サブワードの決め方には複数あり、多くはバイト対符号化 (byte-pair encoding) という方法が用いられている。

[4] ただし低次元といっても、一般には数百次元程度となっており、後述する Transformer では 518 次元の分散表現が使用されている。

えば、分散表現では「炒飯」と「焼飯」のベクトル間のコサイン類似度[†5]が大きくなったり、$king - man + woman \simeq queen$[†6]のような演算が可能であることが期待できる。

ここからは分散表現を数式によって表現しよう。前述のV次元のワンホットベクトル$\boldsymbol{x}_i$を用いて、dを分散表現の次元数とし$\boldsymbol{W}_e$をワンホットベクトルを分散表現に変換するサイズ$d \times V$の単語埋め込み行列であるとすると、i番目の単語の分散表現$\boldsymbol{e}_i$は

$$\boldsymbol{e}_i = \boldsymbol{W}_e \boldsymbol{x}_i \tag{8.8}$$

と表される。

また、系列中の単語の縦のワンホットベクトルを横方向に並べた行列を$\boldsymbol{X} = (\boldsymbol{x}_1, \ldots, \boldsymbol{x}_I)$とすると、系列中の単語の分散表現を並べた行列$\boldsymbol{E}$は

$$\boldsymbol{E} = \boldsymbol{W}_e \boldsymbol{X} \tag{8.9}$$

となる。2節の系列変換モデルや4節のTransformerでは、このような分散表現への変換を行う層は、埋め込み層 (embedding layer) と呼ばれ、$\boldsymbol{W}_e$は全体と一緒に学習されるか、既に学習済みの埋め込み層が使われる。

8.1.5 ニューラル言語モデル

8.1.1項では言語モデルについて解説したが、ここではその中でもニューラルネットを用いた言語モデルである、ニューラル言語モデル (neural language model) について説明する。

一般にニューラル言語モデルでは、単語の入力を単語ベクトルとして受け取る。ここでは、単語ベクトル表現としてワンホットベクトルを採用し、(8.4) 式を

$$P(\boldsymbol{X}) = \prod_{i=2}^{I+2} P(\boldsymbol{x}_i | \boldsymbol{X}_{1:i-1}) \tag{8.10}$$

と再度表現する。ここで$\boldsymbol{X}$と$\boldsymbol{x}_i$は前項と同様であり、$\boldsymbol{X}_{1:i-1}$は文頭から$i-1$番目の単語$\boldsymbol{x}_{i-1}$までのワンホットベクトルの列を横方向に並べた行列を表している。ニューラル言語モデ

[†5] コサイン類似度とは、単語ベクトル間の類似度を測る指標のことである。
[†6] $king$ から $queen$ は各単語の分散表現である。

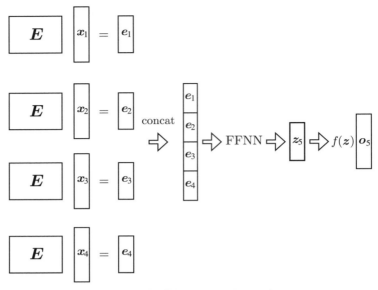

図 8.2●順伝播型ニューラル言語モデル

ルでは、(8.10) 式の $P(\boldsymbol{x}_i|\boldsymbol{X}_{1:i-1})$ を求めるのにニューラルネットを使用し、学習時には最尤推定を行うことでモデルのパラメータを得る。

　以下では、ニューラル言語モデルの例として、順伝播型ニューラルネット (feed-forward neural network, FFNN) を利用した順伝播型ニューラル言語モデル (FFNN language model) を紹介する。

　順伝播型ニューラル言語モデルでは、$i-n+1$ 番目の単語 $\boldsymbol{x}_{i-n+1}$ から $i-1$ 番目の単語 $\boldsymbol{x}_{i-1}$ までの $n-1$ 個の単語列を入力として用いて次の単語 $\boldsymbol{x}_i$ の予測を行う。以下では、数式を用いて順伝播型ニューラル言語モデルを定式化し、全体像を図 8.2 に示す。

　まず、$\boldsymbol{X}_{i-n+1:i-1}$ を構成する各ワンホットベクトルの列に対して、$d \times V$ の単語埋め込み行列 $\boldsymbol{W}_e$ を用いて

$$\boldsymbol{e}_t = \boldsymbol{W}_e \boldsymbol{x}_t \quad \forall t \in \{i-n+1, \ldots, i-1\} \tag{8.11}$$

として分散表現 $\boldsymbol{e}_t$ に変換する。$\forall$ は集合の任意の t に対して上式が成り立つことを示している。

　次に $i-n+1$ 番目の分散表現 $\boldsymbol{e}_{i-n+1}$ から $i-1$ 番目の分散表現 $\boldsymbol{e}_{i-1}$ の $n-1$ 個の分散表現

を用いて、以下のように計算する。

$$\boldsymbol{e}_i = \mathrm{concat}(\boldsymbol{e}_{i-n+1}, \ldots, \boldsymbol{e}_{i-1}) \tag{8.12}$$

$$\boldsymbol{z}_i = \mathrm{FFNN}(\boldsymbol{e}_i) \tag{8.13}$$

ここで concat は複数のベクトルを連結する処理であり、$\boldsymbol{e}_i$ は $(n-1)d$ 次元のベクトルとなる。また FFNN は順伝播型ニューラルネットの処理を表しており、一般的には複数の全結合層を経ることで、順伝播型ニューラルネットの最終層のベクトル $\boldsymbol{z}_i$ が得られる。

最後に i 番目の単語を予測するために、サイズ $V \times d$ の重み行列 $\boldsymbol{W}$ と V 次元のバイアスベクトル $\boldsymbol{b}$ を用いて、(6.1) 式で示したソフトマックス関数を適用することで

$$\boldsymbol{o}_i = \mathrm{softmax}(\boldsymbol{W}\boldsymbol{z}_i + \boldsymbol{b}) \tag{8.14}$$

のように最終的に V 次元ベクトル $\boldsymbol{o}_i$ を得る。ここで、$\boldsymbol{o}_i = (o_{i1}, \ldots, o_{iV})'$ の各要素は V 個の語彙に対応しており、それぞれの要素の値は対応する語彙の出現確率を表している。したがって、仮に貪欲法を用いるならば、$\boldsymbol{o}_i$ おいて最大値をとる要素に対応する語彙を次の単語として選択し、i 番目の予測単語のワンホットベクトル $\boldsymbol{x}_i$ を得ることになる。

8.2 系列変換モデル

　この節では、入力された文章を、別の文章に変換する系列変換モデル (sequence to sequence, seq2seq model) について説明する。系列変換モデルが扱えるタスクは多岐にわたる。代表的なタスクとしては、

機械翻訳　翻訳元の言語の文章を入力し、翻訳先の言語の文章を出力する

チャットボット (対話システム)　ユーザーの質問を入力し、それに対する応答を出力する

文書要約　文書を入力し、要約された短い文章を出力する

文法誤り訂正　文法の誤りがある文章を入力し、正しい文法の文章を出力する

などが挙げられる。

　系列変換モデルの全体の流れを図 8.3 に示した。系列変換モデルは入力文を処理するエンコーダと出力文を生成するデコーダから成る。また、初期の系列変換モデルにはなかったが、後に提案されデコーダの中に組み込まれることになった注意機構も系列変換モデルの重要な要素である。本節では、エンコーダ、デコーダ、注意機構、そしてデコーダにおける単語の生成処理の 4 つに分けて系列変換モデルを解説する。

8.2.1 エンコーダ

　エンコーダでは、出力文を生成するために必要な情報を入力文から作成する。具体的には、入力された各単語ベクトルを RNN[7] を用いて合成し、そこで得た各層の隠れ層の状態を出力文の生成するための情報として利用する。よってエンコーダの内部構造は RNN そのものである。

　ここで、系列変換モデルにおける入力文を X、出力文を Y で表す。入力文の長さを I、出力文の長さを J とし、入力文中の i 番目の単語を x_i $(i = 1, 2, ..., I)$、出力文中の j 番目の単語を y_j $(j = 1, 2, ..., J)$ とする。説明のため x_i と y_j はワンホットで表現される単純な単語ベクト

---

[7] ここでは 6 章で扱ったような典型的な RNN で解説を進めるが、そのほかにも、RNN の発展形である LSTM や、ゲート付き再帰ユニット (GRU)、双方向 RNN などのネットワークが用いられることもある。

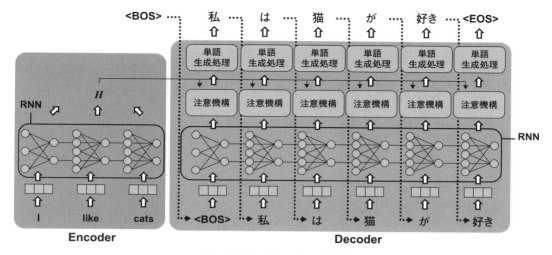

図 8.3●系列変換モデルの全体像

ルであるとする。

　エンコーダの RNN では、入力文中の i 番目の単語ベクトル $\boldsymbol{x}_i$ と 1 層前の隠れ層の状態を表すベクトル $\boldsymbol{h}_{i-1}$ を合成し、現在の隠れ層の状態 $\boldsymbol{h}_i$ を得る。本節では、このような RNN の機構を以下のような式で表現する。

$$\boldsymbol{h}_i = \begin{cases} \mathrm{RNN}(\boldsymbol{x}_i, \boldsymbol{h}_{i-1}) & (1 \le i \le I) \\ \boldsymbol{0} & (i = 0) \end{cases} \tag{8.15}$$

　後の式のために、各層の隠れ層の状態を表す縦ベクトルを並べて行列 $\boldsymbol{H} = (\boldsymbol{h}_1, ..., \boldsymbol{h}_I)$ とする。ここで、隠れ層を表すベクトル $\boldsymbol{h}_i$ の長さを d_h と表すと、行列 $\boldsymbol{H}$ は $d_h \times I$ の行列である。ここで作られた $\boldsymbol{H}$ は、注意機構を通じてデコーダに組み込まれる。

8.2.2　デコーダ

　デコーダでは、エンコーダで得た入力文の情報を表す行列 $\boldsymbol{H}$ を受け取り、それをもとに文を生成する。デコーダには主に、デコーダ側の入力を合成する RNN、エンコーダの情報を用いてデコーダの RNN の出力を再構築する注意機構、そして注意機構で再構築したベクトルを基に

単語を予測する単語生成処理の 3 つの機構が含まれている。

デコーダでは、図 8.3 で示しているように、1 つ前の位置で出力された単語 $\boldsymbol{y}_{j-1}$ を j 層目の入力とする。$j = 1$ の場合には前の層がないため、文頭を表す特殊単語 BOS が $\boldsymbol{y}_{j-1}$ として RNN に入力される。$j = J + 1$ の場合には、その後に続く単語はないため、文末を表す特殊単語 EOS を J 層目の出力 $\boldsymbol{y}_J$ とする。

単語ベクトルが入力された後の最初のデコーダの処理は RNN である。デコーダの RNN では、デコーダに入力された 1 層前の出力 $\boldsymbol{y}_{j-1}$ と 1 層前の隠れ層の状態を表すベクトルを合成する。エンコーダの RNN と区別するため、デコーダの RNN の j 番目の隠れ層の状態ベクトルを $\boldsymbol{z}_j$ と表記すると、デコーダの RNN は以下のように表せる。

$$\boldsymbol{z}_j = \begin{cases} \mathrm{RNN}(\boldsymbol{y}_{j-1}, \boldsymbol{z}_{j-1}) \ (1 \leq j \leq J+1) \\ \boldsymbol{0} \qquad\qquad\qquad (j < 1) \end{cases} \tag{8.16}$$

ここで、ベクトル $\boldsymbol{z}_j$ の長さは d_h であり、エンコーダの隠れ層のベクトルと同じサイズである。j の範囲が $J + 1$ までになっているのは、出力文に含まれる単語に加え、単語 EOS まで出力するためである。

RNN の次の処理は注意機構である。注意機構では、デコーダの RNN の出力 $\boldsymbol{z}_j$ をエンコーダの RNN で得た隠れ層の状態 $\boldsymbol{H}$ を用いて再構築し、$\boldsymbol{z}_j$ と同じサイズのベクトル $\hat{\boldsymbol{z}}_j$ を出力する。注意機構内での処理を仮に関数 attention で表現すると、

$$\hat{\boldsymbol{z}}_j = \mathrm{attention}(\boldsymbol{z}_j, \boldsymbol{H}) \tag{8.17}$$

のように注意機構の入出力を表すことができる。注意機構の内部構造については次項で説明する。

デコーダの最後の処理は、単語の生成処理である。注意機構で再構築したベクトル $\hat{\boldsymbol{z}}_j$ を用いて、j 番目の単語を予測して出力する。

前節で、言語モデルにおける単語ベクトルの生成確率を (8.10) 式のように $P(\boldsymbol{X})$ で表した。系列変換モデルでは、単語ベクトルの生成確率を以下の式のように $P(\boldsymbol{Y}|\boldsymbol{X})$ で表す。

$$P(\boldsymbol{Y}|\boldsymbol{X}) = \prod_{j=1}^{J+1} P(\boldsymbol{y}_j|\boldsymbol{Y}_{0:j-1}\boldsymbol{X}) \tag{8.18}$$

$\boldsymbol{Y}_{0:j-1}$ は $j-1$ 番目までに生成されたすべての単語列を指す。系列変換モデルにおいて (8.18) 式のように表現する理由は、系列変換モデルが注意機構でエンコーダの情報を用いるため、系列変換モデルにおける出力文 Y は入力文 X が入力された条件の下で生成されているといえるからである。

8.2.3 注意機構

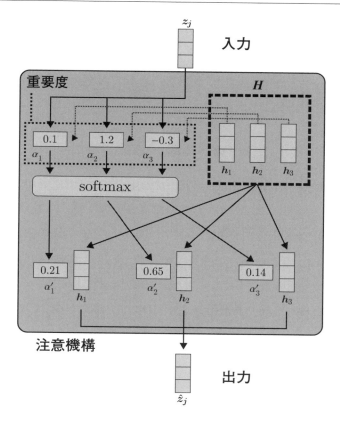

図 8.4 ● 注意機構の内部構造

　注意機構は、エンコーダで得た情報である行列 $\boldsymbol{H}$ をデコーダ内に組み込む手法である。

　これまでの章ではスカラーに対するソフトマックス関数を用いてきたが、本章からは行列に対してソフトマックス関数を適用することがある。行列に対するソフトマックスの計算は以下の手順で行う。

1. 行列の各要素に指数関数を適用する
2. 手順 1 を行った行列について、各列の総和を計算する
3. 手順 1 を行った行列の各要素について、対応する列の手順 2 の結果で割る。

以上の手順から分かるように、行列に対するソフトマックス関数は、入力された行列に対して列ごとにソフトマックスを適用した同じサイズの行列を返す。

　注意機構の内部構造について、まずデコーダの RNN から出力された $\boldsymbol{z}_j$ とエンコーダで得た $\boldsymbol{H}$ を合わせて以下のように計算する。

$$\boldsymbol{\alpha} = \boldsymbol{H}^{\top} \boldsymbol{z}_j \tag{8.19}$$

$$\boldsymbol{\alpha}^* = \mathrm{softmax}(\boldsymbol{\alpha}) \tag{8.20}$$

(8.19) 式における $\boldsymbol{H}^{\top} \boldsymbol{z}_j$ は、$I \times d_h$ の行列と $d_h \times 1$ のベクトルの積であるため、結果の $\boldsymbol{\alpha}$ は長さ I のベクトルとなる。このような行列の演算方法から (8.19) 式は、$\boldsymbol{z}_j$ の各要素と $\boldsymbol{H}$ の要素である $\boldsymbol{h}_i$ の内積を計算していると言い換えられる。その内積の結果である $\boldsymbol{\alpha}$ の各要素 $\alpha_i(i = 1, ..., I)$ は、各 $\boldsymbol{h}_i$ の $\boldsymbol{z}_j$ に対する重要度を表す。そして (8.20) 式でソフトマックス関数を適用することで、全要素の和が 1 になるような非負の要素を持つ $\boldsymbol{\alpha}^*$ に変換する。

　この操作で得られた $\boldsymbol{\alpha}^*$ と $\boldsymbol{H}$ を再度用いて以下のように計算することで、注意機構の出力となる $\hat{\boldsymbol{z}}_j$ を得る。

$$\hat{\boldsymbol{z}}_j = \boldsymbol{H} \boldsymbol{\alpha}^* \tag{8.21}$$

$\boldsymbol{H} \boldsymbol{\alpha}^*$ は $d_h \times I$ の行列と $I \times 1$ のベクトルの積であるため、その結果の $\hat{\boldsymbol{z}}_j$ は長さ d_h のベクトルになる。これは、$\boldsymbol{h}_i$ と $\boldsymbol{\alpha}^*$ の各要素の積をとり、それらを全て足し上げるのと同じである。

なので、$\boldsymbol{\alpha}^* = (\alpha_1^*, ..., \alpha_I^*)$ とすると (8.21) 式は以下の形式でも表せる。

$$\hat{\boldsymbol{z}}_j = \sum_{i=1}^{I} \alpha_i^* \boldsymbol{h}_i \tag{8.22}$$

よって出力される $\hat{\boldsymbol{z}}_j$ は、$\boldsymbol{h}_i$ を重要度で重みづけて総和をとった、$\boldsymbol{z}_j$ と同じサイズのベクトルである。エンコーダの RNN の各隠れ層の (8.19) 式から (8.21) 式までを図で表したものを図8.4 に示す。

　以上のように注意機構は、エンコーダで得た情報 $\boldsymbol{H}$ の中で $\boldsymbol{z}_j$ にとって重要なベクトルを探し出す仕組みである。各 $\boldsymbol{z}_j$ においてどのベクトルが重要であるかを視覚的に示した図が、図8.5 である。図8.5 には、図8.3 で用いている出力文の各単語「私」「は」「猫」「が」「好き」が入力文「I」「like」「cats」のどのベクトルを重要視しているかを色の濃淡で表している。白色が重要度が高く、黒色が重要度が低くなっている。

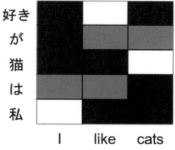

図 8.5 ● 各単語への注意の度合い

8.2.4　単語の生成処理

　注意機構で計算した $\hat{\boldsymbol{z}}_j$ をもとに、j 番目の単語を予測して生成する。単語の予測に前節で学んだ順伝播型ニューラル言語モデルを用いる場合、(8.14) 式の $\boldsymbol{z}_i$ を $\hat{\boldsymbol{z}}_j$ に置き換えて、j 番目の単語の予測分布 $\boldsymbol{o}_j$ を以下のように求める。

$$\boldsymbol{o}_j = \mathrm{softmax}(\boldsymbol{W}\hat{\boldsymbol{z}}_j + \boldsymbol{b}) \tag{8.23}$$

あとは前節で紹介したビームサーチなどを用いて、語彙から生成確率が最も高くなるような単語を y_i として選出する。

8.3　Transformer の注意機構

　これから、2 節にわたって Transformer について学ぶ。2017 年、Google の研究者ヴァスワニらによって発表された論文は、自然言語処理 (natural language processing, NLP) 分野にこれまでにない影響を与えた。"Attention is all you need[8]" と題されたこの論文内で提案された Transformer はこれまでの系列変換モデルやその他の注意機構が導入されたモデルとは異なり、RNN や CNN を一切用いることなく、注意機構を主な構成要素としている。Transformer が与えた影響は、その後の NLP の発展が物語っている。例えば、GLUE[9] や SQuAD[10] といった指標で人間基準を超えたモデルの BERT や世界中に衝撃を与えた生成 AI である ChatGPT は Transformer が中心的な要素となっている。

　Transformer に入力される単語列はそれぞれが分散表現に変換される。内部では、それらの分散表現を注意機構へ繰り返し入力し、再構築する。注意機構の入出力は

$$\hat{\boldsymbol{h}} = \text{self\_attention}(\boldsymbol{h}) \tag{8.24}$$

と記述できる。ここで、$\hat{\boldsymbol{h}}$ と $\boldsymbol{h}$ は同次元のベクトルである。

　Transformer の注意機構は、前節で紹介したものとは構造的に異なる。本節では、Transformer の注意機構について解説する。

8.3.1　QKV 注意機構

　Transformer の中核をなす要素の一つが自己注意 (self-attention) 機構である。前節で紹介した seq2seq における注意機構では、変換後系列 (翻訳後の文章など) 中のある分散表現 $\boldsymbol{h}_i$ を再構築する際に、変換前系列中の分散表現を参照していた。それに対し、Transformer では $\boldsymbol{h}_i$ を再構築する際には、$\boldsymbol{h}_i$ 自身が属する系列を参照する。

---

[8] Vaswani,A. et al. (2017) Attention is all you need, arXiv preprint arXiv:1706.03762v5
[9] 言語理解を測る指標。2 つの文の意味が同じであるかの判断や、文章の感情を判断するタスク等から構成される。
[10] 質疑応答能力を測る指標。問題文中から質問の答えを見つけ出す、国語のテストのようなタスクを用いる。

　前節の注意機構と同じく、自己注意層の目的は入力された分散表現を文脈を織り込んで再構築することにある。層の根幹をなす要素は q, k, v ベクトルを用いた、注意の計算である。これら 3 つのベクトルの役割はデータベース検索の比喩を使うとわかりやすい。入力文全体を動画サイトのデータベースとし、求める動画 (単語) を得る過程を例えとして説明する。

動画投稿サイトで動画を検索する際、検索窓に検索語を打ち込む。この検索語に相当する情報がクエリ (q) である。サイトはデータベース中の各動画に動画を代表する情報 (タイトルや動画の説明など) を付与しており、これがキー (k) となる。q が検索窓に打ち込まれたら、サイトは q と各動画の k を比較し、各 k を関連度順に並べる。その後、検索結果として k に対応する動画を表示する。動画それ自体がバリュー (v) と呼ばれる。

　q、k、v は、以下のように、入力単語の分散表現 h に行列 W_q, W_k, W_v を掛けることで得られる。

$$q' = h'W_q \qquad k' = h'W_k \qquad v' = h'W_v$$
$$(8.25)$$

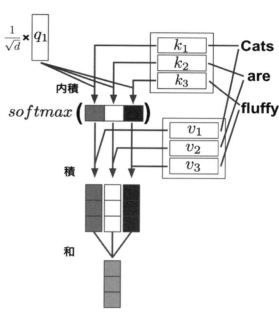

入力語 = Cats

図 8.6●qkv による注意の計算

ただし q, k, v, h のサイズはいずれも $d \times 1$ である (転置ベクトル q', k', v', h' のサイズは $1 \times d$)。W_q, W_k, W_v はいずれもサイズ $d \times d$ の行列であり、学習するパラメータである。

　自己注意層において入力されたベクトル h が再構築される過程を図 8.6 に記した。自己注意層に、文中の i 番目の分散表現 h_i が入力される場合、使用されるクエリは q_i である。q_i と k_j の内積は文中 i 番目の単語と j 番目の単語の関連度の高さを表すため、q と k の内積を注意の重みとして用いることができる。q_i と各 k の内積が格納されたベクトルが α_i である。後の計

算では、$\boldsymbol{\alpha}_i$ をソフトマックス関数に入力し、要素の総和を 1 としたベクトル $\boldsymbol{\alpha}_i^*$ を用いる。

$$\boldsymbol{\alpha}_i = (\boldsymbol{q}_i'\boldsymbol{k}_1, \boldsymbol{q}_i'\boldsymbol{k}_2, \boldsymbol{q}_i'\boldsymbol{k}_3, ..., \boldsymbol{q}_i'\boldsymbol{k}_n)' \tag{8.26}$$

$$\boldsymbol{\alpha}_i^* = \text{softmax}\left(\frac{\boldsymbol{\alpha}_i}{\sqrt{d}}\right) \tag{8.27}$$

ただし、(8.27) 式中の d はベクトル $\boldsymbol{q}, \boldsymbol{k}, \boldsymbol{v}, \boldsymbol{x}$ の次元数であり、内積の値を小さめに抑える役割を持つ。ベクトルの次元が大きくなると、それに伴って内積も大きくなる傾向にあり、後の計算が不便となる。そのため、このような工夫を施して計算をスムーズにしている。

　その後、各 $\boldsymbol{v}$ を $\boldsymbol{\alpha}_i^*$ 中の対応する要素で重み付けした総和が自己注意層の出力 $\hat{\boldsymbol{h}}$ となる。つまり、以下である。

$$\hat{\boldsymbol{h}}_i = \sum_{j=1}^{n} \boldsymbol{\alpha}_{ij}^* \boldsymbol{v}_j = \boldsymbol{\alpha}_{i1}^* \boldsymbol{v}_1 + \boldsymbol{\alpha}_{i2}^* \boldsymbol{v}_2 + ... + \boldsymbol{\alpha}_{in}^* \boldsymbol{v}_n \tag{8.28}$$

　ここまでは、自己注意層に入力された文中 i 番目の分散表現 $\boldsymbol{h}_i$ の流れを追ってきた。しかし、実際は効率化のため、モデルに入力される単語全ての分散表現を転置し、縦に並べた行列 $\boldsymbol{H}$ が同時に自己注意層に入力され、処理される。行列 $\boldsymbol{H}$ のサイズは $n \times d$ であり、単語数 × 分散表現ベクトルの次元数を表している。従って、$\boldsymbol{q}, \boldsymbol{k}, \boldsymbol{v}$ を得る (8.25) 式は以下のように行列に拡張される。

$$\boldsymbol{Q} = \boldsymbol{H}\boldsymbol{W}_q \qquad \boldsymbol{K} = \boldsymbol{H}\boldsymbol{W}_k \qquad \boldsymbol{V} = \boldsymbol{H}\boldsymbol{W}_v \tag{8.29}$$

ただし、$\boldsymbol{W}$ のサイズは d×d である。$\boldsymbol{Q}, \boldsymbol{K}, \boldsymbol{V}$ はいずれも、行列 $\boldsymbol{H}$ のように、転置ベクトル $\boldsymbol{q}', \boldsymbol{k}', \boldsymbol{v}'$ を n 個縦に並べた行列であり、サイズは $n \times d$ である。

　注意を計算する際には、(8.26) 式と (8.27) を行列に拡張した下式を用いる。

$$\boldsymbol{A} = \boldsymbol{Q}\boldsymbol{K}' \tag{8.30}$$

$$\boldsymbol{A}^* = \text{softmax}\left(\frac{\boldsymbol{A}}{\sqrt{d}}\right) \tag{8.31}$$

ただし、$\boldsymbol{K}'$ のサイズは $\boldsymbol{K}$ の転置であるため $d \times n$、$\boldsymbol{Q}$ のサイズは $n \times d$ である。よって、それらの積である $\boldsymbol{A}$ の行列サイズは $n \times n$ となる。この行列は (8.26) 式で表される $\boldsymbol{\alpha}_i$ を転置し

た横ベクトル $\boldsymbol{\alpha}'_i$ が縦に並んだ行列である。また、(8.31) 式のように、ソフトマックス関数が行列に適用される場合、各行に同関数が適用される。従って、$\boldsymbol{A}^*$ は次元 n の横ベクトル $\boldsymbol{\alpha}'^*_i$ が縦に n 個並んだ $n \times n$ 行列となる。自己注意層の出力は、(8.28) 式を拡張した以下の式で得られる。

$$\hat{\boldsymbol{H}} = \boldsymbol{A}^* \boldsymbol{V} \tag{8.32}$$

ただし、$\boldsymbol{V}$ のサイズは $n \times d$、$\boldsymbol{A}^*$ のサイズは $n \times n$ であるため、$\hat{\boldsymbol{H}}$ のサイズは $n \times d$ である。

　このように自己注意機構では、入力文内の単語同士を比較することによって注意を求め、分散表現を再構築する。他にも Trasformer では、再構築される分散表現と、再構築に用いる分散表現が別の文章内にある、クロス注意機構も用いられている。この注意機構の機能例としては、日本語から英語への翻訳タスクにおいて、英訳文内の単語を元の日本語文の単語を使用して再構築する、などが挙げられる。イメージとしては、seq2seq の注意機構に近いだろう。

　クロス注意機構でも、内部の仕組みはほとんど変わらない。違いとしては、(8.29) 式中の $\boldsymbol{K}$ と $\boldsymbol{V}$ において、$\boldsymbol{H}$(サイズは $n \times d$) の代わりに $\hat{\boldsymbol{H}}$(サイズは $n^* \times d$) が用いられる。(8.29) 式内の $\boldsymbol{Q}$ は変わらない。これは、$\boldsymbol{K}$ と $\boldsymbol{V}$ の元となる文章 (例えば、翻訳前の日本語文) と $\boldsymbol{Q}$ の元となる文章 (例えば、英訳文) が異なることを意味する。したがって、入力文の単語数を n とすると、$\boldsymbol{Q}$ のサイズは $n \times d$ である。一方で、$\boldsymbol{K}$ と $\boldsymbol{V}$ は異なる単語数 n^* を持つ文章から作られるので、サイズが $n^* \times d$ となる。ただし、このサイズの違いは、後の行列計算時に障害になることはない。是非、(8.30) 式と (8.32) 式の行列計算が可能であることを確かめて欲しい。

8.3.2　多頭注意

　自己注意層では、$\boldsymbol{h}_i$ を再構築する際、文中の単語 $(\boldsymbol{h}_1, \boldsymbol{h}_2, ..., \boldsymbol{h}_n)$ に対し、それぞれ異なった量の注意を向ける。この時、注意を向ける視点を複数用意することで、モデルの精度を高める工夫を多頭注意、またはマルチヘッド注意機構 (multi-head attention) と呼ぶ。例えば、「ホテルからビーチが見えたから、そこに決めた」という文における「そこ」を再構築する場合を考える。もし、ホテルを探している場合だと、「そこ」は「ホテル」を表すだろう。反対に、子供と遊ぶ場所を探して

いる場合には「ビーチ」を表すかもしれない。多頭注意を用いると、「そこ」のベクトルを再構築する際に「ホテル」に強く注目する視点と「ビーチ」に強く注目する視点の両方を持つことができる。

多頭注意のイメージを図 8.7 に示した。図では、"cat" のベクトル h_2 を再構築する際の多頭注意を示している。図に示すように、多頭注意では、注意を表すベクトル α^* が複数作られる。また、図中の α^* は、向けられている注意の量が多い場所が白くなっている。例えば、$\alpha^{*(1)}$ は"fluffy"に多くの注意が向けられているのに対し、$\alpha^{*(2)}$ では"fur"に対する注意量が多い。

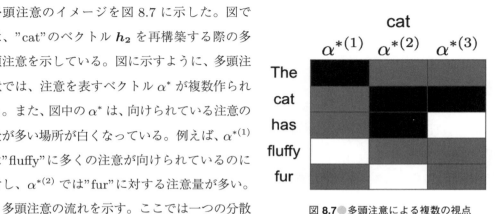

図 8.7 ● 多頭注意による複数の視点

多頭注意の流れを示す。ここでは一つの分散表現 h_i を自己注意層で再構築する過程を例にとって考える。h_i は (8.25) 式を用いて q_i, k_i, v_i に変換される。その後、各ベクトルを割り切れる数で分割する。例えば、ベクトルの次元数が $d = 256$ であり、8 分割するとしたら、次元数 32 のベクトルに分けられる。従って、例えば q_i ベクトルと分割されるベクトルの関係は以下となる。

$$q_i' = \mathrm{concat}(q_i'^{(1)}, q_i'^{(2)}, q_i'^{(3)}, ..., q_i'^{(head)}) \tag{8.33}$$

ただし、$head$ は分割数を表し、注意の視点数となる。また、上式では、横ベクトルであることを示すために各ベクトルは転置している。k_i, v_i ベクトルも同様に、$head$ 数で分割を行う。その後は、各視点において、(8.26) 式、(8.27)、(8.28) を適用する。視点 j においては以下となる。

$$\alpha_i^{(j)} = \left(q_i'^{(j)} k_1^{(j)}, q_i'^{(j)} k_2^{(j)}, q_i'^{(j)} k_3^{(j)}, ..., q_i'^{(j)} k_n^{(j)}\right) \tag{8.34}$$

$$\alpha_i^{*(j)} = \mathrm{softmax}\left(\frac{\alpha_i^{(j)}}{\sqrt{d^*}}\right) \tag{8.35}$$

$$h_i^{*(j)} = \sum_{k=1}^{n} \alpha_{ik}^{*(j)} v_k^{(j)} \tag{8.36}$$

$$= \alpha_{i1}^{*(j)} v_1^{(j)} + \alpha_{i2}^{*(j)} v_2^{(j)} + ... + \alpha_{in}^{*(j)} v_n^{(j)} \tag{8.37}$$

ただし、$\sqrt{d^*}$ は $\sqrt{d}$ を視点の数 $head$ で分割した $\sqrt{d/head}$ を意味する。一連の手続きを各視点において行うと、$head$ 個の $h_i^{*(j)}(j=1,2,...,head)$ が得られる。各 $h_i^{*(j)}$ ベクトルの次元は $d/head$ であるため、それらを結合したベクトル h_i^* の次元は d である。h_i^* を行列で変換したベクトルが自己注意層の出力である。出力までの過程は以下の通りである。

$$h_i'^* = \text{concat}(h_i'^{*(1)}, h_i'^{*(2)}, h_i'^{*(3)}, ..., h_i'^{*(head)}) \tag{8.38}$$

$$\hat{h} = h_i'^* W_o \tag{8.39}$$

ただし、行列 W_o は学習するパラメータであり、サイズは $d \times d$ である。

ここまでベクトルで説明してきた内容を行列に拡張してみよう。ある視点 $j = 1,2,3,...,head$ において注意を計算する式は、(8.30) 式と (8.31) に多頭注意を応用して、以下のように表せる。

$$A^{(j)} = Q^{(j)} K'^{(j)} \tag{8.40}$$

$$A^{*(j)} = \text{softmax}\left(\frac{A^{(j)}}{\sqrt{d^*}}\right) \tag{8.41}$$

ただし、$Q^{(j)}$ は次元 $d^* = d/head$ の横ベクトル $q'^{(j)}$ が n 個縦に並んだサイズ $n \times d^*$ の行列である。また、$K'^{(j)}$ のサイズは $d^* \times n$ であるため、結果の行列 $A^{(j)}$ のサイズは $n \times n$ である。重み行列 $A^{*(j)}$ が得られたら、それを用いて $V^{*(j)}$ を重み付ける。

$$H^{*(j)} = A^{*(j)} V^{*(j)} \tag{8.42}$$

行列 $H^{*(j)}$ のサイズは $n \times d^*$ である。$H^{*(j)}$ は前出の (8.36) 式に対応しているため、それらを (8.38) 式と同じように連結し、サイズ $n \times d$ の行列を作る。つまり、以下である。

$$H^* = \text{concat}(H^{*(1)}, H^{*(2)}, H^{*(3)}, ..., H^{*(n)}) \tag{8.43}$$

注意機構の出力は、(8.39) 式と同じ重みを用いた以下の式によって得られる。

$$\hat{H} = H^* W_o \tag{8.44}$$

8.4 Transformer の基本概念

前節では、Transformer の主要要素である自己注意メカニズムについて詳しく説明した[11]。

本節では、はじめに Transformer の基本概念を説明し、次に、位置符号化、残差結合、層正規化といった要素が Transformer の性能をどのように向上させているかについて解説する。

8.4.1　Transformer の構成要素

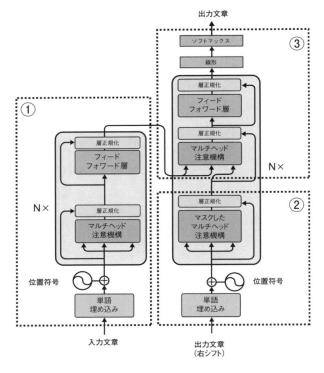

図 8.8●**Transformer** の全体像

Transformer は自然言語処理の分野で広く使用されている深層学習モデルの一つで、特に文

---

[11] フィードフォワード層の説明は 8.6 節で詳しく解説する

章の理解や翻訳タスクに威力を発揮する。本項では Transformer の仕組みを解説し、どのような処理がされているのかを理解する。

図 8.8[†12] に示すように、Transformer は、大別すると 3 つのブロックに分けることができる。

ブロック①

ブロック①はエンコーダと呼ばれる。エンコーダは、私たちが話す言葉を AI が理解できる形に符号化・記号化処理をする。

具体的には、ある英語の文章 I have a cat. を日本語に翻訳したい場合、この英文を、「I」、「have」、「a」、「cat」という 4 つの単語に分解する。各単語は、コンピュータが理解できる数値ベクトルに変換される。次に、前節で説明した 3 種類の注意機構を適用し、単語間の関係性や意味を考慮した数値ベクトルを得る。

ブロック②

ブロック②はエンコーダからの出力とデコーダから出力された途中までの文（これまで生成された出力）を元に、単語間の関係性や意味を考慮したブロック①より表現力の高い数値ベクトルへと変換する。

具体的には、I have a cat. という入力文が「私は 猫を」と翻訳された結果が出力されていたとする。この翻訳された文を入力として、3 種類の注意機構を適用することで、出力の一貫性と文脈を保つ。そして、ブロック①で生成したベクトルに対し、更に情報を付加できる。

ブロック③

ブロック③はブロック①と②の結果を用いて次の単語を生成する。これはデコードと呼ばれる。I have a cat. を日本語に翻訳するとき、すでに「私は猫を」という部分まで翻訳されていたとする。ブロック③は、「飼っています」の部分を予測する。つまり、与えられた文脈をもとに次の単語を予測し、それを出力する部分である。

このように、Transformer は 3 つの各ブロックが処理することによって、文章の理解や翻訳を行う。そして、その結果として人間が自然に行っている言語処理を模倣することが可能とな

[†12] Vaswani, A. et al. (2017) Attention is all you need, arXiv preprint arXiv:1706.03762v5 の Figure 1: The Transformer - model architecture. の要素を日本語に翻訳

る。次項より、Transformer の重要な構成要素である位置符号、残差結合、層正規化について
解説する。

8.4.2　位置符号

　位置符号 (positional encoding) は、Transformer の入力単語の位置情報を符号化し、単語の
位置を保持するための処理である。Transformer において、単語埋め込み層と自己注意機構だ
けでは、単語の位置情報を埋め込むことができない。文章を理解する上で単語の順序は重要で
ある。単語の位置情報がないとしたら、単語の順番が無視されてしまい、注意機構ベースのエ
ンコーディングに違いが生じなくなる。例として次の 2 つの文章を考える。

1. A horse ate a carrot.
2. A carrot ate a horse.

この 2 つの文章に含まれている単語は同じだが、意味は大きく異なってしまう。そのため、
Transformer では、エンコーダとデコーダの入力文章の単語埋め込みを行ったベクトルに対し
て位置情報を加算後に最初のレイヤーに入力している。

　具体的には、各単語の位置情報を表現するために、

$$
PE(i,k) = \begin{cases} \sin\left(\dfrac{t}{I^{(k)/d}}\right) & (k \text{ が奇数の場合}) \\[2mm] \cos\left(\dfrac{t}{I^{(k-1)/d}}\right) & (k \text{ が偶数の場合}) \end{cases} \tag{8.45}
$$

のような正弦関数 (sinusoidal functions) によるベクトルを加算することで単語の位置情報を
伝えることができる。

　ここで、系列の位置を i、ベクトルのサイズを d、要素番号を $k(1 \le k \le d)$、位置 i の位置符
号を $\boldsymbol{PE}(i) = (PE'(i,1), PE'(i,2), \cdots, PE'(i,d))$ とする。I は仮想的な最大系列長を表す。
論文では $I = 10{,}000$ が使われている。

　位置符号として、絶対位置 $1, 2, \cdots, n$ を使うこともできる。ただし、絶対位置の情報は位置
が後半になれば数が大きくなり、単語埋め込み情報の大部分を占めることになってしまい、位

置符号以外の単語埋め込みの情報が無視されてしまう。

一方、正弦関数を用いると、位置符号の情報が大きくなりすぎることを防ぐことができる。また、$\sin^2\theta + \cos^2\theta = 1$ より、すべての位置 t において、ベクトル $\boldsymbol{PE}(i)$ の大きさ $\|\boldsymbol{PE}(i)\| = \sqrt{d/2}$ となり、ベクトルのサイズ d を固定すればすべての位置 i で一定の値となるという性質も持っている。

エンコーダにおいては、i 番目の単語の埋め込みベクトルを $\boldsymbol{e}_i^{(emb)}$、i 番目の位置符号を $\boldsymbol{PE}(i)$ とすると、Transformer の入力ベクトルは、

$$\boldsymbol{h}_i^{(0)} = \boldsymbol{e}_i^{(emb)} + \boldsymbol{PE}(i) \tag{8.46}$$

で表される。ここで、$\boldsymbol{h}_i^{(0)}$ は i 番目の入力単語に対応するエンコーダの第 1 層目の入力ベクトルを表す。

デコーダも (8.46) 式と同様に、

$$\boldsymbol{z}_j^{(0)} = \boldsymbol{e}_j^{(emb)} + \boldsymbol{PE}(j) \tag{8.47}$$

で表される。ここで、j 番目の入力 $z_j^{(0)}$ は j 番目の入力単語に対応するデコーダの第 1 層目の入力ベクトルを表す。

一部のモデルでは位置符号も学習可能なパラメータとして設定されることもあるが、論文の Transformer モデルでは固定されている。

8.4.3 残差結合

残差結合 (residual connection) は、Transformer 内の各層で行われ、1 つ前の層の出力を現在の層の出力に足し合わせる処理である。

ここで、D 個のベクトルの系列からなる $(l-1)$ 層目への入力 $\boldsymbol{h}^{(l-1)} = (\boldsymbol{h}_1^{(l-1)}, \cdots, \boldsymbol{h}_D^{(l-1)})$ に対して、l 番目の層が処理を行い、ベクトルの系列 $\boldsymbol{O}^{(l)} = (\boldsymbol{o}_1^{(l)}, \cdots, \boldsymbol{o}_D^{(l)})$ が計算された状況を考えた場合、残差結合では、l 層目の系列 d 番目の出力は、

$$\boldsymbol{h}_d^{(l)} = \boldsymbol{o}_d^{(l)} + \boldsymbol{h}_d^{(l-1)} \tag{8.48}$$

で表される。ただし、0 層目の出力は、$\boldsymbol{h}_d^{(0)} = \boldsymbol{o}_d^{(0)}$ とする。また、$\boldsymbol{h}_d^{(0)}$ は (8.46) 式に表されるように、埋込ベクトルに位置符号を加えたベクトルとする。ここで、$l \geq 2$ のとき、

$$\boldsymbol{h}_d^{(l)} = \boldsymbol{o}_d^{(l)} + \boldsymbol{o}_d^{(l-1)} + \cdots + \boldsymbol{o}_d^{(0)} \tag{8.49}$$

となる。

(8.49) 式から、l 層の出力は、入力の埋め込みベクトルから l 層までに計算されたベクトルの総和で表される事がわかる。

図 8.9 より Transformer で残差結合が行われるのは、入力からマルチヘッド機構の計算結果に結合する際と、フィードフォワード層の出力に対して結合する際の 2 箇所である。

Transformer において残差結合をする理由は、勾配消失問題に対応するためである。勾配消失問題とは、学習が進むにつれてニューロンからニューロンへの情報の伝達が弱まり、最終的には学習が進行しなくなってしまう現象である。残差結合を用いることで、各層の出力に直接入力情報を加えることで、学習が

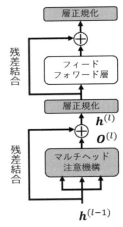

図 8.9 ● Transformer における残差結合

進行しなくなるのを防ぐだけでなく、必要な情報を素早く伝えることが可能となり、学習の効率化にも貢献している。

8.4.4　層正規化

層正規化 (layer normalization) は、Transformer の各層の出力を正規化する処理である。

層正規化の学習可能なパラメータとして、大きさを調整するパラメータのベクトル $\boldsymbol{\gamma} = (\gamma_1, \cdots, \gamma_d)'$ と平行移動を調整するパラメータのベクトル $\boldsymbol{\beta} = (\beta_1, \cdots, \beta_d)'$ がある。これらのパラメータを用いて、入力ベクトル $\boldsymbol{h}$ を $\boldsymbol{h}^+$ に変換する。

具体的に表すと、系列 d 番目の変換後の h_i^+ は、

$$h_d^+ = \gamma \left(\frac{h_d - \mu_h}{\sigma_h + \epsilon} \right) + \beta_d \tag{8.50}$$

となる。ここで、$d \in [1, \cdots, D]$ は要素インデックス、ϵ は母数が小さくなりすぎないように調整するハイパーパラメータである。また、μ_h と σ_h は入力ベクトル $\boldsymbol{h}$ の平均と標準偏差である。

$$\mu_h = \frac{1}{D} \sum_{i=1}^{D} h_d, \quad \sigma_h = \sqrt{\frac{1}{D} \sum_{d=1}^{D} (h_d - \mu_h)^2} \tag{8.51}$$

図 8.8 では、層正規化は前項の残差結合の後に配置されている。エンコーダの l 層目の位置 i 番目の入力ベクトル $\boldsymbol{h}_i^{(l)}$ に対して、(8.48) 式により残差結合したベクトルに層正規化の処理を行う。結果ベクトル $\boldsymbol{h}_i^{(l)+}$ は、

$$\boldsymbol{h}_i^{(l)+} = \mathrm{LayerNorm}(\boldsymbol{h}_i^{(l)} + \boldsymbol{O}_i^{(l)}) \tag{8.52}$$

で求められる。ここで、$\boldsymbol{O}_i^{(l)}$ は、マルチヘッド注意機構、またはフィードフォワード層の計算結果、LayerNorm 関数は層正規化に対応する関数である。

Transformer において残差結合をする理由は、勾配爆発問題に対応するためである。勾配爆発とは勾配が非常に大きな値となり学習が失敗する現象である。正規化を行わない場合、値が急速に大きくなるといったことが起こり得る。そのため、層正規化を行うことで、安定した学習を行うことに貢献している。

8.5 GPT

8.5.1　GPT の構造

　GPT(generative pre-trained transformer) は Transformer のデコーダ部分をベースに構築されている。図 8.10 に原論文 [13] による GPT(GPT-1) のモデル構造を示した。

　GPT では、まず各単語のワンホットベクトルの列を横方向に並べた行列を埋め込み層で単語埋め込みに変換する (図下)。このとき、位置埋め込み (positional embedding) と呼ばれる系列中の位置を表す行列を単語埋め込みに加えることで、位置の性質を考慮してテキストを処理できるようになる。ここで注意が必要なのは、Transformer で用いられていた位置符号化と違って、位置埋め込みではパラメータの学習が必要なことである。また、GPT では入力されるテキストを BOS や EOS ではなく、Start と Extract で囲み、文の間には Delim を挿入して区切る。

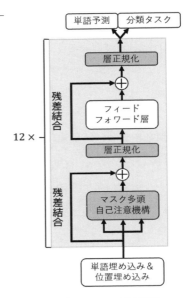

図 8.10●GPT のモデル構造

　次に、Transformer のデコーダ部分と同様の処理を 12 層繰り返す (図中央)。ここで、モデルの学習時には、マスク多頭自己注意機構 (masked multi self attention) が使われる。マスク多頭自己注意機構では、単語予測の際に自己注意機構が次の単語より後続の単語の情報を利用できないように、該当する情報を隠すマスク処理 (masking) がなされる [14]。

　そして、最終層で得られた行列を再度埋め込み前と同じ次元のベクトルに変換し、ソフトマックス関数を適用して単語を予測することを繰り返すことでテキストを生成する。図 8.10 の上部は、ファインチューニング (fine-tuning) 用として追加された層であり、タスクがテキスト予測

---

[13] Radford, A., Narasimhan, K., Salimans, T., & Sutskever, I. (2018). Improving language understanding by generative pre-training.

[14] 注意機構でソフトマックス関数を適用する際に、予測単語より後に続く単語に対応する値を $-\infty$ で置き換えて、対応する exp の値を 0 にすることでマスク処理は行われる。

である場合には不要となる[†15]。

なお GPT-2 や GPT-3 は、パラメータ数が増えたことやタスクによってモデルの構造を変化させる必要がないことなどを除けば、モデル構造は GPT とほとんど同じである。

8.5.2 **GPT の事前学習**

GPT は、大量のテキストコーパスを用いて事前学習 (pre-training) を行う事前学習済みモデル (pre-trained model) である。事前学習では、ある特定のタスクへの応用を目的とせず汎用的な性能を獲得するために学習が行われる。

ここからは、前項を参考にして GPT の事前学習を定式化していく。GPT の事前学習では、入力されたテキストで次の単語を予測するタスクをこなす。ここで N 個の単語が並んでできるテキストの単語列を $\boldsymbol{u} = (u_1, \ldots, u_N)'$ として i 番目の単語 u_i を予測するとき、直前の k 個の単語列 $(u_{i-k}, \ldots, u_{i-1})$ を予測のための文脈として用いる。

文脈単語 $u_{i-k}, \ldots, u_{i-1}$ のワンホットベクトルの列を横方向に並べた $V \times k$ の行列を $\boldsymbol{U}$, $d \times V$ の単語埋め込み行列を $\boldsymbol{W}_e$, $d \times k$ の位置埋め込み行列を $\boldsymbol{W}_p$ とする。また、transformer_block を Transformer の一つの層に対応する関数、$\mathrm{softmax}_{u_i}$ をソフトマックス関数の適用後のベクトルにおいて単語 u_i に対応する値を取得する関数であるとする。このとき、u_{i-k} から u_{i-1} までの単語列で条件付けたときの u_i の出現確率 $P(u_i|u_{i-k}, \ldots, u_{i-1})$ は以下のように得られる。

$$\boldsymbol{H}_0 = \boldsymbol{W}_e \boldsymbol{U} + \boldsymbol{W}_p \tag{8.53}$$

$$\boldsymbol{H}_l = \mathrm{transformer\_block}(\boldsymbol{H}_{l-1}) \quad \forall l \in \{1, \ldots, L\} \tag{8.54}$$

$$P(u_i|u_{i-k}, \ldots, u_{i-1}) = \mathrm{softmax}_{u_i}(\boldsymbol{W}^T \boldsymbol{h}_L^{(k)}) \tag{8.55}$$

ここで、$\boldsymbol{h}_L^{(k)}$ は行列 $\boldsymbol{H}_L$ の左から k 番目の列ベクトルを表している。

そして、(8.55) 式で得られた i 番目の単語 u_i の条件付き出現確率 $P(u_i|u_{i-k}, \ldots, u_{i-1})$ を用いて、以下の負の対数尤度

[†15] ファインチューニングでは、タスクに依存した学習が行われる。

$$L = - \sum_{i=k+1}^{N} \log P(u_i | u_{i-k}, \ldots, u_{i-1}) \tag{8.56}$$

を最小化するように言語モデルとして学習を行う。

8.5.3　ファインチューニングからプロンプトへ

　言語に関する汎用的な知識を持つ事前学習モデルで、実際のタスクをこなす場合を考えてみよう。例えばこのモデルを、俳句を生成するタスクや日本語を英語に翻訳するタスクに利用したい場合、どうすればよいのだろうか。

　これまで学んできた人工知能モデルを考えると、俳句生成のモデルを作りたいなら、人間が創作した俳句を大量に用意し事前学習モデルを再度学習すればよいのではないかと思いつくだろう。同様に、日本語を英語に翻訳するタスクなら、人間が翻訳した日本語と英語の文章のペアを大量に用意して、モデルを再度学習させれば解決できそうである。このように、事前学習が済んだモデルをタスクに応じて再度学習する方法はファインチューニング (fine-tuning) と呼ばれ、一時は NLP 分野の標準的な処理方法であった。

　しかしながら、モデルの複雑化（多頭注意の頭数や Transformer の層数）とともに、調整するべきパラメータ数が激増することになる。例えば ChatGPT で用いられている GPT3.5 モデルの総パラメータ数は 1750 億であった (多頭注意の頭数は 96、層数は 96 である)。パラメータの増大は、大量のデータや大量の計算が必要になることを意味する。また、例えば日本語から他の言語に翻訳するタスクの場合、翻訳先の各言語に対してそれぞれファインチューニングする必要があり、煩雑である。このような場合は、どの言語にも対応できる汎用型のモデルの方が好ましい。そこで、プロンプト (prompt) という手法が用いられる [16]。

　プロンプトとは、汎用言語モデルにタスクを指示する際に与える文章である。言語モデルが文章を生成する過程を思いだそう。例えば、「次の日本語を英語に訳してください。吾輩は猫である。」という文章をモデルに渡したら、まず「I」という単語が生成される。その後は、元々入

---

[16] プロンプトが提唱されたもう一つの背景には、タスクによって、事前学習とファインチューニングがかなり異なる場合もあることがあげられる。プロンプトを利用すると、このような問題が生じない。

力した文章に生成された単語を繋げて次の出力を得るという過程を繰り返す。この生成過程において、初めに入力した「次の日本語を英語に訳してください。吾輩は猫である。」という文章がプロンプトである。プロンプトは柔軟に変更することができ、プロンプトを変更すれば、モデルは全く違ったタスクを行うことができる。例えば、「春を題材に俳句を創作してください」というプロンプトを入力すれば、モデルは俳句を生成するだろう。

　モデルにプロンプトを渡す際、タスクを説明するいくつかの例を追加すると、生成される文章の質がよくなることが知られている[17]。

　タスクの例を含むプロンプトは

「下の例のように、春のテーマの俳句を創作してください

春の海 ひねもすのたり のたりかな

山路来て 何やらゆかし すみれ草

草の戸も 住み替は (わ) る 代ぞ 雛の家」のようになる。複数の例を含んだプロンプトは Few-shot と呼ばれ、例が一つの場合は One-shot と呼ばれる。例を与えず、タスクの指示のみを与えるプロンプトは Zero-shot と呼ばれる。図 8.11 は、プロンプトに含める例の数を横軸に、タスクのパフォーマンスを縦軸にとって、パラメータ数の違う複数のモデルを比較している。モデルのパラメータ数が多いほど、また例の数が多いほど、パフォーマンスが高くなることが見て取れる。この結果は、パラメータ数の多い巨大なモデルが好まれる理由をも示している。

[17] Brown, T., Mann, B., Ryder, N., Subbiah, M., Kaplan, J. D., Dhariwal, P., ... & Amodei, D. (2020). Language models are few-shot learners. *Advances in neural information processing systems*, 33, 1877-1901.

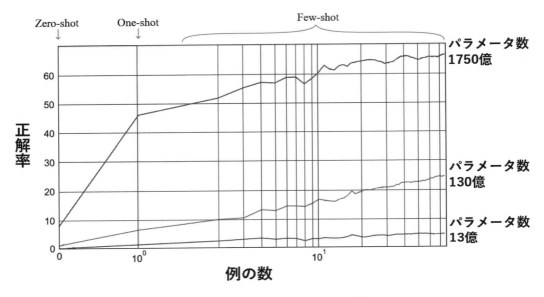

図 **8.11**●例の数とモデル表現の関係 [†18]

8.5.4　汎用型対話 AI への道:RLHF

　これまでで述べたように、プロンプトを用いることで、モデルは汎用的なタスクをこなすことができる。しかしながら、モデルの出力が必ずしも我々人間にとって好ましい出力とは限らない。人間にとって好ましい出力をモデルに学習させる必要がある。そこで生まれた方法が人間のフィードバックによる強化学習である (reinforcement learning from human feedback, RLHF)。

　RLHF ではまず質問と回答のペアを人間によって作らせる。作成時には、一つの質問に対して、複数の回答を用意する。その後、最良の回答を一対比較法によって決定する。この過程はスポーツやボードゲームの総当たり戦に例えることができる。一対比較法では、2 つの回答のうち優れていると判断される方を人間が選択するのだが、これは、2 人の囲碁棋士が対戦する様

---

†18 Brown et al.,(2016), Figure 1.2. より改変

子になぞらえることができる。一対比較を繰り返すうちに、最強の囲碁棋士、つまり、最良の回答が決定される。各回答の質を評価する際には、イロレーティング (Elo rating) というシステムが用いられる。イロレーティングは各プレイヤーの実力を相対的に評価する方法である。[19]。

　各回答の質の良さを反映するスコアが得られたら、次にそのスコアを教師データとして用いる。ここでは質問と回答を入力し、回答のスコアを予測するモデルを学習する。このモデルが予測する、回答に対するスコアを強化学習アルゴリズムの報酬とし、言語モデルをファインチューニングすることが RLHF である。

　事前学習が済んだ GPT3.5 モデルを RLHF 技術によってファインチューニングしたものが、今流行りの ChatGPT の背後にあるアルゴリズムである。

8.6　Python による GPT の実装

　本節では、前節で紹介した GPT を Python で実装する。紙面上の都合ですべてのコードを載せるのが難しいため、本節は GPT のコア部分のコードのみを紹介する。コードの全体は本書の配布資料を参照されたい。

　まずは必要なライブラリをインポートし、モデルのハイパーパラメータを設定する。

```
import torch
import torch.nn as nn

batch_size = 1024

n_layer = 8  # Transformer 層を数
n_head = 8  # ヘッド数
d = 512  # 埋め込む数

# 入力データの内、単語数が最大のデータの長さ
max_length =
# Token 数 (語彙サイズ)
vocab_size =
```

---

[19] 回答の質を直接評点するではなく、一対比較とイロレーティングを利用する理由は、直接評点すると、評価者の基準が異なるため、評点の尺が同一しないし、ノイズが溢れている。それに対して、一対比較による結果が比較的に安定な評価を得られる。

n_layer,n_head,d はそれぞれ、Transformer の層数、多頭注意機構の頭数、埋め込みサイズである。max_seq_len は入力データセットのうち、一番長いデータの単語数を示す、vocab_size は語彙サイズ (V) を表す。

以上のハイパーパラメータを用いて、8.3.2 節の多頭注意機構をコードで実装する。

```python
class Self_Attention(nn.Module):
    def __init__(self):
        super().__init__()
        self.n_head = n_head

        self.to_keys = nn.Linear(d, d)
        self.to_queries = nn.Linear(d, d)
        self.to_values = nn.Linear(d, d)
        self.w_o = nn.Linear(d, d)

        # mask 行列を作成する
        self.register_buffer("mask", torch.triu(
                             torch.ones((1, 1, max_length, max_length),
                             dtype=torch.bool), diagonal=1))

    def forward(self, h):
        b, n, d = h.size()
        d_asterisk = d // self.n_head

        keys = self.to_keys(h).view(b, n, n_head, d_asterisk).transpose(1, 2)
        queries = self.to_queries(h).view(b, n, n_head, d_asterisk).transpose(1, 2)
        values = self.to_values(h).view(b, n, n_head, d_asterisk).transpose(1, 2)

        att = queries @ keys.transpose(-2, -1)
        att = att.masked_fill(self.mask[:, :, :n, :n], float('-inf'))
        att = nn.functional.softmax(att * (d_asterisk ** -0.5), dim=-1)

        out = att @ values
        out = out.transpose(1, 2).contiguous().view(b, n, d)   # 各ヘッドを一つに連結する
        out = self.w_o(out)
        return out
```

まずは nn.Linear 層を用いて、入力 H を Q, K, V に変換する。self.w_o は多頭注意機構の最後に、注意機構の各ヘッドをまとめる層である。マスク行列の作成には self.register_buffer 関数が用いられる。PyTorch は self.register_buffer 関数を学習パラメータではなく、ただの定数として扱う。self.register_buffer に渡される、torch.triu 関数は、上三角部分が 1、それ以外が 0 の行列を返す。torch.triu 関数によって作られる行列の 1 の部分にマスク処理が施される。[20]

forward では、入力テンソルを Q, K, V に変換した後、それら Q, K, V に view(b, n, n_head, d

---

[20] $\begin{bmatrix} 1 & 1 & 1 \\ 1 & 1 & 1 \\ 1 & 1 & 1 \end{bmatrix}$ という行列に torch.triu を適用すると、$\begin{bmatrix} 0 & 1 & 1 \\ 0 & 0 & 1 \\ 0 & 0 & 0 \end{bmatrix}$ が得られる。

_asterisk)を適用してサイズを変換する。Q, K, V はそれぞれサイズ $[b \times n \times d]$（ここの b はバッチサイズである）のテンソルであるが、変換後は d 次元を $[n\_head \times d\_asterisk]$ に分解し、サイズ $[b \times n \times n\_head \times d\_asterisk]$ のテンソルとなる。その後、テンソルの掛け算を行う必要があるため、今得られたテンソルのサイズを $[b \times n \times n\_head \times d\_asterisk]$ から $[b \times n\_head \times n \times d\_asterisk]$ へと転置する。

(8.40) 式の $A^{(j)}$ を得る過程では、@記号を利用してテンソル同士の積を計算する。[21] `att.masked_fill` は、マスク行列中の要素が 1 の部分に無限小を代入することで、マスク処理を行う。

マスク処理を行ったら、結果のテンソルを $\sqrt{d_{asterisk}}$ で割り、ソフトマックス関数に入力することで、A^* を得る。A^* と $V^{*(j)}$ の積 `out` が $H^{*(j)}$ である (8.42 式)。この `out` はサイズが $[b \times n\_head \times n \times d\_asterisk]$ のテンソルでり、`transpose(1, 2)` を用いることで、サイズが $[b \times n \times n\_head \times d\_asterisk]$ に転置される。`forward` の初めに、サイズ $[b \times n \times d]$ の Q, K, V をサイズ $[b \times n \times n\_head \times d\_asterisk]$ のテンソルに変換したが、今回はその逆を行う。つまり、`view(b, n, d)` を利用して、$[n\_head \times d\_asterisk]$ と分割された d 次元をもと通りに戻す (8.43 式)。最後は `self.w_o` を利用して、出力を得る (8.44 式)。

多頭注意機構を定義したら、次は LN 層や FFN 層を加え、Transformer 層の全体を定義する。

```python
class Transformer_GPT_block(nn.Module):
    def __init__(self):
        super().__init__()
        self.ln1 = nn.LayerNorm(d)
        self.ln2 = nn.LayerNorm(d)
        self.attn = Self_Attention()
        self.ffn = nn.Sequential(
            nn.Linear(d, 4 * d),
            nn.ReLU(),
            nn.Linear(4 * d, d)
        )
```

---

[21] 8.40 式の $Q^{(j)}, K^{(j)}$ のサイズは $[n \times d\_asterisk]$ の行列に対して、コード中は $[b \times n\_head \times n \times d\_asterisk]$ の 4 次元テンソルになる。この場合の積は、$[b \times n\_head \times n \times d\_asterisk]$ を $[n \times d\_asterisk]_{b \times n\_head}$ と表記し直す。$[b \times n\_head]$ 個のサイズが $[n \times d\_asterisk]$ の行列の積を計算すると見なすことができる。つまり、$Q^{(j)} K'^{(j)}$ の積は、$Q^{(j)} \times K'^{(j)}$ は $[n \times d\_asterisk]_{b \times n\_head} \times [d\_asterisk \times n]_{b \times n\_head}$ のように、$[b \times n\_head]$ 個の行列の積を計算することになる。したがって、サイズ $[b \times n\_head \times n \times d\_asterisk]$ と $[b \times n\_head \times d\_asterisk \times n]$ テンソルの積はサイズ $[b \times n\_head \times n \times n]$ のテンソルになる。また、つきの $A^{*(j)} V^{*(j)}$ も同様の計算が行われる

```
    def forward(self, h):
        h = h + self.attn(self.ln1(h))
        h = h + self.ffn(self.ln2(h))
        return h
```

　`nn.LayerNorm(d)` を利用して、層正規化層を定義する。フィードフォワード層 `self.ffn`
の作成には `nn.Sequential` を用いる。残差結合の実装は、`forward` 内の `h = h + self.a`
`ttn(self.ln1(h))` にあたる。

　以上のパーツを揃えたら、embedding 層と最後の出力層を追加する。

```
class GPT(nn.Module):
    def __init__(self):
        super().__init__()
        # embedding 層
        self.tok_emb = nn.Embedding(vocab_size, d)
        # 位置 embedding
        self.pos_emb = nn.Parameter(torch.Tensor(1, max_length, d))
        # transforme
        self.transformer_block = nn.Sequential(*[Transformer_GPT_block() for _ in range(n_layer)])

        self.ln_d = nn.LayerNorm(d)
        self.out = nn.Linear(d, vocab_size, bias=False)

    def forward(self, x):
        b, n = x.size()

        token_embeddings = self.tok_emb(x)
        position_embeddings = self.pos_emb[:, :n, :]

        h = token_embeddings + position_embeddings
        h = self.transformer_block(h)
        h = self.ln_d(h)
        logits = self.out(h)
        return logits
```

　GPT の位置符号 `self.pos_emb` は、学習によって最適な符号化方略に近づく関数であるため、
`nn.Parameter` を用いて、学習するパラメータとして定義した。`[Transformer_GPT_block()`
`for _ in range(n_layer)]` は Python の内包表現を表す。結果として、`n_layer` 個
の `Transformer_GPT_block()` が含まれたリストが得られる。`*` 記号をリストの前に置くこ
とでリストを展開して `nn.Sequential` に渡すことができる [†22]。

　`forward` 内では、入力されたデータを embedding 層に渡し、位置符号と足し合わせること
で Transformer 層の入力データ H_0 を得る (8.53 式)。この H_0 を Transformer block に渡し、

[†22] リストを関数に渡す際に`*`を用いると、`func(*[a, a, a])` の結果は `func(a, a, a)` と一致になる

Transformer block の出力 $\boldsymbol{H}_l$ を得る。この出力を層正規化、ユニット数が `vocab_size` の全結合層に順に入力することで (8.53 式の $\boldsymbol{W}^T \boldsymbol{h}_L^{(k)}$ 部分)、次の単語を予測するベクトルを得る。

　最後の出力の部分は softmax 関数を使用しなっかた。なぜなら、Pytorch では、損失関数をに指定した場合、モデルの出力に softmax 関数が適用された後に、損失が計算されるからである。したがって GPT の場合では、損失関数としてクロスエントロピーを使用するため、最後の出力で明示的に softmax 関数を使用する必要はない (使用すると、出力で 2 回 softmax 関数を適応することになる)。

8.7　課題

　配布資料では、以上の GPT コードを用いて、俳句を生成するモデルを学習させるコードがある。これらのコードを読み、それぞれのコードが行う処理について理解せよ。

　また、コードの最後の部分では、先頭のいくつかの文字を提示すると、残りの語句をモデルによって生成し俳句にする処理がある。この提示文字を変え、自分でこのモデルを用いて俳句を生成せよ。

　さらに、チャレンジ課題として、自分でデータを集めて GPT に学習させ、俳句以外の言語生成モデルを作ってみてほしい。例えば、青空文庫で自分が好きの作家の小説をスクレイピングしその作家風の文を生成するモデルや、漢詩を生成するモデルを作ってみよう。

付録 B：行列の計算

　第 8 章と第 10 章で扱う行列の計算に関して解説を行う。具体的には、行列の演算と行列の転置について説明する。

　行列とは数値が縦横に並んだ形式のことを指す。

$$A = \begin{bmatrix} a_{11} & a_{12} & a_{13} \\ a_{21} & a_{22} & a_{23} \end{bmatrix} \qquad c = \begin{bmatrix} c_1 \\ c_2 \end{bmatrix}$$

行列 A の i 行 j 列目の要素を a_{ij} とする。上式中の行列 A は 2 行 3 列の行列である。サイズ 2×3 の行列ともいう。また、ベクトルは n 行 1 列の行列と見ることもできる。上式中の 2 次元ベクトル c は 2×1 の行列でもある。

　行列の和は対応する要素を足すことで得られる。差の計算も同様である。和と差の演算で用いる行列のサイズはすべて同じでなくてはならない。2×3 の行列の場合は

$$A + B = \begin{bmatrix} a_{11} & a_{12} & a_{13} \\ a_{21} & a_{22} & a_{23} \end{bmatrix} + \begin{bmatrix} b_{11} & b_{12} & b_{13} \\ b_{21} & b_{22} & b_{23} \end{bmatrix} = \begin{bmatrix} a_{11}+b_{11} & a_{12}+b_{12} & a_{13}+b_{13} \\ a_{21}+b_{21} & a_{22}+b_{22} & a_{23}+b_{23} \end{bmatrix}$$

のようになる。ベクトルの場合も同じく以下のようになる。

$$c + d = \begin{bmatrix} c_1 \\ c_2 \end{bmatrix} + \begin{bmatrix} d_1 \\ d_2 \end{bmatrix} = \begin{bmatrix} c_1 + d_1 \\ c_2 + d_2 \end{bmatrix}$$

行列の積について、異なる 2 つの行列の積をとるとき、かけられる行列の列数とかける行列の行数が同じである必要がある。それらが揃っていない行列は積を取ることができない。

　サイズが $n \times m$ の行列 $\boldsymbol{A}$ と $m \times l$ の行列 $\boldsymbol{B}$ の積 $\boldsymbol{AB}$ をとる場合、結果の行列の形はかけられる行列 $\boldsymbol{A}$ の行数 n と、かける行列 $\boldsymbol{B}$ の列数 l から構成される $n \times l$ 行列となる。例として、2×3 の行列 $\boldsymbol{A}$ と 3×2 の行列 $\boldsymbol{B}$ の積 $\boldsymbol{AB}$ について考える。結果の行列は $\boldsymbol{A}$ の行数が 2 で $\boldsymbol{B}$ の列数が 2 であるから、2×2 の行列が得られる。結果の行列を $\boldsymbol{E}$ とする。$\boldsymbol{AB} = \boldsymbol{E}$ を行列形式で記述すると以下となる。

$$\boldsymbol{AB} = \begin{bmatrix} a_{11} & a_{12} & a_{13} \\ a_{21} & a_{22} & a_{23} \end{bmatrix} \begin{bmatrix} b_{11} & b_{12} \\ b_{21} & b_{22} \\ b_{31} & b_{32} \end{bmatrix} = \begin{bmatrix} e_{11} & e_{12} \\ e_{21} & e_{22} \end{bmatrix} = \boldsymbol{E}$$

$\boldsymbol{E}$ の i 行 j 列目の要素 e_{ij} は $\boldsymbol{A}$ の i 行目の全ての要素と $\boldsymbol{B}$ の j 列目の全ての要素を取り出し、対応する各要素を掛け、総和をとったものとなる。したがって $\boldsymbol{E}$ の 1 行 2 列目の要素である e_{12} は

$$e_{12} = \sum_{k=1}^{3} a_{1k} b_{k2} = a_{11} b_{12} + a_{12} b_{22} + a_{13} b_{32}$$

となる。

　また、行列と定数の積を取ることもできる。定数 r を掛ける際には、行列の全要素を r 倍する。

$$r\boldsymbol{A} = r \begin{bmatrix} a_{11} & a_{12} & a_{13} \\ a_{21} & a_{22} & a_{23} \end{bmatrix} = \begin{bmatrix} ra_{11} & ra_{12} & ra_{13} \\ ra_{21} & ra_{22} & ra_{23} \end{bmatrix}$$

　ある行列の行要素と列要素を入れ替えたものを転置行列と呼ぶ。行列を $\boldsymbol{A}$ とすると、$\boldsymbol{A}$ の転置行列は $\boldsymbol{A'}$ と記述する。例えば、3×2 の行列 $\boldsymbol{A}$ の転置行列 $\boldsymbol{A'}$ は以下のようになる。

$$\boldsymbol{A} = \begin{bmatrix} a & b \\ c & d \\ e & f \end{bmatrix} \quad \boldsymbol{A'} = \begin{bmatrix} a & c & e \\ b & d & f \end{bmatrix}$$

第**9**章

教師なし学習1

　教師なし学習 (unsupervised learning) は、正解ラベル (基準変数) を用いない機械学習手法である。教師あり学習では、回帰であれ分類であれ教師となるラベルが使われていた。しかし、本章と次章で紹介する教師なし学習では、正解を教える教師情報を利用せずに、観測対象として与えられた入力データそのものから背後にある構造やパターンを学習する。なお本章と次章における特徴量という用語は、これまでの章で用いた予測変数に相当する。

　教師なし学習は単にそれ自身として有用なだけでなく、教師あり学習における特徴量エンジニアリング[†1] にも利用できる。例えば、データを直接に入力値として使用するのではなく、次元削減によって得られた特徴量を用いることがある。次元削減された特徴量は、学習の過程でノイズを捨ててなるべく重要な情報のみを保持している。そのため、新たな特徴量を利用した教師あり学習は過学習しにくくなり、汎化性能が向上する。さらに、教師あり学習における次元の呪い[†2] に対しても、次元削減を行った特徴量を用いることで対処することがある。

　1.7 節でも述べたように、教師なし学習はクラスタリング・次元削減・その他の 3 種に大別される。本章では、クラスタリングとして k-means 法、次元削減としてオートエンコーダ、その他としてアソシエーション分析という 3 つの手法について説明する。

9.1　k-means 法

　k-means 法は、非階層型クラスタリング手法の 1 つである。k-means 法は 1967 年にマックィーンによって提案され、k 個のクラスタの平均 (中心点) を計算することから k-means 法と名付けられた。k-means 法はハードクラスタリング (hard clustering)[†3] であり、各データはそれぞれ 1 つのクラスタに割り当てられる。手法として理解がしやすく、比較的大きなデータに

[†1] 特徴量エンジニアリング (feature engineering) とは、機械学習の性能を向上させるために新たな特徴量を作成することである。

[†2] 次元の呪い (curse of dimensionality) とは、データの次元数が高次元になると、データが表現できるパターンの数が指数関数的に膨大になり、限られたデータでは適切な学習結果を得ることが困難になる現象である。

[†3] ハードクラスタリングと反対に、データに対し各クラスタへの所属確率を与えるクラスタリング手法をソフトクラスタリング (soft clustering) と呼ぶ。

も適用できるため、マーケティングにおける顧客セグメンテーションやコンピュータビジョンでの対象追跡など広範に用いられている。

　k-means 法で注意するべき点は、分析者はあらかじめクラスタ数を定める必要があることである。このため、観測データがそのまま 2 次元や 3 次元で可視化できない場合や、観測対象に対する事前知識が不足してクラスタ数の検討がつかない場合には、複数のクラスタ数で試行錯誤しながら最終的なクラスタ数を決める必要がある。この際、適切なクラスタ数の探索では、Python での実装の際に解説するエルボー法といった指標が用いられている。

9.1.1　k-means 法のアルゴリズム

k-means 法では以下のアルゴリズムに従ってクラスタリングを行う。

1. クラスタ数 k、変化量の閾値 ϵ、反復回数 i を決める。
2. 初期値として、k 個の中心点をランダムに選ぶ。
3. 各データ点を、そのデータ点と最も近い中心点を持つクラスタに割り当てる。この際中心点との距離は、ユークリッド距離が用いられることが多い[†4]。
4. 各クラスタの中心点を、そのクラスタ内のすべてのデータ点の平均 (重心) に更新する。
5. 各データ点について、新しい中心点との距離を計算し、最も近い中心点を持つクラスタに再度割り当てる。
6. 上記の 4 と 5 の処理を、全てのデータ点の割り当てに変化がなくなるか、変化量が事前に設定した一定の閾値を下回るか、事前に設定した反復回数に達した場合に収束したと判断して処理を終了する。

[†4] ユークリッド距離とは以下の式で表される距離である。ここでは、m 次元空間に属する 2 つの点 $\boldsymbol{x}, \boldsymbol{y}$ のユークリッド距離を定義する。

$$d(\boldsymbol{x}, \boldsymbol{y}) = \sqrt{\sum_{i=1}^{m}(x_i - y_i)^2}$$

例えば、$\boldsymbol{x}, \boldsymbol{y}$ が $\boldsymbol{x} = (3, 5), \boldsymbol{y} = (4, 2)$ とするならば、ユークリッド距離は $d(\boldsymbol{x}, \boldsymbol{y}) = \sqrt{(3-4)^2 + (5-2)^2} = \sqrt{10}$ となる。

　ここで k-means 法のアルゴリズムを数値例で確認してみよう。表 9.1 には 8 つの観測対象の x と y という 2 変数の状態が示されている。

表 9.1●**8 つの観測対象の 2 つの変数による測定値**

観測対象	x	y
A	5	4
B	−2	2
C	0	1
D	−1	0
E	4	4
F	1	1
G	6	3
H	4	3

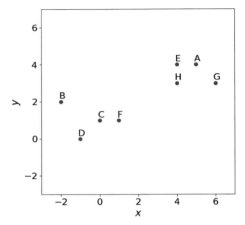

図 9.1●**8 つの観測対象の散布図**

　このデータに対して k-means 法を適用することを考える。ただし、ここでは変化量の閾値や反復回数は考えないことにする。まず図 9.1 より、クラスタ数を 2 とする (手順 1)。次に、2 個の中心点をランダムに選ぶ。ここでは点 C と点 F を初期値として選択する (手順 2)。ここで選ばれた点 C と点 F と、それ以外の各データ点との距離を計算し、距離が小さい方の点を中心としたクラスタへ割り当てる。ここでは、(BCD) のクラスタと、(AEFGH) のクラスタに分かれることになる (手順 3)。続いて、クラスタごとに重心を算出し、クラスタの中心点を更新する。クラスタ (BCD) の中心点は、

$$\frac{(-2) + 0 + (-1)}{3} = -1 \qquad \frac{2 + 1 + 0}{3} = 1$$

となるため、クラスタ (BCD) の中心点は $(-1, 1)$ であり、同様にクラスタ (AEFGH) の中心点は $(4, 3)$ である (手順 4)。これらの中心点と各データ点との距離を計算し、最も近い中心点を持つクラスタに再度割り当てる。表 9.2 を確認すると、点 F のみクラスタ (BCD) の方が近くなっているため、点 F をクラスタ (BCD) に割り当てる (手順 5)。次に再度クラスタの中心

点を計算すると、クラスタ (BCDF) の中心点は $(-1/2, 1)$ であり、クラスタ (AEGH) の中心点は $(19/4, 7/2)$ である (手順 4)。この 2 つの中心点と各データ点の距離を計算して、最も近い中心点を持つクラスタに割り当てるが、表 9.3 を見ると、今回はどのデータ点についても元々所属していたクラスタの中心点が最近傍となっているため、割り当てに変化はない。したがって k-means 法のアルゴリズムを終了する (手順 6)。

表 9.2 ● 中心点までの距離の 2 乗 (1 回目)

観測対象	(BCD)	(AEFGH)
A	45	2
B	2	37
C	1	20
D	1	34
E	34	1
F	4*	13
G	53	4
H	29	0

表 9.3 ● 中心点までの距離の 2 乗 (2 回目)

観測対象	(BCDF)	(AEGH)
A	39.25	0.31
B	3.25	47.81
C	0.25	28.81
D	1.25	45.31
E	29.25	0.81
F	2.25	20.31
G	46.25	1.81
H	24.25	0.81

9.1.2　k-means 法の定式化

k-means 法は、クラスタ内誤差平方和 (sum of squared errors, SSE) を反復的に最小化する最適化問題として定式化できる。まず d 次元の特徴量をもつ N 個のデータ $\boldsymbol{x} = (x_1, \ldots, x_n, \ldots, x_N)$ があるとする。次にデータから K 個の中心ベクトル $\boldsymbol{c} = (c_1, \ldots, c_k \ldots, c_K)$ を選ぶ。中心ベクトルは平均 (重心) がよく用いられ、これが K 個のクラスタの各中心点となる。このとき、以下で定義される SSE を最小にするように、データを K 個のクラスタに振り分ける。

$$SSE = \sum_{k=1}^{K} \sum_{x \in c_k} (x - c_k)^2 \tag{9.1}$$

(9.1) 式は、各クラスタに属する全データについてクラスタ中心との距離の 2 乗を求めている。ここで (9.1) の右式にある $\sum_{x \in c_k}$ は、k 番目クラスタに属する x に対して総和を計算することを表している。例えば、先ほどの数値例で言えば、1 番目のクラスタに属するデータ点

(BCDF) に対しては $c_1(-1/2, 1)$ から、2 番目のクラスタに属するデータ点 (AEGH) に対しては $c_2(19/4, 7/2)$ から、それぞれの距離の二乗和を求めることで $K = 2$ の SSE は最小化される。クラスタ中心との距離の二乗和が小さいということは、データ点がそれだけ中心に集まっており、クラスタを形成していることを意味する。そのため、SSE はクラスタの最適な個数を求める際に使用するエルボー法でも用いられる。

9.1.3　k-means 法の注意点

　k-means 法の結果は、局所最適解でありランダムに選択される初期値に依存してしまうという欠点がある。そのため、k-means++法という手法を利用して初期値がランダムではなく、互いになるべく遠ざけるよう確率的に重み付けた上で初期値を選択することによってこの問題に対処することが多い。

　また、k-means 法はクラスタに超球状 (2 次元の場合は円状) を仮定しているため、複雑な形をしたクラスタの場合は分類が難しい。加えて、ユークリッド距離を使って実際のデータに k-means 法を適用する場合は、データが同じ尺度で数値化されるように、標準化か正規化を行う必要がある。

9.2　オートエンコーダ

　オートエンコーダ (autoencoder, AE) は、ニューラルネットを用いて入力データを変換し、出力で再構築する、教師なし学習または自己教師学習 (self-supervised learning) 手法の 1 つである。正解ラベルを用いずに、自分自身である入力データが出力で再現されるよう学習することから自己符号化器とも呼ばれる。入力と同じ値の出力が再現されるようにニューラルネットを学習させるというのは、一見すると意味のないように思える。しかし、オートエンコーダでは出力値を得ることが目的なのではなく、潜在空間である隠れ層で入力値の中から重要な特徴

量を獲得することを目標としている。

オートエンコーダは、図 9.2 のように入力値 x を隠れ層の潜在変数 z に変換するエンコーダ (符号化器) 部分と、潜在変数 z を元のデータに戻るよう出力値 $\hat{x}$ に変換するデコーダ (復号化器) 部分から構成されている。図 9.2 では、隠れ層のユニット数が入力層よりも少なくなっており、エンコーダによって入力値が隠れ層で低次元に圧縮されている。ここで、圧縮されてもなお、デコーダによって同じ値が出力されるよう学習するということは、隠れ層ではノイズとなる情報を削ぎ落とし、データの中からより重要で本質的な特徴量を抽出していると考えられる。

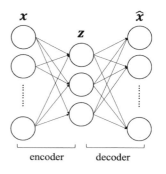

図 9.2●オートエンコーダ

したがって、オートエンコーダは、隠れ層で得られた特徴量を用いて、次元削減による可視化や教師あり学習前の特徴量エンジニアリングに利用できる。他にも、欠測したデータを元のデータに復元する欠測データの再構築や、正常データを用いて学習し入力データのうち出力で十分に再現されないものを異常データとして捉える異常検知などに活用される。

オートエンコーダは、入力層と出力層のユニット数が同じであるだけで、これまで学んできたニューラルネットの一種と見なせる。そのため、通常のニューラルネットと同様に学習には誤差逆伝播法を用いることができる。

9.2.1　様々なオートエンコーダ

オートエンコーダは図 9.2 に示した基本構造を端緒として様々なモデルに分かれる。

まず、エンコーダの出力次元数が、元の入力の次元数よりも小さくなるモデルは未完備オートエンコーダ (undercomplete autoencoder) と呼ばれる。これはオートエンコーダの中でも最も単純なモデルであり、初めに示した図 9.2 のように砂時計型になる。未完備オートエンコーダの隠れ層では、元の次元数よりも少ない次元数で入力値を表現するために、データの中からより本質的な特徴量を必然的に学習する。

一方、図 9.3 のようにエンコーダの出力次元数が、元の入力の次元数よりも大きくなるモデルは過完備オートエンコーダ (over-complete autoencoder) と呼ばれる。過完備オートエンコーダは、隠れ層の次元数が入力層の次元数よりも大きいため、そのまま学習を行うと、入力されたデータがニューラルネットを素通りし単にコピーされる (恒等写像) という、何の有用な特徴量も獲得しない無意味な学習を行ってしまう。そのため、ドロップアウト [†5] により活性化するユニット数を減らしたり、次に説明するスパース正則化を組み込むことで対処する必要がある。

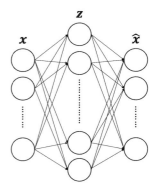

図 9.3●過完備オートエンコーダ

このうち、スパース正則化を課したオートエンコーダは、特にスパースオートエンコーダ (sparse autoencoder) と呼ばれる。スパースオートエンコーダでは、隠れ層のユニットの多くが 0 を出力し、一部のユニットのみで 0 でない出力するように、各ユニットの平均活性度がある一定の値 ρ に近づくよう調整する [†6]。ここで平均活性度とは、全入力データの活性度 (0 でない出力をとる) の平均であり、入力データ数を N, i 番目の入力データを $\boldsymbol{x}_i$, i 番目のデータの入力を受けたときの隠れ層の j 番目の出力を $y_j(\boldsymbol{x}_i)$ とすると、隠れ層の j 番目のユニットの平均活性度 $\hat{\rho}_j$ は $\hat{\rho}_j = 1/N \sum_{i=1}^{N} y_j(\boldsymbol{x}_i)$ と表される。

これによって、隠れ層では一部のユニットしか活性化しないだけでなく、活性化したユニットのうち、どのユニットが活性化したのかといった情報も活用できるため、隠れ層の次元数の大きさという過完備性を有効に利用できる。一般に隠れ層のユニット数が多いほど自由度が高まり、表現力が増すため、スパースオートエンコーダを含めた過完備オートエンコーダはうまく構築できれば、強力な汎化性能が得られる。

また、意図的に入力データにノイズを加えて、ノイズ追加前の元データを再現するよう学習するオートエンコーダは、ノイズ除去オートエンコーダ (denoising autoencoder) と呼ばれる。

[†5] ドロップアウトとは、学習時に設定した確率でランダムにユニットを一時的に不活性化して学習を行うことである。不活性化ではそのユニットを存在しないものとして扱い、それ以外のユニットだけで順伝搬・逆伝搬・パラメータ更新を行う。

[†6] この値は通常 0.05 が指定される。

加えられるノイズには、平均 0 分散 σ^2 を持つ正規分布から無作為抽出されるガウスノイズや、入力データのうち一定の割合の要素をランダムに選んでその値を 0 にする欠落ノイズ、入力データの要素をランダムに選んでその値を再度ランダムに上限または下限の値にする (例えば上限が 1、下限が 0 である場合にはランダムに 1 か 0 にする) ごま塩ノイズなどがある。このようなノイズを加えることで、ノイズ除去オートエンコーダは、ノイズに対してより強い性能が得られるように学習する。

これ以外にも、音声データや画像データなどに対しては、第 6 章や第 7 章で学んだ再帰的ニューラルネットや畳み込みニューラルネットを用いてオートエンコーダを構成することが可能である。

9.3 アソシエーション分析

アソシエーション分析 (association analysis) とは、「スーツを購入する客は、ネクタイも購入する割合が高い」のような「ある事象 A が発生すると、別の事象 B も発生しやすい」という事象間の連関を分析する手法である。この連関は、アソシエーションルール (association rule) や連関規則と呼ばれ、アソシエーション分析では A → B といった方向性のあるルールを構成できる。例えば、上の例では、スーツとネクタイが同時に購入されるとしても、ネクタイを購入しにきた客が追加でスーツも購入するよりは、スーツを購入しにきた客が追加でネクタイを購入する方が現実としてあり得そうである。このように、単に同時に購入されるとしても「スーツの購入 → ネクタイの購入」と「ネクタイの購入 → スーツの購入」を区別して、より有用な知見を得られるのがアソシエーション分析の特徴である。

アソシエーションルールは、「スーツを買う」→「ネクタイを買う」や「ビールを買う」→「枝豆を買う」のような単一の属性ばかりではなく、「サラダ&パンを買う」→「紅茶を買う」のように A や B が論理命題 (多くの場合&の結合) である場合も少なくない。このようなアソシエーションルール A → B の中で、A を条件部 (antecedent) といい、B を帰結部 (consequent) とい

う。これらの A と B を確率事象と見なして、膨大なトランザクション (transaction：購買) の記録の中から有用なアソシエーションルールを見つけることは、特にバスケット分析と呼ばれる。バスケット分析とは、本来は「お客が買い物かご (basket) に一緒に入れる商品は何かを分析する」という意味であるが、購買行動以外の分野でも、アンケート回答の傾向や医薬品により発現した副作用間の関連性評価など同時性のあるデータであれば適用することが可能である。

9.3.1　アソシエーション分析における指標

　有用なアソシエーションルールを見つけ出すためには様々な指標が提案されているが、ここでは以下の 5 つの指標を解説する。

支持度 (Support)　A の支持度 Supp(A) は全事象 Ω に占める事象 A の割合である。例えば、分析対象の全トランザクション数を n(Ω)、商品 A の購入を含むトランザクションの総数を n(A) とする。このときの商品 A の支持度は

$$\mathrm{Supp(A)} = \frac{\mathrm{n}(A)}{\mathrm{n}(\Omega)} = P(A) \tag{9.2}$$

と定義される。同様に商品 B のトランザクションの総数を n(B) とすると、

$$\mathrm{Supp}(B) = \frac{\mathrm{n}(B)}{\mathrm{n}(\Omega)} = P(B) \tag{9.3}$$

となる。また、アソシエーションルール A → B の支持度 Supp(A → B) も計算することができ、商品 A と商品 B が一緒に購入されたトランザクションの総数を n(A ∩ B) とすると

$$\mathrm{Supp}(A \to B) = \frac{\mathrm{n}(A \cap B)}{\mathrm{n}(\Omega)} = P(A, B) \tag{9.4}$$

となる。これは商品 A と商品 B が同時に購入される確率、すなわち同時確率を意味している。

信頼度 (Confidence)　アソシエーションルール A → B の信頼度 Conf(A → B) とは、商品 A を購入した人が商品 B も購入する割合である。つまり、商品 A の購入を条件としたと

きに商品 B を購入する条件付き確率を意味している。したがって、$\mathrm{Conf}(A \to B)$ は

$$\mathrm{Conf}(A \to B) = \frac{\mathrm{Supp}(A \to B)}{\mathrm{Supp}(A)} = \frac{P(A,B)}{P(A)} = P(B|A) \tag{9.5}$$

と表される。一般に信頼度の高いルールは、適用さえできれば高い確率でヒットするという意味で重要である。

リフト (Lift)　アソシエーションルール A → B のリフト $\mathrm{Lift}(A \to B)$ は、上記の信頼度 $\mathrm{Conf}(A \to B)$ を、$\mathrm{Supp}(B)$ で割ったもので、

$$\mathrm{Lift}(A \to B) = \frac{\mathrm{Conf}(A \to B)}{\mathrm{Supp}(B)} = \frac{P(B|A)}{P(B)} = \frac{P(A,B)}{P(A)P(B)} \tag{9.6}$$

と定義される。リフトは改善率とも呼ばれ、商品 A の購入によって商品 B の購入がどれくらい促進されるのかを表している。もし商品 A と商品 B の購入に正の相関があるならば $\mathrm{Lift}(A \to B) > 1$ となり、商品 A によって商品 B の購入が促されることを意味する。もし商品 A と商品 B の購入が無相関ならば $\mathrm{Lift}(A \to B) = 1$ となり、商品 A は商品 B の購入に無関係である。商品 A と商品 B の購入に負の相関があるならば、$\mathrm{Lift}(A \to B) < 1$ となり商品 A は商品 B の購入を妨げていることになる。

影響度 (Leverage)　アソシエーションルール A → B の影響度 $\mathrm{Lev}(A \to B)$ とは、A と B が同時に生じる頻度 $\mathrm{Supp}(A \to B)$ から A,B が独立に起こる頻度 $\mathrm{Supp}(A) \times \mathrm{Supp}(B)$ を引いたもので、

$$\mathrm{Lev}(A \to B) = \mathrm{Supp}(A \to B) - \mathrm{Supp}(A) \times \mathrm{Supp}(B) = P(A,B) - P(A)P(B) \tag{9.7}$$

と表される。影響度はリフトと同様に A と B の共起性を示す指標であり、正の相関があれば $\mathrm{Lev}(A \to B) > 0$ となり同時購入の傾向、無相関であれば $\mathrm{Lev}(A \to B) = 0$、負の相関があれば $\mathrm{Lev}(A \to B) < 0$ となり同時には購入されにくい傾向があると解釈される。

確信度 (Conviction)　アソシエーションルール A → B の確信度 $\mathrm{Conv}(A \to B)$ とは、

$$\mathrm{Conv}(A \to B) = \frac{1 - \mathrm{Supp}(B)}{1 - \mathrm{Conf}(A \to B)} = \frac{1 - P(B)}{1 - P(B|A)} = \frac{P(A)(1 - P(B))}{P(A) - P(B|A)P(A)} \tag{9.8}$$

$$= \frac{P(A)P(B^c)}{P(A, B^c)} \tag{9.9}$$

で定義され、Lift($A \rightarrow B$) の分母と分子をそれぞれ 1 から引いて、上下を入れ替えた形になっている。1 から引いているため、商品 A によって商品 B を「買わない」確率が何分の 1 になるのかを表す指標となる。確信度もリフトと同様に 1 より大きければ、商品 A が商品 B の購入を促していることになるが、リフトでは必ず Lift($A \rightarrow B$) = Lift($B \rightarrow A$) になるのに対し、確信度では Conv($A \rightarrow B$) と Conv($B \rightarrow A$) の値が必ずしも一致しないため、方向性を持った解釈が可能である。

9.3.2　アプリオリ・アルゴリズム

　アソシエーションルールは前節の指標を用いて手計算で簡単に求めることができる。しかし、実際のバスケット分析では数万から数十万人の顧客のデータが解析され、数千から数万種類の商品の中から購入した商品をチェックする。例えば、A → B の単純なルールであっても、商品数が 100 であると、100×99 の組み合わせになり、A&B → C であれば、$100 \times 99 \times 98$ の組み合わせをチェックしなければならない。実際には、A&B&C&D → E のように更に複雑なルールも探索の範囲に含める必要があるため、その数は膨大になってしまう。そこで、計算量を減らし効率的に処理するために様々なアルゴリズムが考案された。その中でも古くから広く使用されているのが 1994 年にアグラワルらによって提案されたアプリオリ・アルゴリズムである[7]。

　このアルゴリズムでは、最低支持度を閾値として設定し、それを下回るルールは計算の対象から除外される。支持度の低いルールはそれだけ生じる確率が低いため、現実としてそれほど重要でないと考えられる。複雑なルールは支持度がどんどん小さくなるため (確率の積は小さくなる)、これによってアプリオリ・アルゴリズムは計算を高速化できる。ただし、最低支持度を高く設定すると一部の人気ルールしか残らず、低くするとノイズの多いルールが残ってしまうため、最低支持度のパラメータ設定はアソシエーション分析において重要である。なお実際の

---

[7] Agrawal, R., & Srikant, R. (1994).　Fast Algorithms for Mining Association Rules in Large Databases. Very Large Data Bases Conference.

分析では、その後に最低信頼度や最低リフト値を設定し、より質の高いルールを探索していく。

9.4 Python による実装

9.4.1 k-means 法による顧客セグメンテーション

UCI Machine Learning Repository にあるポルトガルの卸売業者の顧客データ (Wholesale customers dataset[8]) に対して k-means 法による分析を行う。このデータは主に食料品を取り扱う卸売業者の年間の顧客データであり、計 440 件の顧客がどのような食品を仕入れたのかがまとめられている。このデータの冒頭 3 件を表 9.4 に、列名の説明を表 9.5 に示す。

表 9.4 ● 卸売業者の顧客データ (上から 3 件)

	CHANNEL	REGION	FRESH	MILK	GROCERY	FROZEN	DETERGENTS_PAPER	DELICATESSEN
0	2	3	12669	9656	7561	214	2674	1338
1	2	3	7057	9810	9568	1762	3293	1776
2	2	3	6353	8808	7684	2405	3516	7844

表 9.5 ● 卸売業者の顧客データの列名

CHANNEL	販路、1.Horeca(Hotel/Restaurant/Cafe)　2.小売
REGION	顧客の地域、1.リスボン市　2.ポルト市　3.その他
FRESH	生鮮品の年間支出 (単位通貨)
MILK	牛乳の年間支出 (単位通貨)
GROCERY	食料雑貨の年間支出 (単位通貨)
FROZEN	冷凍食品の年間支出 (単位通貨)
DETERGENTS_PAPER	洗剤と紙類の年間支出 (単位通貨)
DELICATESSEN	惣菜の年間支出 (単位通貨)

顧客を分類するにあたって、販路 (Channel) が違えば、何をどれくらい購入するのかといった購買行動も異なると考えられる。そこで今回は、販路が 1.Horeca(ホテル・レストラン・カフェ) の顧客に絞って分析を行っていく。

---

[8] https://archive.ics.uci.edu/ml/datasets/wholesale+customers

　Python では、`sklearn.cluster.KMeans` で k-means 法を実装することができる。まずは、ドライブをマウントし、必要なライブラリをインポートする。

```
#Drive をマウント
from google.colab import drive
drive.mount('/content/drive')

#必要なライブラリをインポート
import pandas as pd
import numpy as np
import matplotlib.pyplot as plt
from sklearn.cluster import KMeans
from sklearn.preprocessing import MinMaxScaler
%matplotlib inline
```

　次にデータを読み込み、読み込んだデータから経路 (Channel) を Horeca に限定する。そして、データを正規化し、新たな正規化データを格納したデータフレームを作成する。また、今回は Region は使用しないため、`drop()` 関数の引数を `axis=1` とすることで列方向に Region 列を削除している。`horeca` の値の正規化には `MinMaxScaler()`、データフレームの作成には `pd.DataFrame()` を用いる。

```
#データを読み込む
df = pd.read_csv('/content/drive/MyDrive/toyodaAI/Ch09/data/Wholesale customers data.csv')

#経路を Horeca だけに限定
horeca = df[df['Channel']==1].drop(['Channel','Region'],axis=1)

#正規化してデータフレームを作成
horeca_norm = MinMaxScaler().fit_transform(horeca)
horeca_norm = pd.DataFrame(horeca_norm ,columns = horeca.columns)
```

　正規化されたデータに対して `KMeans()` で k-means 法を実行する。ここでは、`n_clusters` でクラスタ数を 4 に指定する。分析の結果として得られたクラスタ番号は `cluster.labels_` に格納されているため、これを元のデータフレームに新たな列として加える。

　さらに分析結果がより分かりやすくなるように、クラスタごとに各支出額の平均を求めて棒グラフで可視化する。グラフ作成では `plot()` を用いて `kind=bar` で棒グラフを指定する。ここでは `colormap` でグラフの色を視認性の高い `viridis` とし、`alpha` ではグラフの透明度を 0.8 に指定している [9]。これによって得られる棒グラフが図 9.4 である。

---

[9] alpha の値が 1 に近いほど透明に、0 に近いほど不透明になる

　この図を見ると、Cluster2 は全体的に多くの食品を購入しているが、一方で Cluster1 は購入量が少ないことが分かる。また、Cluster0 は生鮮品と食料品の購入量が多く、Cluster3 は冷凍食品と惣菜の購入量が突出して多いのが確認できる。

```
#Kmeans 法を行い、クラスタラベルを horeca_norm に追加する
cluster = KMeans(n_clusters=4,random_state=0).fit(horeca_norm)
horeca_norm['Cluster']=cluster.labels_

#クラスタごとに各支出額の平均を求め、棒グラフで可視化する
horeca_cluster = horeca_norm.groupby('Cluster').mean()
horeca_cluster.plot(kind='bar',colormap='viridis',alpha=0.8)
```

　最後にエルボー法を使って、最適なクラスタ数を探索する。エルボー法では、クラスタ数を変化させたときの SSE の減少を確認し、この SSE が急激に減少してから緩やかになる転換点を最適なクラスタ数とする。ここでは、まず SSE という名前の空のリストを作成し、model.inertia_ に格納されている SSE の値を SSE に追加している。この処理を 2 ～ 10 までのクラスタ数で繰り返し、最後に plt.plot() で折れ線グラフとして図 9.5 に示した。

　この図を見るとクラスタ数が 4 のときに若干ながら傾きが緩やかになっているのが確認できる。ただし、エルボー法では必ずしも最適なクラスタ数が得られるわけではないため、他の指標やドメイン知識とも照らし合わせながらクラスタ数を探索することが推奨される。

```
#エルボー法の実行
SSE=[]
for i in range(2,11):
    model = KMeans(n_clusters=i,random_state=0).fit(horeca_norm.drop('Cluster',axis=1))
    SSE.append(model.inertia_)

plt.plot(range(2,11), SSE, marker='o')
plt.xticks(np.arange(2,11,1))
plt.xlabel('Number of clusters')
plt.ylabel('SSE')
plt.show()
```

9.4.2　オートエンコーダによる顧客データでの次元削減

　k-means 法で用いた卸売業者の顧客データに対して、オートエンコーダによって次元削減を行う。ここでは k-means 法で利用した顧客データやライブラリは既に読み込まれているものとする。まず追加で必要なライブラリをインポートし、乱数を固定する。

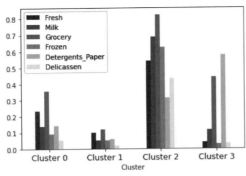
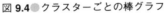

図 9.4●クラスターごとの棒グラフ

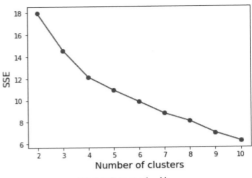

図 9.5●エルボー法

```
#必要なライブラリをインポートする
import torch
import torch.nn as nn

#乱数の固定
torch.manual_seed(0)
```

　次にデータの形式をテンソル型に変換する。そしてオートエンコーダのクラスを作成し、インスタンス化を行う。オートエンコーダは第5～7章で扱ったのと同様にニューラルネットであるため、PyTorch で同じように実装することができる。ここでは、隠れ層を4層にし、活性化関数には ReLU 関数とシグモイド関数を使用する。なお、k-means 法で用いた `horeca_norm` には、`Cluster` 列が追加されているため、`drop()` で削除してからテンソル型に変換する。

```
#データの形式を tensor にする
horeca_tensor = torch.Tensor(horeca_norm.drop(['Cluster'],axis=1).values).float()

#ユニット数を定義
input_dim = horeca_tensor.shape[1]
hidden_dim1 = 4
hidden_dim2 = 2

# オートエンコーダを作成する
class Autoencoder(nn.Module):
    def __init__(self, input_dim, hidden_dim1, hidden_dim2):
        super().__init__()
        self.encoder = nn.Sequential(
            nn.Linear(input_dim, hidden_dim1),
            nn.ReLU(inplace=True),
            nn.Linear(hidden_dim1,hidden_dim2))
        self.Sigmoid = nn.Sigmoid()
        self.decoder = nn.Sequential(
            nn.Linear(hidden_dim2, hidden_dim1),
            nn.ReLU(inplace=True),
            nn.Linear(hidden_dim1,input_dim))
```

```
        def forward(self, x):
            x = self.encoder(x)
            x = self.Sigmoid(x)
            x = self.decoder(x)
            return x

model = Autoencoder(input_dim, hidden_dim1, hidden_dim2)
```

続いて、オートエンコーダの学習を行う。デコーダ関数に対応して損失関数には平均二乗誤差を使用し、最適化手法には Adam を用いる。

```
#損失関数と最適化手法を定義する
criterion = nn.MSELoss()
optimizer = torch.optim.Adam(model.parameters(), lr=0.01)

#学習を開始する
for epoch in range(10000):
    pred = model(horeca_tensor)
    loss = criterion(pred, horeca_tensor)
    optimizer.zero_grad()
    loss.backward()
    optimizer.step()
    if epoch % 1000 == 0:
        print(f'Epoch: {epoch}, Loss: {loss.item()}')
```

最後に、学習で得られた潜在変数を利用して、`plt.scatter()` で散布図を作成する。この関数では引数の `marker` で各点の形を指定できる。今回は `markers` として三角 (^)・四角 (s)・丸 (o)・星 (*) を指定した。for 文を利用して k-means 法で得られたクラスタ番号も付置して可視化すると図 9.6 のようになる。

```
#次元削減されたデータを取得する
encoded_data = model.encoder(horeca_tensor).detach().numpy()

# 散布図をプロットし、各点にクラスタ番号を表示
markers = ['^', 's', 'o', '*'] # プロット点の形
for i in range(4):
    cluster_data = encoded_data[horeca_norm['Cluster']==i]
    plt.scatter(cluster_data[:, 0], cluster_data[:, 1],
                label=f'Cluster {i}', marker=markers[i])

# legend を表示
plt.legend(fontsize=12, loc='lower left')
plt.show()
```

図 9.6 を見ると、全体的に購入量の少ない Cluster1 が右上に集中しており、冷凍食品と惣菜の購入量が多かった Clster3 が左側に、生鮮品と食料品の購入量が多かった Cluster0 が右側にある程度まとまっていることが分かる。さらに右下には、購入量の多かった Cluster2 の点が散らばっている。このことから、k-means 法での分析も合わせてクラスタを形成している

様子が確認できる。

　ただし Cluster2 の右下の2点に関しては、外
れ値の疑いがあり、クラスタリングにおいてノイズ
となる可能性がある。そのため、この2点を除い
て再度分析を行うことも検討する必要がある。こ
のように次元削減による散布図の可視化は外れ値
の検出にも活用できる。

　さらにオートエンコーダでは、新たに得られた
データを潜在変数に変換し、追加して可視化する
ことも可能である。したがって、新たに顧客が加

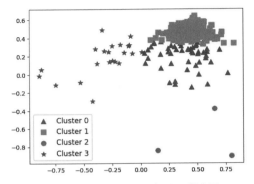

図 9.6●オートエンコーダによる散布図

わった場合には、オートエンコーダを利用して散布図に追加することで、どのクラスタに分類
されるかを予測することができる。

9.4.3　キノコデータでのアソシエーション分析

　第4章でも利用したキノコデータに対してアソシエーション分析を行う。Python でアソシ
エーション分析を行うには mlxtend ライブラリを利用することができる。まず必要なライブラ
リとデータを読み込み、分析のための前処理を行う。ここでは、replace() で変数名を変更し、
inplace=True で新しい変数名に置き換えている。

```
#googlecolab にないライブラリをインストール
!pip install mlxtend | tail -n 1

#必要なライブラリの読み込み
from mlxtend.frequent_patterns import apriori, association_rules

#データの読み込み
df = pd.read_csv('/content/drive/MyDrive/toyodaAI/Ch09/data/mushrooms.csv')

#データの成形、分かりやすいように'Edible' と'Poisonous' に置き換える
df['class'].replace(['e','p'],['Edible','Poisonous'],inplace=True)
df = pd.get_dummies(df)
```

　読み込んだデータに対して apriori() と association_rules() を用いてアソシエーション
ルールを構成する。apriori() 関数では min_support で最低支持度、max_len で最大ルール

長を指定できる。一方の `association_rules()` では `metric` によって信頼度かリフトを設定し、`min_threshold` でその閾値を指定できる。

　ここでは、初めに帰結部が食用キノコのアソシエーションルールを作る。食用キノコのルールなので、最低信頼度は限りなく 1 に近いことが望ましい。また、構成されたルールが長すぎても冗長で役に立ちにくい。そのため、最低支持度は 0.35、ルールの長さは 4 つまでとし、最低信頼度は 0.975 とする。

```
#apriori で support が 0.35 より高い特徴とその組み合わせを抽出
mush_rule = apriori(df, min_support=0.35,max_len=4,use_colnames=True)

#confidence が 0.975 よりも高い組み合わせを抽出
mush_rule = association_rules(mush_rule, metric='confidence', min_threshold=0.975)

#帰結部が class_Edible である組み合わせを抽出
mush_rule[mush_rule['consequents']=={'class_Edible'}]
```

　分析の結果、上記の条件での食用キノコのアソシエーションルールは 6 項目得られ、そのうち上位 3 つを表 9.6 に示した。表を見ると、`consequent support` はどれも同じ値であるが、`antecedent support` では、条件部が (`odor_n`, `gill-size_b`)(臭気がなく、ひだのサイズが広い) の場合に 0.405 とわずかに高くなっていることから、他の 2 つのルールの条件部よりも生じやすいことが分かる。また、`lift`、`leverage`、`conviction` の 3 つの指標について、いずれのルールでも条件部が帰結部に与えている影響は大きいと解釈できる。

表 9.6●食用キノコのアソシエーションルール (上位 3 つ)

	antecedents	consequents	antecedent support	consequent support	support	confidence	lift	leverage	conviction
52	(odor_n, gill-size_b)	(class_Edible)	0.405	0.518	0.396	0.978	1.888	0.186	22.013
54	(ring-number_o, odor_n)	(class_Edible)	0.360	0.518	0.355	0.984	1.899	0.168	29.404
369	(gill-attachment_f, odor_n, gill-size_b)	(class_Edible)	0.381	0.518	0.372	0.977	1.886	0.175	20.727

　次に、帰結部が毒キノコのアソシエーションルールを作る。毒キノコのルールでは、閾値をリフト値に設定することで、条件部があることでより起こりやすくなるルールについて探索する。また、すぐに判断できるようにより簡潔なルールにする。ここでは最低支持度は 0.25、ルールの長さは 3 つまでとし、最低リフト値は 2.0 とする。

```
#apriori で support が 0.25 より高い特徴とその組み合わせを選出
mush_rule = apriori(df, min_support=0.25,max_len=3,use_colnames=True)

#lift が 2.0 よりも高い組み合わせを選出
mush_rule = association_rules(mush_rule, metric='lift',min_threshold=2.0)

#帰結部が class_Poisson の組み合わせを抽出
mush_rule[mush_rule['consequents']=={'class_Poisonous'}]
```

　表 9.7 に分析結果として得られた毒キノコのアソシエーションルールのうち上位 3 つを示した。分析の結果、上記の条件での毒キノコのアソシエーションルールは 10 項目得られ、そのうち上位 3 つを表 9.7 に示した。ここでは、3 つのルールが全て同じ値となっているため、どれも同程度に重要なルールであると判断できる。なお conviction が inf となっているのは、分母の $1 - \mathrm{Conf}(A \to B)$ が 0 になる、すなわち信頼度 $\mathrm{Conf}(A \to B)$ が 1 になるためである。

表 9.7●毒キノコのアソシエーションルール (上位 3 つ)

	antecedents	consequents	antecedent support	consequent support	support	confidence	lift	leverage	conviction
1	(odor_f)	(class_Poisonous)	0.266	0.482	0.266	1.000	2.075	0.138	inf
13	(gill-attachment_f, odor_f)	(class_Poisonous)	0.266	0.482	0.266	1.000	2.075	0.138	inf
17	(gill-spacing_c, odor_f)	(class_Poisonous)	0.266	0.482	0.266	1.000	2.075	0.138	inf

9.5　練習問題

　第 5 章で作成した好き嫌いデータを本章での教師なし学習で分析せよ。ただし、k-means 法では、カテゴリカル変数を扱えないため、好き嫌い列は除いて分析する。

1. 好き嫌いデータを k-means 法で分類せよ。今回は各クラスタに所属するアイテムも確認せよ。これまでのコードに加えて、以下のコードのクラスタ数 k を各自で変更することで分析できる。

```
# k の値は各自で指定する
# df にデータが格納されているとする
k = 4
for i in range(0,k):
    d = df[df['Cluster']==i]
    print(f' クラスタ{i}のアイテム：{list(d.index)}')
```

2. 好き嫌いデータをオートエンコーダで次元削減して可視化せよ。

3. 第4章で作成した好き嫌いデータを1と2は0に、3と4と5は1に再コード化してアソシエーション分析を行え。

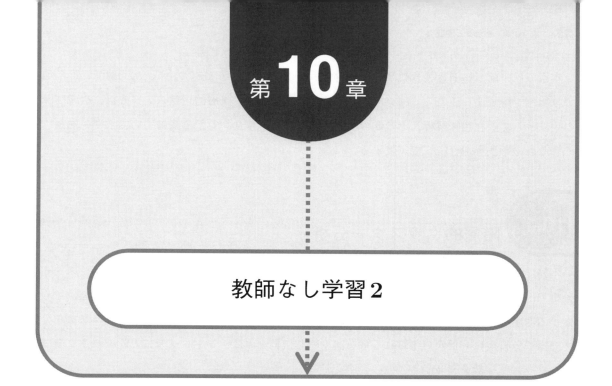

第**10**章

教師なし学習2

　本章では、前章に引き続き教師なし学習の手法についてクラスタリング、次元削減、その他の枠組みで解説する。ここではクラスタリングの手法として階層的クラスター分析、次元削減の手法として潜在意味解析、その他の手法として潜在ディリクレ配分法について学び、最後にそれぞれの手法を Python で実装する。

10.1　階層的クラスター分析

　本節では、非階層的クラスター分析と並んでクラスタリングに分類される階層的クラスター分析 (hierarchical cluster analysis) について解説する。前章で解説した k-means 法をはじめとする非階層的手法では、最初にクラスターの数を指定する。それに対し階層的クラスター分析では、分析後に分析から得られる散布図やのちに紹介するデンドログラムと呼ばれるグラフからクラスター数を判断する。

10.1.1　階層的クラスター分析の手順

　階層的クラスター分析では、非階層的クラスター分析でも用いた距離の概念を使って、似ている者同士をまとめていく。対象間の類似度の指標として距離を利用しているのである。

　ここでは、動物の体重と脳の重さに関するデータを使って階層的クラスター分析の手順の説明を行う。手順の説明においては、階層的クラスター分析を直感的に理解してもらうため重心法 (centroid method) という手法で説明する。距離は 9.2.1 で扱ったユークリッド距離を用いる。

表 10.1●体重と脳の重さのデータ

動物	体重 (kg)	脳の重さ (g)
牛	465	423
馬	521	655
ゴリラ	207	406
人間	62	1320
チンパンジー	52	440

表 10.2●体重と脳の重さのデータ (標準化)

動物	体重	脳の重さ
牛	0.921	−0.581
馬	1.175	0.016
ゴリラ	−0.246	−0.625
人間	−0.902	1.727
チンパンジー	−0.947	−0.537

1. 変数を用いて個々の対象間の距離をすべて計算し、その中で距離が最も短い対象どうしを統合して最初のクラスターを作成する。

2. 新しく統合されたクラスターとほかの対象間の距離を再度計算し、手順 1 で計算された対象間の距離を含めて最も近いものを統合する。その際、新しく統合されたクラスターと対象間および重心間の定義には様々な方法が提案されているが、ここではクラスターの重心間の距離を用いる重心法で解説する。

3. 手順 2 を繰り返し、すべてのクラスターが統合されるまで計算を行う。

4. 計算結果を用いて、クラスターの統合される過程を表すデンドログラムを描く。

　動物データは、表 10.1 に示すように体重 (kg) と脳の重さ (g) の 2 つの変数で構成されている。単位がそれぞれ異なるため、平均 0、分散 1 に標準化する。標準化後の数値を表 10.2 に示す。標準化は単位の影響を無くすために行う。仮に体重を kg ではなく g にして分析すると、体重の値が 1000 倍になるので体重の変数の影響が大きくなってしまう。このように使用する単位によって分析結果が大きく変わる場合もあるため、分析前に変数の単位に注意を払う必要がある。

　まず、各対象間の距離を求める。9.1.1 項で示したユークリッド距離の定義より牛と馬の距離は

$$d_{牛馬} = \sqrt{(0.921 - 1.175)^2 + (-0.581 - 0.016)^2} = 0.649 \tag{10.1}$$

と求められる。同様にそれぞれの対象に関しても距離を計算すると、表 10.3 のようになる。この中で最も距離が短いのは、馬と牛の 0.649 である。この 2 つを統合して一つのクラスター C1 とする (手順 1)。

　次に新しく統合されたクラスターとほかの対象間の距離を計算すると表 10.4 のようになる。この際、クラスター C1 の体重と脳の重さには、牛と馬の重心 (平均) が用いられる。つまり、体重を $1.048(= (0.921 + 1.175)/2)$、脳の重さを $-0.283(= (-0.581 + 0.016)/2)$ として、他の対象との距離を求める。

表 10.3 ● 対象間の距離行列 1

	牛	馬	ゴリラ	人間
馬	0.649			
ゴリラ	1.168	1.559		
人間	2.942	2.691	2.442	
チンパンジー	1.869	2.192	0.706	2.265

表 10.4 ● 対象間の距離行列 2

	C1	ゴリラ	人間
ゴリラ	1.339		
人間	2.800	2.442	
チンパンジー	2.011	0.706	2.265

　表 10.4 より、距離が最小となるのはゴリラとチンパンジーであるので、これらを統合して一つのクラスター C2 とする (手順 2)。この状態を図示すると図 10.1 のようになる。この計算をすべてのクラスターが統合されるまで繰り返す。計算結果より、クラスター C1(牛・馬) とクラスター C2(チンパンジー・ゴリラ) とが先に統合してクラスター C3(牛・馬・チンパンジー・ゴリラ) となり、最後に人間と統合する (手順 3)。

　この結果を用いてデンドログラム (dendrogram) を作成すると図 10.2 のようになる (手順 4)。デンドログラムの縦軸は距離を表し、横軸には対象が等間隔に並べられている。横軸によって対象およびクラスターが統合されたことを表し、そのときの目盛りがクラスター間の距離を示している。

　デンドログラムは、任意の高さで切断していくつかのグループに分割することが可能である。たとえば、1.0 付近で横に切断すれば (牛・馬)、(チンパンジー・ゴリラ)、(人間) の 3 つのグループに分類できる。4 足歩行の動物 (牛・馬)、2 足歩行の動物 (人間)、2 足と 4 足のどちらの歩行もする動物 (チンパンジー・ゴリラ) に分けられたと解釈できる。また、2.0 付近で切断すれば、人間とその他という 2 つのグループに分けることができる。デンドログラムより、高い位置で人間とその他の動物が統合されていることから、文化や言語を持つ人間はほかの動物と異なるということが示唆される結果となった。

10.1.2　ウォード法

　動物データの例では、階層的クラスター分析を理解しやすくするため重心法で説明を行った。手順 2 で述べたように、クラスター間の距離の測定には、重心法の他にもウォード法 (ward's method)、最短距離法 (minimum distance method)、最長距離法 (maximum distance

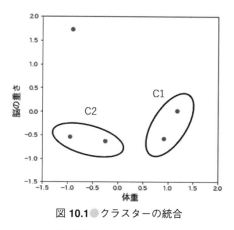

図 **10.1**●クラスターの統合

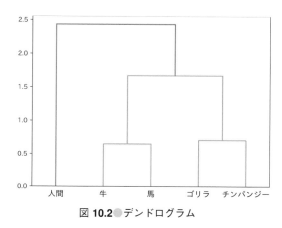

図 **10.2**●デンドログラム

method)、群平均法 (group average method) など様々な方法がある。ここでは、実際場面で
よく用いられるウォード法 (Ward's method) について簡単に説明する。

　ウォード法は、2 つのクラスターを統合する際にクラスター内の平方和を最小にするように
クラスターを統合していく方法である。ここでは、クラスター間の距離は 2 つのクラスターを
統合した時の平方和 (散布度) の増加量で定義される。平方和はクラスター内の散らばりを表す
ため、クラスター統合後の平方和の増加量が大きいならば二つのクラスターは類似しておらず、
クラスター内の散らばりが大きくなったと考えられる。平方和の増加量が小さいものから統合
していけば、似た者同士がまとまっていくといえる。

$$\text{散らばりの変化量} = (\text{A と B の統合後の平方和}) - (\text{A 内の平方和}) - (\text{B 内の平方和}) \quad (10.2)$$

この変化量を起こりうるすべての統合パターンに対して計算し、
変化量が最も小さくなる 2 つのクラスターをまとめる。

　ウォード法の利点は、鎖効果 (chain effect) が起こりにくいこと
である。鎖効果とは、ある 1 つのクラスターに対象が 1 つづつ順
番に吸収されてクラスターの形成がなされていく現象であり、特
に最短距離法で起こりやすい (図 10.3)。また、先ほど紹介した重

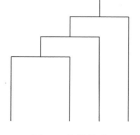

図 **10.3**●鎖効果

心法はクラスター統合後にクラスター間の距離が短くなってしまう場合もあり、距離の単調性

が保証されていない。ウォード法は実際場面でも頻繁に使われており、分析手法に迷ったらこの方法がおすすめである。

10.1.3　ウォード法を用いた分析例　—町のイメージ—

　ウォード法を用いた階層的クラスター分析の適用例を見てみよう。ここでは、街のイメージに関して大学生にアンケートをとり、対象となる街がどのように分類されるかをクラスター分析を用いて調べる。対象となる街は「新宿」「横浜」をはじめとする 8 つの街である。それぞれの街に対して「派手」「開放的」など 6 つの言葉がどの程度当てはまるかを質問し、「あてはまらない」から「あてはまる」の 5 件法で回答してもらった。「あてはまらない」を 1 点とし、順に得点が上がり「あてはまる」が 5 点と換算して、被験者 59 人の平均を計算した結果が表 10.5 である。

表 10.5 ● 街のイメージデータ

	派手	開放的	冷静	しゃれた	いそがしい	先進的
新宿	4.373	3.542	2.203	3.271	4.712	4.153
横浜	3.305	3.814	2.864	4.136	3.322	3.831
吉祥寺	2.085	3.153	3.017	3.441	2.153	2.492
銀座	4.017	2.475	3.458	4.576	3.322	3.814
浅草	1.932	2.932	2.898	2.458	2.322	1.746
渋谷	4.695	3.627	1.492	3.390	4.373	4.017
お台場	3.949	3.949	2.220	4.186	3.407	4.356
上野	2.068	3.169	3.136	2.508	2.610	2.254
六本木	4.407	3.034	2.932	4.559	4.000	4.542
早稲田	1.763	3.186	2.322	1.695	3.102	2.017

　動物データとは異なり、尺度の単位が変数間でそろっており、単位によって結果が大きく変化することがないため街のイメージデータに関しては標準化を行わずに分析できる。このデータに対して階層的クラスター分析を行った結果、図 10.4 のようなデンドログラムが得られた。今回は、ヒートマップも作成し図 10.5 に示す。

　ヒートマップ (heat map) は、その属性内での相対的な値の高低を色の濃淡で表現する。たとえば「先進的」という言葉の属性の中では「六本木・お台場」の色が薄いことから、2 つの街は相対的に「先進的」なイメージを強く持っていることになる。また「上野」では、「冷静・開放的」という言葉に対応する部分の色が薄いことから、「上野」は「冷静で開放的」なイメージ

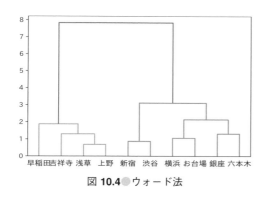

図 10.4 ウォード法

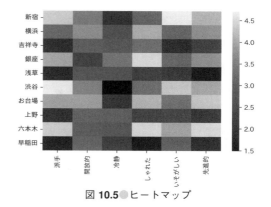

図 10.5 ヒートマップ

を持つと解釈する。実際には 1 つ 1 つのセルについて解釈するのではなく、左下が濃く右側が全体的に薄い、というように直観的な判断で解釈することが多い。

図 10.4 より左の 4 つの街 (浅草・上野・吉祥寺・早稲田) と右の 6 つの街 (新宿・渋谷・横浜・お台場・銀座・六本木) は高い位置で統合されるため、10 の街は大きく 2 つに分類することができるだろう。ただし、解釈する上では 3 つのクラスターに分ける方が適切だと考えられるため、3 つのクラスターとして解釈を行う。図 10.5 のヒートマップも併せて解釈すると、まず「浅草・上野・吉祥寺・早稲田」のクラスターは、古き良き時代を感じさせる商店街などで賑わう街と考えられる。次に「新宿・渋谷」のクラスターは、若者が良く集まる常に忙しい街と思われる。「横浜・お台場・銀座・六本木」のクラスターは、デートやショッピングなどお洒落で高級感のある街で、「新宿・渋谷」のクラスターと近いイメージを持っていることが分かる。

10.2 潜在意味解析 (LSA)

ここでは次元削減の手法のひとつである潜在意味解析 (latent semantic analysis, LSA) を解説する。LSA は情報検索の分野において言葉の同義性や多義性に対処するために発展した統計技法であり、潜在意味索引 (latent semantic indexing, LSI) とも呼ばれる。全ての文書の背後

には意味の構造が存在すると考え、これを行列の形で表現し、分解するところに LSA の特徴がある。行列として表現された語句と文書は、多変量解析の考え方を適用し、数学的、統計的に分析対象とすることができる。LSA では、様々な言葉で表現される意味の豊かすぎる部分を、行列の分解という形で取り除き、複数の語句の背後に共通して潜在する意味の構造を抽出する。

10.2.1　意味の定式化

複数の文書の意味内容を数量的にとらえるには、語句と文書の対応を数値化する必要がある。多くの語句が含まれる文書が複数あるので、それらを 2 次元の行列形式に並べることで、意味内容を式の形で表現する。具体的には、すべての文書に現れる語句を行に配し、対象の文書を列に配した共起行列 (cooccurrence matrix) を作成する。第 i 行の第 j 列目の要素には、i 番目の語句が j 番目の文章にあるかないかの 0,1 か、出現頻度数のいずれかが入力される。ここでは、この共起行列のことを語句 − 文書行列 (term-document matrix) と呼ぶことにする。

語句 − 文書行列の例として、「病院」「医院」「クリニック」「少年院」の辞書での定義を考えよう。辞書における記載は以下のとおりである [1]。

表 10.6●語句−文書行列の例

	病院	医院	クリニック	少年院
医師	0	0	2	0
医療	1	0	0	0
病気	0	1	0	0
患者	1	0	0	0
診察	1	1	1	0
治療	1	1	1	0
収容	1	0	0	0
施設	0	0	1	1
矯正	0	0	0	1
送致	0	0	0	1
裁判所	0	0	0	1

病院　患者を収容して診察・治療にあたる、規模の大きな医療機関。

医院　病気の診察・治療を行うところ。

クリニック　医師または歯科医師が診察・治療を行う施設。

少年院　家庭裁判所から保護処分として送致された者を収容し、矯正教育を授ける国立の施設。

この 4 つの文書から語句を取り出し語句 − 文書行列を作成すると表 10.6 のようになる [2]。

---

[1] 小学館の国語辞典による。なお、説明のため一部を省略した。
[2] 説明のため「国立」や「行う」などの語句は除外した。

　上記の語句 - 文書行列のサイズは 11 行 4 列である。しかし、通常の情報検索の場面では文書数も多くなり、それに従って語句の量も多くなる。多くの語句によって表現された文書の内容は、その意味的な広がりが大きく、だからこそ豊かな情報を得られるのである。しかし、その中から情報を検索、抽出したい立場からは、あまりに広大な意味空間は探索する上で困難であるため、情報を鍛錬する必要がある。

　LSA では、語句 - 文書行列という形で定式化し、まとめ上げた情報を特異値分解 (singular value decomposition, SVD) という行列の操作で分解し、もとの行列よりずっと少ない次元で本来の情報を表現することを試みる。「病院」「医院」「クリニック」といった表現上の豊かさは捨象し、その背後から「治療の場」という潜在的な意味を抽出するのである。

10.2.2　特異値分解

　語句と文書を共起行列という形で表現し、潜在的な意味の構造を特異値分解で抽出するのが LSA である。今、語句が t 個、文書が d 個ある語句 - 文書行列 $\boldsymbol{A}_{t \times d}$ を考えよう。ここで、行列の添え字はそのサイズを表している。LSA における特異値分解とは、語句 - 文書行列を次のように 3 つの行列の積に分解する操作である。

$$\boldsymbol{A}_{t \times d} = \boldsymbol{T}_{t \times n} \boldsymbol{S}_{n \times n} \boldsymbol{D}'_{d \times n} \tag{10.3}$$

ここで $\boldsymbol{S}$ は対角行列であり、その対角要素には特異値 (singular values) と呼ばれる非負の値が大きい順に配される。n の値は $\boldsymbol{A}$ の行と列のうち値が小さい方である。行列 $\boldsymbol{T}$ の各列は左特異ベクトル (left singular vector) と呼ばれ、語句の特徴が表現されている。一方、行列 $\boldsymbol{D}$ の各列 ($\boldsymbol{D}'$ においては各行) は右特異ベクトル (right singular vector) と呼ばれ、文書の特徴が表されている。それぞれ、正規直交行列であるという特徴があり、$\boldsymbol{T}'\boldsymbol{T} = \boldsymbol{D}'\boldsymbol{D} = \boldsymbol{I}_{n \times n}$ である ($\boldsymbol{I}_{n \times n}$ は単位行列)。

　行列 $\boldsymbol{A}$ は 3 つの行列に分解できるだけではない。特異値分解の結果を利用して、より少ない次元で $\boldsymbol{A}$ を近似することができる。(10.3) 式において $\boldsymbol{A}$ を完全に表現していた状態から、行

列 S の第 k 番目の特異値までを用いて、A を次のように近似する。

$$\hat{A}_{t \times d} = T_{t \times k} S_{k \times k} D'_{d \times k} \tag{10.4}$$

行列 T は k 列目の特異ベクトルまでが用いられ、行列 D においては、k 列目の特異ベクトルが用いられる。$T_{t \times k} S_{k \times k} D'_{d \times k}$ によって表現された行列はもともとの $A_{t \times d}$ ではないが、近似的に表現された $\hat{A}_{t \times d}$ であり、サイズは A と同じである。

　このように語句－文書行列の分解から少数の特異値を用いた近似を行うことによって、語句の同義性や多義性を軽減し、より本質的な意味の構造を取り出すことができる。このようにして得られた k 次元空間を潜在意味空間 (latent semantic space) と呼ぶ。比較したい文書は、この空間上のベクトルとして表現され、意味的な近接からテキストを対比することが可能となる。

　病院とクリニックは表現の上で異なっている。現実にはこの違いが厳密な定義の違いや、独自の意図を表している。しかし、そのような微妙な違いよりも構造的な意味の次元で情報を抽出したい場合には、わずかな違いは捨象された少数次元の潜在意味空間が広大すぎる現実の意味空間よりも効率的である可能性が高い。

　表 10.6 の語句－文書行列を用いて具体的に特異値分解を見てみよう。行列 $A_{11 \times 4}$ を特異値分解すると、$T_{11 \times 4}$ は

$$T_{11 \times 4} = \begin{pmatrix} -0.47 & -0.22 & 0.62 & 0.30 \\ -0.16 & 0.01 & -0.37 & 0.36 \\ -0.12 & -0.11 & -0.14 & -0.69 \\ -0.16 & 0.01 & 0.37 & 0.36 \\ -0.52 & -0.20 & -0.20 & -0.19 \\ -0.52 & -0.20 & -0.20 & -0.19 \\ -0.25 & 0.44 & -0.32 & 0.21 \\ -0.32 & 0.32 & 0.37 & 0.00 \\ -0.08 & 0.43 & 0.06 & -0.15 \\ -0.08 & 0.43 & 0.06 & -0.15 \\ -0.08 & 0.43 & 0.06 & -0.15 \end{pmatrix} \tag{10.5}$$

となる。この各列に左特異ベクトルを配した $A_{11 \times 4}$ は各語句の特徴を表している。ここから第5,6 番目の語句、すなわち「診察」と「治療」は類似した言葉であることが分かる。同様に、少年院の定義のみに現れる「矯正」「送致」「裁判所」も似通った意味であると考えられる。一方、同じ少年院の定義にある「施設」という語句はクリニックにも用いられており、やや異なる特

徴を持つものとして表されている。右特異ベクトルを配した $\boldsymbol{D}'_{4\times4}$ は以下のようになった。

$$\boldsymbol{D}'_{4\times4} = \begin{pmatrix} -0.51 & -0.37 & -0.73 & -0.26 \\ 0.03 & -0.24 & -0.24 & 0.94 \\ -0.73 & -0.27 & 0.61 & 0.11 \\ 0.44 & -0.86 & 0.19 & -0.18 \end{pmatrix} \tag{10.6}$$

　辞書の定義に対応した文書の特徴を表す行列 $\boldsymbol{D}'_{4\times4}$ において、語句ほどは明確でないが、最後の文書、つまり少年院の定義だけ異質なものであることがうかがえる。

　文書の数 < 語句の数であった辞書定義の例では、文書の数が 4 である 4 次元を用いれば $\boldsymbol{A}$ を $\boldsymbol{T}$、$\boldsymbol{S}$、$\boldsymbol{D}$ から完全に復元可能である。一方で次元を 3 に縮小すると

$$\begin{aligned}
\hat{\boldsymbol{A}}_{11\times4} &= \boldsymbol{T}_{11\times3} \times \boldsymbol{S}_{3\times3} \times \boldsymbol{D}'_{4\times3} \\
&= \begin{pmatrix} -0.47 & -0.22 & 0.62 \\ -0.16 & 0.01 & -0.37 \\ -0.12 & -0.11 & -0.14 \\ -0.16 & 0.01 & -0.37 \\ -0.52 & -0.20 & -0.20 \\ -0.52 & -0.20 & -0.20 \\ -0.25 & 0.44 & -0.32 \\ -0.32 & 0.32 & 0.37 \\ -0.08 & 0.43 & 0.06 \\ -0.08 & 0.43 & 0.06 \\ -0.08 & 0.43 & 0.06 \end{pmatrix} \times \begin{pmatrix} 3.13 & 0.00 & 0.00 \\ 0.00 & 2.19 & 0.00 \\ 0.00 & 0.00 & 1.98 \end{pmatrix} \times \begin{pmatrix} -0.51 & -0.37 & -0.73 & -0.26 \\ 0.03 & -0.24 & -0.24 & 0.94 \\ -0.73 & -0.27 & 0.61 & 0.11 \end{pmatrix} \\
&= \begin{pmatrix} -0.16 & 0.32 & 1.93 & 0.07 \\ 0.81 & 0.38 & -0.08 & 0.08 \\ 0.38 & 0.26 & 0.16 & -0.16 \\ 0.81 & 0.38 & -0.08 & 0.08 \\ 1.10 & 0.80 & 1.04 & -0.04 \\ 1.10 & 0.80 & 1.04 & -0.04 \\ 0.89 & 0.22 & -0.05 & 1.05 \\ -0.00 & 0.00 & 1.00 & 1.00 \\ 0.08 & -0.16 & 0.03 & 0.97 \\ 0.08 & -0.16 & 0.03 & 0.97 \\ 0.08 & -0.16 & 0.03 & 0.97 \end{pmatrix} \approx \begin{pmatrix} 0 & 0 & 2 & 0 \\ 1 & 0 & 0 & 0 \\ 0 & 1 & 0 & 0 \\ 1 & 0 & 0 & 0 \\ 1 & 1 & 1 & 0 \\ 1 & 1 & 1 & 0 \\ 1 & 0 & 0 & 1 \\ 0 & 0 & 1 & 1 \\ 0 & 0 & 0 & 1 \\ 0 & 0 & 0 & 1 \\ 0 & 0 & 0 & 1 \end{pmatrix} \tag{10.7}
\end{aligned}$$

となる。数値的に近似の質を表す指標の一つに累積寄与率がある。累積寄与率とは、k 次元まで圧縮したとき、共起行列の特徴をどれだけ保持できているかを割合で示す指標である。この例において、3 次元に縮小した時の累積寄与率は計算すると 92.31% であり、ほぼ共起行列の特徴を保持できている。よって 4 から 3 次元に意味空間を圧縮しても、共起行列を近似できることが分かる。

10.2.3　類似性の検討

LSA では、語句と文書の意味をとらえ、その意味内容と似通った別の語句、あるいは文書を探し出すことができる。ただし LSA では通常、数百次元によって潜在的な意味構造を表現されるため、散布図等による視覚的な類似性の把握ができない。そこで、多次元の意味構造上の語句ベクトル、文書ベクトルについて、相関係数や内積などを用いて類似性を数値的に検討する。中でも頻繁に利用されるのがベクトル間の角度 (コサイン) を計算する方法である。いま、ベクトル a と b があるとき、それらの間のコサインは

$$cos(\boldsymbol{a}, \boldsymbol{b}) = \frac{\sum a_i b_i}{||a|| \cdot ||b||} \tag{10.8}$$

のように計算される。ここで、a_i, b_i はそれぞれベクトル a と b の要素であり、右辺の分子は a, b の内積、分母はそれぞれのベクトルの長さの積である。コサインが 1 に近いほど類似性が高いと判断する。

類似性を検討する観点としては、元の文書間の類似性、語句間の類似性、語句と文書間の類似性、検索質問文と元の文書間の類似性がある。語句と文書間の類似性では、文書ごとのベクトルにおける個々のセルを見ればよい。それ以外ではそれぞれのベクトル間のコサインを計算する。先程の病院の例での、元々の行列 a における「病院」「医院」「クリニック」「少年院」間のコサインと、潜在意味構造 $\hat{A}$ における語句間のコサインを比較した表を表 10.7 に示す。

表 10.7 ● a でのコサイン (上三角) と $\hat{A}$ でのコサイン (下三角)

	病院	医院	クリニック	少年院
病院	-	0.52	0.34	0.20
医院	0.91	-	0.44	0.00
クリニック	0.44	0.62	-	0.17
少年院	0.24	−0.08	0.18	-

病院と医院のコサインはもともと 0.52 だったが、特異値分解による近似の後は 0.91 となっており、より類似したものだと判定されている。LSA においては、語句−文書行列が少ない次元で近似されるだけでなく、より本質的な意味空間が抽出されていることが確認できる。

<table>
<tr><td></td><td>q</td></tr>
</table>

	q
医師	0
医療	0
病気	1
患者	0
診察	0
治療	1
収容	0
施設	1
矯正	0
送致	0
裁判所	0

表 10.8 ●検索質問文の例

10.2.4　**検索質問文**

LSA における情報検索では、検索される側の文書を潜在意味空間上のベクトルとして表現する。このとき、検索質問文に関してもその空間上のベクトルとして表現する必要がある。

文書を行列に変換する作業は表 10.8 と同様に行えばよい。注意すべきは、行に配される単語が検索質問文中に出てきたものではなく、元の文書中に出現した単語である点である。例えば元の文書として先の例を考え、検索質問文として「病気を治療する施設」を考えた場合、この文章の語幹からベクトルに変換すると以下のようになる。なお、検索質問文のベクトルを q とする。

こうして得られるベクトルを、k 次元の潜在意味空間上で表すには、まず $X = TSD'$ を転置して

$$X' = DST' \tag{10.9}$$

$[T'T = I$ なので$]$

$$X'T = DS \tag{10.10}$$

$$D = X'TS^{-1} \tag{10.11}$$

のように変形し、文書ベクトルが配された行列 D を考える。q が元の行列 X の列と対応したものであると考えると、検索質問文の k 次元潜在意味空間上での表現は

$$\hat{q} = q'T_{t \times k}S^{-1}_{k \times k} \tag{10.12}$$

とすることで表現できる。q は上の表で示した検索質問文をベクトル化したものであり、そこに語句の重みを表現する $T_{t \times k}$ が乗じられている。また $S^{-1}_{k \times k}$ がかけられることによって異なる次元に異なる重みが与えられる。なお、$T_{t \times k}, S^{-1}_{k \times k}$ ともに (10.3) 式によるものである。

同様の考え方で、すでに構築した高次元の潜在意味空間に新たな語句を追加するには

$$\hat{\boldsymbol{t}} = \boldsymbol{t}\boldsymbol{D}_{d\times k}\boldsymbol{S}_{k\times k}^{-1} \tag{10.13}$$

とすればよい。ここで $\boldsymbol{t}$ は $(1 \times d)$ の行ベクトルである。つまり、LSA では大量の文書データから構築された潜在意味空間を改めて分析し直すことなく、少数の文書や語句を追加していくことが可能である。なお、「病気を治療する施設」という質問文と定義文書の類似性は以下のようになった。

病院	医院	クリニック	少年院
0.999	0.833	0.945	0.282

10.3　潜在ディリクレ配分法（LDA）

　1 つの文書が複数のトピックを持つと仮定し、潜在的なトピックから文書が生成される過程を確率を用いて表現するモデルは、トピックモデル（topic model）と呼ばれる。トピックとは、文書中の特定の内容やテーマのことであり、テキストデータでは単語の集合によって表される。例えば「AI の倫理的問題」についての記事であれば、AI と倫理の 2 つのトピックを持つと考えられる。ただし、ここで AI や倫理というトピックは、「人工知能」・「GPT」・「深層学習」などの記事中の単語の集合から人間が事後的に解釈することで与えられるものである。

　トピックモデルは、前節の潜在意味解析を確率モデルとして定式化した確率的潜在意味解析（probabilistic latent semantic analysis, pLSA）から発展した。本節では、pLSA をさらにベイズモデルとして拡張した潜在ディリクレ配分法について解説する。

10.3.1　潜在ディリクレ配分法（LDA）とは

　潜在ディリクレ配分法（latent dirichlet allocation, LDA）は、1 つの文書が複数の潜在的なトピックから構成され、文書ごとに異なるトピック出現の確率分布（トピック分布）とトピックごとに異なる単語出現の確率分布（単語分布）をもつと仮定して、それらの確率分布をベイズ推定する手法である。

例えば、複数の記事がある場合に「AI の倫理的問題」の記事であれば、AI や倫理のトピックが出現する確率が高く、一方で「オリンピック開催の招致」の記事であれば、スポーツや政治のトピックの出現確率が高くなることが期待される。またトピックごとに見ていくと、AI のトピックであれば、「人工知能」・「GPT」といった単語が出現しやすいのに対し、AI と関係の薄い「卓球」や「カーリング」といった単語の出現確率は低くなると考えられる。

トピック分布と単語分布では、このような確率を表現するのにカテゴリカル分布（categorical distribution）を用いる。カテゴリカル分布は、値が k となる確率が θ_k である K 種類の離散値のうち 1 つの値が生じるような試行を 1 回行ったときの結果 $x(= 1, \ldots, k, \ldots, K)$ が従う確率分布である。カテゴリカル分布の確率関数は

$$f(x = k|\boldsymbol{\theta}) = \text{Categorical}(x|\boldsymbol{\theta}) = \theta_k \tag{10.14}$$

と表される。ただし、$\boldsymbol{\theta} = (\theta_1, \ldots, \theta_k, \ldots, \theta_K)$ であり、$\theta_k \geq 0$, $\sum_{k=1}^{K} \theta_k = 1$ を満たす。

前述の例を用いて、AI に 1、倫理に 2、スポーツに 3、政治に 4 をそれぞれトピック番号として割り当てると $K = 4$ となり、「AI の倫理的問題」のトピック分布であれば、図 10.6 に示す $\boldsymbol{\theta}_{\text{トピック}} = (\theta_1, \theta_2, \theta_3, \theta_4) = (16/32, 12/32, 1/32, 3/32)$ といった分布になる。文書中に出現する語彙が「人工知能」・「GPT」・「卓球」・「カーリング」の 4 つだけであるとして、同様に順に番号を割り当てると、AI トピックの単語分布は、図 10.7 に示す $\boldsymbol{\theta}_{\text{単語}} = (\theta_1, \theta_2, \theta_3, \theta_4) = (16/32, 13/32, 2/32, 1/32)$ に従う分布となる [3]。ただし実際には、これらの母数の値が LDA における推定の対象となる。

ここで LDA は、文書ごとに異なるトピック分布とトピックごとに異なる単語分布をもつのであった。このトピック分布と単語分布が従うカテゴリカル分布の母数の事前分布として、さらにディリクレ分布（Dirichlet distribution）を用いる [4]。ディリクレ分布の確率密度関数は

$$f(\boldsymbol{\theta}|\boldsymbol{\alpha}) = \text{Dirichlet}(\boldsymbol{\theta}|\boldsymbol{\alpha}) = \frac{\Gamma\left(\sum_{k=1}^{K} \alpha_k\right)}{\prod_{k=1}^{K} \Gamma(\alpha_k)} \prod_{k=1}^{K} \theta_k^{\alpha_k - 1} \tag{10.15}$$

---

[3] これらは、あくまで例として単純化した上での適当な数値である。
[4] ディリクレ分布は、$\theta_k \geq 0$, $\sum_{k=1}^{K} \theta_k = 1$ を満たすだけでなく、カテゴリカル分布の母数 $\boldsymbol{\theta}$ の共役事前分布となることも事前分布として採用することの根拠となっている。ここで共役事前分布とは、事後分布が事前分布と同じ形の分布となるような事前分布であり、母数推定上計算が簡単になるというメリットがある。

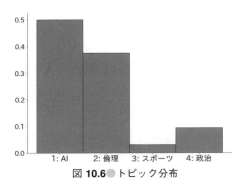

図 **10.6** ● トピック分布

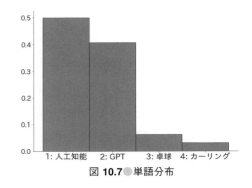

図 **10.7** ● 単語分布

と表される。ただし、$\theta_k \geq 0,\ \sum_{k=1}^{K} \theta_k = 1$ を満たす。

$K = 3$ の場合のディリクレ分布を視覚的に確認してみよう。$K = 3$ の場合のディリクレ分布に従う確率変数は、$\theta_1 = (1, 0, 0),\ \theta_2 = (0, 1, 0),\ \theta_3 = (0, 0, 1)$ を頂点とする正三角形内の点として表される。ここでは、$\alpha = (10, 10, 10), (0.3, 0.3, 0.3), (10, 0.3, 0.3)$ のディリクレ分布から発生させた 1000 個の乱数を図 10.8 にそれぞれ示した。

図 10.8 を見ると $\alpha = (10, 10, 10)$ の場合には、どの値も同程度に生じやすく、点が中央に集中していることから散らばりが小さいことが分かる。一方で $\alpha = (0.3, 0.3, 0.3)$ の場合は、どの点も同程度に生じやすいことには変わらないが、三角形の縁に点が集中して散らばりが大きくなっているのが見て取れる。さらに $\alpha = (10, 0.3, 0.3)$ の場合は、θ_1 に点が集中しているのが確認できる。実際、ディリクレ分布の期待値と分散は

$$E[\boldsymbol{\theta}] = \left(\frac{\alpha_1}{\alpha}, \ldots, \frac{\alpha_k}{\alpha}, \ldots, \frac{\alpha_K}{\alpha} \right) \tag{10.16}$$

$$V[\boldsymbol{\theta}] = \left(\frac{\alpha_1(\alpha - \alpha_1)}{\alpha^2(\alpha + 1)}, \ldots, \frac{\alpha_k(\alpha - \alpha_k)}{\alpha^2(\alpha + 1)}, \ldots, \frac{\alpha_K(\alpha - \alpha_K)}{\alpha^2(\alpha + 1)} \right) \tag{10.17}$$

となる。ただし $\alpha = \sum_{k=1}^{K} \alpha_k$ である。(10.16) 式より $\boldsymbol{\alpha}$ の中で最大値をもつ α_k に対応する θ_k に引き寄せられるように点が散布し、(10.17) 式より α の値が大きいほど分散は小さくなることが分かる。

このようにディリクレ分布を用いることで、事前分布の母数 $\boldsymbol{\alpha}$ に応じて、カテゴリカル分布における各カテゴリや単語の出現比率 $\boldsymbol{\theta}$ が変化することを表現できる。

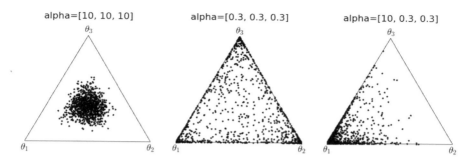

図 **10.8**●ディリクレ分布からのサンプリング例

10.3.2　Bag of Words（BoW）

　8.1.4 項で紹介した分散表現と同様に、LDA でも文書や単語を直接の入力値とせずに、それらを数値ベクトルに変換してから分析を行う。LDA では、この数値ベクトル変換として Bag of Words（BoW）と呼ばれる方法を用いる。BoW とは、単語の出現順序を無視して、文書に含まれる単語の種類とその出現回数を表す特徴量ベクトルを構築する手法である。

　例えば、次の 3 つの文がある場合、BoW は以下のような手続きで作成される。

1. AI developments may transform how we approach Olympic sports.

2. New approach transforms baseball training methods.

3. Olympic success boosts local economy.

まず対象となる各文書から全ての単語を抽出し、それぞれに一意な ID を割り当てる。次に、各文書中に現れる単語の出現回数をカウントし、その結果を特徴量ベクトルとして表現する。これらの結果として得られるのが表 10.9 のような単語頻度行列である[5]。

　なお実際の分析場面では、単語の正規化（normalizing）[6] やステミング（stemming）[7]、ストップワード（stop-word）[8] の除去などの前処理を行った上で BoW を構築する。また、上の

---

[5] 後述する前処理を行った上で作成した。
[6] 正規化の代表的な処理として文字種の統一がある。文字種の統一では、日本語の半角と全角を統一したり、英語の大文字を小文字にしたりする。
[7] ステミングとは、単語の語形変化を取り除いて原型に変換する処理である。
[8] ストップワードとは、多くの文書で頻繁に出現して文書の特徴を表す上であまり重要でない単語のことを指す。例として、'and'、'is'、'have'、'こと'、'です'、'という' などが挙げられる。

ように英語の場合は単語がスペースで区切られているため単語をそのまま抜き出せばよいが、日本語を分析対象とする場合には、形態素解析をして各文書を形態素に分けて分析を行う。

表 10.9●BoW により表された単語頻度行列

	ai	develop	transform	approach	olympic	sport	new	baseball	train	method	success	boost	local	economy
1	1	1	1	1	1	1	0	0	0	0	0	0	0	0
2	0	1	0	1	0	0	1	1	1	1	0	0	0	0
3	0	0	0	0	1	0	0	0	0	0	1	1	1	1

10.3.3　LDA の文書生成過程

LDA は、前節で導入した BoW で表現された文書データを分析対象とし、文書ごとに異なるトピック分布、トピックごとに異なる単語分布を仮定するのであった。以下では、まず記号を用いて文書を BoW で表記し、単語分布とトピック分布によって文書データが生成される過程を説明する。

全文書数を D、そのうち d 番目の文書に含まれる単語の数（文書長）を N_d とすると、各文書を構成する単語は $\boldsymbol{w}_d = (w_{d1}, \ldots, w_{dn}, \ldots, w_{dN_d})$ と表される [9]。w_{dn} は、d 番目の文書の n 番目の単語である。また、D 個の文書の集合を $\boldsymbol{W} = (\boldsymbol{w}_1, \ldots, \boldsymbol{w}_D)$、文書全体に含まれる単語の総数を $N(= N_1 + \cdots + N_D)$、そのうち重複を除いた単語の種類を V とする。

例えば、前節の文を使うと、$D = 3$ であり、3 つの文書の集合は $\boldsymbol{W} = (\boldsymbol{w}_1, \boldsymbol{w}_2, \boldsymbol{w}_3)$ と表される。2 番目の文であれば $\boldsymbol{w}_2 = (w_{21}, \ldots, w_{26})$ となり、w_{24} には *baseball* が対応する。同様に、$N_1 = 6$、$N_2 = 6$、$N_3 = 5$ より $N = 17$ であり、単語の種類は $V = 14$ となる。これらは、表 10.9 で示した単語頻度行列で 0 でない要素を各行で抜き出したと考えると分かりやすい。

LDA では、トピックを潜在変数として扱い、個々の単語 w_{dn} は特定の潜在的なトピックから生成されると仮定する。ここでは、潜在的なトピックの数を K として、w_{dn} に対応する潜在変数は $z_{dn}(\in \{1, 2, \ldots, K\})$ と表す。さらに θ_{dk} を d 番目の文書で k 番目のトピックが出現する確率とすると、文書 d における K 個のトピックの混合比率は $\boldsymbol{\theta}_d = (\theta_{d1}, \ldots, \theta_{dk}, \ldots, \theta_{dK})$ と

---

[9] ここで LDA において、BoW は文書を単語の多重集合で表すことに注意する。多重集合とは、重複を許す集合のことであり、1 つの文書内に同じ語彙が複数回出てきたとしても別の単語としてカウントする。そのため、w_{dn} と $w_{dm}(n, m \in \{1, \ldots, N_d\})$ が同じ語彙になることもある。

表せる。同様に、ϕ_{kv} を k 番目のトピックで v 番目の単語が出現する確率だとすると、トピック k における V 種類の単語の出現確率は $\boldsymbol{\phi}_k = (\phi_{k1}, \ldots, \phi_{kv}, \ldots, \phi_{kV})$ と表せる。

これらを用いると、d 番目の文書の n 番目の単語 w_{dn} が生成される過程は

$$z_{dn} \sim \text{Categorical}(\boldsymbol{\theta}_d) \tag{10.18}$$

$$w_{dn} \sim \text{Categorical}(\boldsymbol{\phi}_{z_{dn}}) \tag{10.19}$$

と表される。(10.18) と (10.19) 式の $\sim$ は、確率変数が特定の確率分布に従うことを意味している。ここでは (10.18) 式で、母数 $\boldsymbol{\theta}_d$ のカテゴリカル分布から潜在的なトピック z_{dn} が生成され、次に (10.19) 式で、母数 $\boldsymbol{\phi}_{z_{dn}}$ のカテゴリカル分布から特定の単語 w_{dn} が生成されることを表している。この 2 つのカテゴリカル分布は、(10.14) 式で示した分布であり、母数 $\boldsymbol{\theta}_d$ のカテゴリカル分布がトピック分布、母数 $\boldsymbol{\phi}_{z_{dn}}$ のカテゴリカル分布が単語分布となっている。

具体的には、生成される単語が $w_{24}(baseball)$ であるとすると、まず 2 番目の文書の $\boldsymbol{\theta}_2$ を母数とするトピック分布から z_{24} が生成され、次に z_{24} に対応する k 番目のトピック（ここでは仮に $k = 3$ とする）の $\boldsymbol{\phi}_3$ を母数とする単語分布から w_{24} が生成される。

さらにトピック分布の母数 $\boldsymbol{\theta}_d$ と単語分布の母数 $\boldsymbol{\phi}_{z_{dn}}$ は (10.15) 式で示したディリクレ分布に従って生成される。ここでは、トピック分布 $\boldsymbol{\theta}_d$ の事前分布として母数 $\boldsymbol{\alpha}$ のディリクレ分布、単語分布 $\boldsymbol{\phi}_k$ の事前分布として母数 $\boldsymbol{\beta}$ のディリクレ分布を仮定すると以下のように表せる。

$$\boldsymbol{\theta}_d \sim \text{Dirichlet}(\boldsymbol{\alpha}), \quad d = 1, \ldots, D \tag{10.20}$$

$$\boldsymbol{\phi}_k \sim \text{Dirichlet}(\boldsymbol{\beta}), \quad k = 1, \ldots, K \tag{10.21}$$

以上より、LDA における事後分布は、

$$p(\boldsymbol{z}, \boldsymbol{\theta}, \boldsymbol{\phi} | \boldsymbol{w}, \boldsymbol{\alpha}, \boldsymbol{\beta}) \propto \prod_{d=1}^{D} \left(p(\boldsymbol{\theta}_d | \boldsymbol{\alpha}) \prod_{n=1}^{N_d} p(w_{dn} | \boldsymbol{\phi}_{z_{dn}}) p(z_{dn} | \boldsymbol{\theta}_d) \right) \prod_{k=1}^{K} p(\boldsymbol{\phi}_k | \boldsymbol{\beta}) \tag{10.22}$$

と表せる。ここで (10.22) 式の事後分布は解析的に解くことができないため、ギブスサンプリングや変分ベイズといった近似アルゴリズムを用いて導出する必要がある。ただし、本書の範囲を超えるためこれらのアルゴリズムの詳細については割愛する。

10.3.4　LDA のグラフィカルモデル

　生成モデルでは、グラフィカルモデル（graphical model）やプレート表現（plate notation）と呼ばれる方法によってデータ生成過程を視覚的に表現することができる。LDA のようなベイズモデルでは、しばしばモデルが複雑になるにつれて変数間の依存関係を把握するのが難しくなってしまう。このようなときに図 10.9 に示すようなグラフィカルモデルを用いることで変数間の関係性を明示的に表現できる。

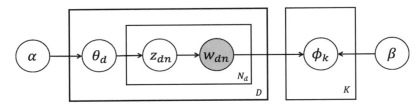

図 10.9●**LDA** のグラフィカルモデル

　ここで丸で示されたノード（node）は変数を表しており、白色は潜在変数、灰色は観測変数であることを意味している。また、繰り返しがある場合には四角（プレート）でノードを囲い、右下にその繰り返しの数を表記する。LDA の文書生成過程を表した図 10.9 の場合、6 つのノードが用いられ、そのうち w_{dn} のみ観測変数であることがわかる。繰り返し構造についてもプレートに囲まれたノードと (10.22) 式を比べることで対応していることが確認できる。

10.3.5　LDA の応用と拡張モデル

　トピックモデルおよび LDA は自然言語処理の分野で考案されたモデルであるため、ここまで文書データを対象として説明してきたが、実際には文書データに限らず、Bag of ○○で表現される離散データであれば適用することができる。例えば、購買データであれば購入者を文書、購入品を語彙に対応させることで同様に分析できる。

　また、これまで説明してきた LDA を基本モデルとして、トピック間に相関構造を仮定したトピックモデル（correlated topic model）や文書の補助情報として著者に関する情報も生成過程

に組み込んだ著者トピックモデル（author topic model）などの拡張モデルも考案されている。

Python での実装

10.4.1 Python での階層的クラスター分析の実装

まず、動物データの分析を行う。分析にあたって表 10.1 に相当するデータフレームを作成する。データフレームは、数値が入った行列、個体名のリスト、各変数名のリストを `pd.DataFrame()` に渡して作成する。行列はリストの要素にリストを指定することで作成できる。

データフレームの数値の標準化は `scipy.stats.zscore()` で実行できる。標準化したデータをもとに、`distance.cdist()` で距離行列を作成する。本章で用いたユークリッド距離を利用するには、`metric='euclidean'` を引数に指定する。

`centroid()` で重心法によるクラスター生成を行う。`dendrogram()` で図 10.2 のようなデンドログラムを描くことでその過程を見ることができる。

```python
#ドライブをマウントする
from google.colab import drive
drive.mount('/content/drive')

# 必要なライブラリの読み込み
!pip install japanize_matplotlib
from scipy.cluster.hierarchy import dendrogram,ward,centroid
from scipy.spatial import distance
import scipy.stats
import pandas as pd
import seaborn as sns
import matplotlib.pyplot as plt
import japanize_matplotlib

#動物データの作成 (表 10.1)
list1=[[465,423], [521,655],[207,406],[62,1320],[52,440]]
index1 = ['牛','馬','ゴリラ','人間','チンパンジー']
columns1 =['体重','脳の重さ']
Animal = pd.DataFrame(data=list1, index=index1, columns=columns1)

#データの標準化 (表 10.2)
stn=scipy.stats.zscore(Animal,ddof=1)

#動物データの距離行列の作成 (表 10.3)
dist = distance.cdist(stn, stn, metric='euclidean')
index2 = ['牛','馬','ゴリラ','人間','チンパンジー']
columns2 =['牛','馬','ゴリラ','人間','チンパンジー']
Animal2 = pd.DataFrame(data=dist, index=index2, columns=columns2)
```

```
#動物データのデンドログラムの描画 (図 10.2)
linkage_array = centroid(stn)
dendrogram(linkage_array,labels=Animal2.index)
```

次に、街のイメージデータの分析を行う。ウォード法でクラスター分析をする場合には、**ward()** を用いる。また seaborn パッケージの **sns.heatmap()** でヒートマップを描画することができる。

```
#街のイメージデータの読み込み
df = pd.read_csv('/content/drive/MyDrive/toyodaAI/Ch10/data/街のイメージ.csv',
encoding='shift-jis',index_col=0)

#街のイメージデータのデンドログラム (図 10.3)
linkage_array = ward(df)
dendrogram(linkage_array,labels=df.index)

#街のイメージデータのヒートマップ (図 10.4)
sns.heatmap(df)
```

10.4.2　Python での潜在意味解析の実装

ここでは、LSA の中核となる特異値分解を中心に LSA を実装する。表 10.6 の文書−語句行列作成にあたって、行列は前節と同様の方法以外にも **np.array()** を用いても作成できる。numpy による配列の方がメモリ効率が良いため、機械学習ではこちらの配列の方がよく用いられる。

特異値分解は **np.linalg.svd()** で実行する。2 次元配列 (行列) の特異値分解であれば **full_matrices=False** を指定する。**np.set_printoptions()** は numpy の配列の表示桁数を指定できる。**precision** は小数点以下の桁数を指定する引数である。

np.delete() は numpy 配列において指定した行または列を削除する。ここでは「少年院」に対応する $T_{t \times n}, S_{n \times n}, D'_{d \times n}$ の各要素を削除することで次元を縮小する。**np.delete()** において **axis** が 1 であれば列を、0 であれば行を削除する。

```
# 必要なライブラリの読み込み
import numpy as np
from sklearn.metrics.pairwise import cosine_similarity

# 表 10.6 の行列を作成
A = np.array([[0,0,2,0],[1,0,0,0],[0,1,0,0],[1,0,0,0],[1,1,1,0],
              [1,1,1,0],[1,0,0,1],[0,0,1,1],[0,0,0,1],[0,0,0,1],[0,0,0,1]])
```

```
# 特異値分解
T, S, D = np.linalg.svd(A, full_matrices=False)

# 小数点以下 2 桁にまとめる
np.set_printoptions(precision=2)

#次元削減
T_k=np.delete(T, 3, axis=1)
S_k=np.delete(S, 3)
D_k=np.delete(D, 3, axis=0)

#共起行列の近似 (式 10.7)
A_hat=T_k @ np.diag(S_k) @ D_k
```

累積寄与率は以下のコードで計算できる。結果は $[48.87, 72.76, 92.31, 100.01]$ となり、3 次元に圧縮すると累積寄与率は 92.31%、2 次元に圧縮すると 72.76% になることが分かる。

`cosine_similarity()` でベクトル間の類似度を算出できる。ここでは全 6 通り中 2 通りのベクトル類似度を計算した。

```
#累積寄与率の算出
A = S**2 / np.sum(S**2)
B = [round((i / sum(A)) * 100, 2) for i in A]
C = np.cumsum(B)
print(' 累積寄与率:', C)

#各語句のベクトルの作成
a = np.array([0.16, 0.81, 0.38, 0.81, 1.1, 1.1, 0.89, 0, 0.08, 0.08, 0.08]) #病院
b = np.array([0.32, 0.38, 0.26, 0.38, 0.8, 0.8, 0.22, 0, -0.16, -0.16, -0.16]) #医院
c = np.array([1.93, -0.08, 0.16, -0.08, 1.04, 1.04, -0.05, 1, 0.03, 0.03, 0.03]) #クリニック
d = np.array([0.07, 0.08, -0.16, 0.08, -0.04, -0.04, 1.05, 1, 0.97, 0.97, 0.97]) #少年院

#語句間のコサイン類似度の算出 (一部のみ掲載、計 6 通り)
cos1 = round(cosine_similarity(a.reshape(1,-1), b.reshape(1,-1))[0,0], 2) #病院-医院
cos2 = round(cosine_similarity(a.reshape(1,-1), c.reshape(1,-1))[0,0], 2) #病院-クリニック

#print() で cos1~cos6 までを出力
print(cos1) #cos2 以降も同様
```

10.4.3　Python での LDA の実装

20newsgroups という新聞記事のデータセットを用いて LDA を実装する。初めに、必要なライブラリを読み込んでデータの前処理を行う。

```
# 必要なライブラリをインポート
from sklearn.datasets import fetch_20newsgroups
from sklearn.feature_extraction.text import CountVectorizer
from sklearn.decomposition import LatentDirichletAllocation

# データの前処理
categories = ['rec.motorcycles', 'soc.religion.christian', 'comp.windows.x', 'sci.space']
remove = ['headers', 'footers', 'quotes']
twenty_all = fetch_20newsgroups(subset='all', categories=categories, remove=remove, shuffle=True,
    random_state=0)

count_vec = CountVectorizer(min_df=5, stop_words='english', lowercase=True)
X = count_vec.fit_transform(twenty_all.data)
feature_names = count_vec.get_feature_names_out()
```

まず、`fetch_20newsgroups()` によってテキストデータを取得する。ここでは、データの中で `rec.motorcycles`、`soc.religion.christian`、`comp.windows.x`、`sci.space` の 4 つのカテゴリのニュースを用いる。また、`remove` を指定してヘッダ・フッタ・引用を削除し本文のみを取り出す。さらに、`subset=all` とすることで 4 つのカテゴリの記事全てを分析対象とし、`shuffle=True` でデータをランダムにシャッフルする。

続いて、BoW 表現への変換に必要な `CountVectorizer()` のインスタンス化を行う。ここでは、出現頻度の低い単語を除外するための閾値である `min_df` を 5 として、6 回以上出現した単語を対象とする。また、`stopword='english'` と `lowercase=True` でそれぞれストップワードの除外と全ての単語の小文字化を行う。最後の `get_feature_names_out()` では、`CountVectorizer()` で抽出された特徴量の単語リストを `feature_names` 変数に格納している。なお、上記の前処理でのハイパーパラメータや以下で指定するトピック数は、使用するデータや分析の目的に応じて調整する必要がある。

```
# LDA の適用
topic_num=4
lda = LatentDirichletAllocation(n_components=topic_num, max_iter=50,
    learning_method='batch', random_state=0)
lda.fit(X)

# LDA の結果の出力
n_words = 10
for i in range(topic_num):
    topic_words = feature_names[sorting[i, :n_words]]
    print(f'Topic {i}: {", ".join(topic_words)}')
```

ここからは LDA のモデル構築を行う。まず、`topic_num` でトピック数を 4、`max_iter` でエポック数を 50、`learning_method` で学習をバッチ学習に指定している。次に、`np.argsort()`

では、LDA で得られた各トピックに対して単語の出現確率が高い順に並べている。ここでは、各トピックでの単語の割り当て回数を表す行列[†10]である `lda.components_` に対して `[:, ::-1]` のスライス表現を用いて降順にソートされた単語のインデックスを抽出している。

最後に、このインデックスを使用して `sorting` 配列から各トピックでの出現確率が高い単語を取得する。ここでは、各トピックの中から 10 単語を `feature_names()` を使用して取得し、`print()` で出力している。結果として、Topic0 に $space, nasa,$ Topic1 に $file, windows,$ Topic2 に $god, jesus,$ Topic3 に $bike, time$ といった単語が得られ、カテゴリごとにトピックを形成していることが推測できる。

10.5 課題

10.5.1 階層的クラスター分析

第 4 章で作成した好き嫌いデータでクラスター分析せよ。

1. ウォード法と重心法それぞれでクラスター分析を行い、デンドログラムを描画して結果の相違を考察せよ

2. ウォード法の場合でのヒートマップを描画し、デンドログラムとどのように対応しているかを考察せよ。

10.5.2 潜在意味解析

本章では、表 10.6 の文書 – 語句行列を式 10.7 で 3 次元に圧縮した。では 2 次元に圧縮した場合はどうであろうか。自身で計算し確認せよ。

1. 表 10.6 の語句 – 文書行列を 2 次元に圧縮した場合の $\hat{A}_{11 \times 4}$ を求め、3 次元の場合の $\hat{A}_{11 \times 4}$(式 10.7) との相違を考察せよ。

[†10] より具体的には `components_[i,j]` はトピック i に単語 j が割り当てられた回数であり、これを正規化するとトピックごとの単語分布と見なすことができる。

2. 表 10.6 の語句 – 文書行列を 2 次元に圧縮した場合の潜在意味構造 $\hat{A}$ における語句間のコサインを求め、元々の行列 A のコサイン (表 10.7) との相違を考察せよ。

10.5.3　潜在ディリクレ配分法（LDA）

本章では、20newsgroups データセットを対象として分析した。課題では、新規の文書を追加して更なる分析をせよ。

1. 新しい文書を 10.4.3 節で構築した LDA で分類せよ。ここでは、例として'Astronomy is the study of celestial objects and phenomena.' という文を用いた場合を示した。

```
# 新しい文書をベクトルに変換
new_doc = ['Astronomy is the study of celestial objects and phenomena.']
new_doc_vec = count_vec.transform(new_doc)

# トピック分類
topic_scores = lda.transform(new_doc_vec)
print(topic_scores)
```

2. 10.4.3 節で示したコードで categories=None とすると 20newsgroups の全てのカテゴリを用いることができる。また CountVectorizer() の引数として token_patern で正規表現を指定することで、より細かく前処理を行うことができる。例えば、token_pattern=r' \b[A-Za-z]{3,}\b' とすると、3 文字以上の英字の単語が分析の対象となる。トピック数などのハイパーパラメータを調整して全てのカテゴリを対象に LDA のモデルを構築し、適切にトピックを解釈せよ。

第 **11** 章

強化学習・深層強化学習

11.1 強化学習

　高校の頃までと大学に入ってからの試験の違いについて考えると、試験後に模範解答が配られるかどうかが大きいように思う。正しい答えを上から教わり、それに向けて自分を修正することが殆どだった高校までと比べて、大学からは、どこにも正解のない中を手探りしながら B とか C とかの評定を貰って自分を改善してきた。畢竟、人生にも模範解答は与えられていないのだから、生きることそれ自体が、周囲の環境へのアプローチとそのフィードバックによる行動改善の繰り返しによって成り立っているのかもしれない。

　本章で学ぶ強化学習 (reinforcement learning) は、まさにこの一連の自発的な学習を人工知能に行わせるものである。まずは基礎となる強化学習について理論的な土台を固め、次にニューラルネットを組み合わせた発展モデルである深層強化学習を学んで、Python で実践する。

11.1.1 状況設定

　強化学習の枠組みは、環境とエージェント (agent) の相互的なやり取りによって説明される。エージェントは環境のなかのある状態 (state) に置かれ、何らかの行動 (action) を起こす。その結果、規定の報酬 (reward) を得て、新たな状態へ遷移する。この一連の流れを繰り返しおこなう（図 11.1）。例えば、二足歩行するロボットの開発について考えてみよう。関節の角度や足の高さなどが状態で、その状態に応じてモータの出力を調整することなどが行動に相当する。行動の

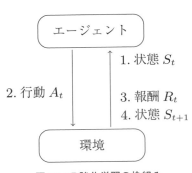

図 **11.1** ● 強化学習の枠組み

結果、転ばずに前に進めれば報酬が得られ、そのときロボットは新たな状態になっている。

　また、強化学習において重要な概念がマルコフ決定過程 (Markov decision process) である。これは、ある時刻 t における状態 S_t と行動 A_t のみが、その結果得られる報酬 R_t と次の状態 S_{t+1} を決定するというモデルである。言い換えれば、未来は過去の状態や行動には影響されず、

もし影響されるならばそれらは全て現在に記述されている。この前提に立つことで、なぜその報酬を得てその状態に遷移したかが明確になるから、自発的な学習には必要不可欠である。

11.1.2　最適方策と Q 関数

エージェントは、何らかの方策 (policy) によって動いている。方策 π は、ある状態においてどのような行動を取るかを決定する関数であり、$\pi(a|s)$ は、状態が s であるときに行動 a を取る確率である。すると、エージェントの目標は、最も報酬を多く得られるような最適方策 (optimal policy) π_* を見つけ出すことになる。

では次に、報酬についてより深く考えてみよう。ある状態と行動から即座に得られる報酬が R であった。しかし、目先の報酬だけに着目していてはより良い方策とは言えないだろう。私たちは将来にわたって得られる報酬の和を重視する必要がある。そこで、収益 (return) を

$$G_t = R_t + \gamma R_{t+1} + \gamma^2 R_{t+2} + \cdots \tag{11.1}$$

と定義する。これは、方策 π にしたがうエージェントが時刻 t に状態 s であるとき今後得られる報酬の和である。式中の γ は割引率と呼ばれ、$0 < \gamma < 1$ の範囲で値を取る。γ によって、より遠い未来の報酬は指数関数的に小さく見積もられている。例えば、$\gamma = 0.9$ とすると、$\gamma^2 = 0.81, \gamma^3 = 0.729$ のように値が小さくなっていくことが分かる。これは、二足歩行課題など上手くすればいくらでも課題を続けられる場合に値が発散するのを防ぐほか、すぐ貰える報酬のほうが価値を高く感じる人間心理（遅延価値割引）を反映していると考えることができる。

収益という概念によって、長期的な視野から報酬について考えられるようになった。ここで注意すべきは、収益は確率的に変動する可能性があるということである。例えば、囲碁を打つ課題であれば対戦相手の挙動は一定ではなく、同じ手を打っても有利さの異なる別の盤面になることがあるだろう。そこで新たに、状態価値関数 (state value function) $v_\pi(s)$ を

$$v_\pi(s) = E_\pi[G_t|S_t = s] \tag{11.2}$$

と定義する。$v_\pi(s)$ は、方策 π にしたがうエージェントが時刻 t に状態 s であるときの収益の期

待値である。ここで最適方策について考え直すと、報酬を最も多く得られそうな方策であれば、どんな状態でも他の方策より収益の期待値が大きいはずである。つまり、あらゆる状態 s において他のすべての方策 π に対して $v_\pi(s) \le v_{\pi_*}(s)$ が成り立つような π_* が最適方策だと言える。

　最後に、行動価値関数 (action value function) $q_\pi(s, a)$ を導入しよう。これは、状態価値関数の条件に行動 a が所与であることを追加した関数であり、

$$q_\pi(s, a) = E_\pi[G_t | S_t = s, A_t = a] \tag{11.3}$$

と定義される。すなわち、方策 π にしたがうエージェントが時刻 t に状態 s で行動 a を取ったときの収益の期待値である。時刻 t での行動は a に決定しており、時刻 $t+1$ からは方策 π にしたがうと考える。$v_\pi(s)$ と $q_\pi(s, a)$ の違いは行動 a という条件の有無だけなので、

$$v_\pi(s) = \sum_a \pi(a|s) q_\pi(s, a) \tag{11.4}$$

という関係式が成り立っている。行動価値関数は、Q 関数 (Q-function) とも呼ばれる。

11.2　ベルマン方程式

　前節で Q 関数を定義したが、(11.3) 式中の G_t には無限に続く R の列が含まれており、値を直接計算することができない。そこで、マルコフ決定過程のもとで成り立つ等式であるベルマン方程式 (Bellman equation) を導出する。

　まず、(11.1) 式を変形する。式中の添字 t に $t+1$ を代入すると、

$$G_{t+1} = R_{t+1} + \gamma R_{t+2} + \gamma^2 R_{t+3} + \cdots$$

が得られる。この式の両辺に γ をかけると、その右辺が (11.1) 式右辺第 2 項以降に一致する。これを該当部分に代入すると $G_t = R_t + \gamma G_{t+1}$ となるから、(11.3) 式は

$$q_\pi(s, a) = E_\pi[R_t + \gamma G_{t+1} | S_t = s, A_t = a]$$

$$= E_\pi[R_t|S_t = s, A_t = a] + \gamma E_\pi[G_{t+1}|S_t = s, A_t = a] \tag{11.5}$$

と表現できる。2つ目の等式は期待値の線形性[†1]に拠る。

2つに分解した期待値を、実際に計算できる形で表現することを考えよう。

(11.5) 式の第1項は、時刻 t に状態 s と行動 a が所与のときの報酬 R_t の期待値である。報酬 R_t は現在の状態 s と行動 a と次の状態 s' によって決まると考えられるから、R_t を返す報酬関数を $r(s, a, s')$ と表記することにする。また、囲碁の例で自分の打つ手 a が同じでも相手の挙動で別の盤面になることがあることを思い出して、状態 s と行動 a から次の状態 s' へ遷移する確率を $p(s'|s, a)$ とすると、

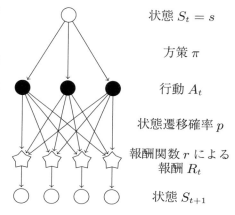

状態 $S_t = s$

方策 π

行動 A_t

状態遷移確率 p

報酬関数 r による報酬 R_t

状態 S_{t+1}

図 11.2●時刻 t から $t+1$ への流れ

$$E_\pi[R_t|S_t = s, A_t = a] = \sum_{s'} p(s'|s, a) r(s, a, s') \tag{11.6}$$

となる。図 11.2 に、これまでに定義した記号を用いて時刻 t から $t+1$ への流れを示した。以後、報酬関数 $r(s, a, s')$ と状態遷移確率 $p(s'|s, a)$ をまとめて環境情報と呼ぶ。

次に、(11.5) 式の2つ目の期待値は、時刻 t に状態 s と行動 a が所与のときの、次の時刻 $t+1$ における収益の期待値である。まずは、(11.2) 式や (11.3) 式のように式中の時刻を揃えることを考える。時刻 t に状態 s と行動 a が所与のとき、時刻 $t+1$ に状態 s' となる確率は $p(s'|s, a)$ だから、

$$E_\pi[G_{t+1}|S_t = s, A_t = a] = \sum_{s'} p(s'|s, a) E_\pi[G_{t+1}|S_{t+1} = s']$$

[時刻が揃ったので、(11.2) 式から]

$$= \sum_{s'} p(s'|s, a) v_\pi(s') \tag{11.7}$$

[†1] a, b が定数のとき $E[aX + bY] = aE[X] + bE[Y]$ となる。割引率 γ は方策 π と無関係の定数である。

となる。以上の 2 式から、(11.5) 式を整理すると

$$q_\pi(s,a) = \sum_{s'} p(s'|s,a) \left\{ r(s,a,s') + \gamma v_\pi(s') \right\}$$

[(11.4) 式より、時刻 $t+1$ における行動を a' とすると]

$$= \sum_{s'} p(s'|s,a) \left\{ r(s,a,s') + \gamma \sum_{a'} \pi(a'|s') q_\pi(s',a') \right\} \tag{11.8}$$

となる。これが、Q 関数におけるベルマン方程式である。

　Q 関数を定義した (11.3) 式と異なり、(11.8) 式には無限に続くような要素が含まれていない。すると、環境情報が分かっている場合、ある方策 π にしたがったとき残る変数は $q_\pi(s,a)$ だけである。このとき全ての状態 s と行動 a の組み合わせについて (11.8) 式が得られるため、それらの連立方程式を解くと、その方策における Q 関数を求めることができる。つまり、その方策からどれだけ収益を期待できるかが分かるのだ。

11.2.1　ベルマン最適方程式

　次節のために、最適方策のもとで、Q 関数についてベルマン方程式を再表現してみよう。

　まず、(11.8) 式はあらゆる方策 π について成り立つから、最適方策 π_* でも成り立つことが分かる。さて、ある状態 s に対して最適な行動とは、最適方策における Q 関数 $q_*(s,a)$ を最大にするような行動である。基本的に Q 関数の値は行動 a ごとに異なるから、最適方策 π_* はその行動を確率 1 で選ぶことになる。これを踏まえると、(11.8) 式は最適方策のもとで

$$q_*(s,a) = \sum_{s'} p(s'|s,a) \left\{ r(s,a,s') + \gamma \max_{a'} q_*(s',a') \right\} \tag{11.9}$$

となる。これを Q 関数におけるベルマン最適方程式 (Bellman optimality equation) と呼ぶ。

11.3　Q 学習における評価と改善

　私たちの目標は、最も多くの報酬を得られるような最適方策 π_* を見つけ出すことであった。

　強化学習の課題では、主に 2 つのタスクに取り組むことになる。1 つは方策評価 (policy evaluation)、もう 1 つは方策改善 (policy improvement) である。方策評価とは、エージェントの現在の方策 π に対して、どれほどの収益が期待できるか計算することを指す。つまり、$v_\pi(s)$ や $q_\pi(s, a)$ を求めることである。一方の方策改善とは、方策 π を調整して最適方策へと近付けることを意味する。

　強化学習には様々な学習方法があるが、本書ではそのなかで Q 学習（Q-learning）について学ぶ。Q 学習では、エージェントが 1 つ行動するたびに方策評価と方策改善をおこない、これを繰り返す。順を追って見ていこう。

11.3.1　方策評価

　前節にて、環境情報が分かっている場合、すべての状態 s と行動 a の組み合わせに対して Q 関数を立式してその連立方程式を解けば、Q 関数の値が求まると述べた。しかし、$s \times a$ 本の方程式を連立させて解くことを考えると、課題の規模を少し大きくするだけですぐに式の数が増え手に負えなくなる。Q 関数を解析的に求めるのは現実的ではないのだ。

　これを解決するため、エージェントが繰り返し行動することを前提に、まずは 2 つのアプローチで Q 関数の近似を試みる。

　1 つ目のアプローチは、(11.9) 式を方程式ではなく更新式として捉える、すなわち、

$$Q^{(k)}(S_t, A_t) = \sum_{S_{t+1}} p(S_{t+1}|S_t, A_t) \left\{ r(S_t, A_t, S_{t+1}) + \gamma \max_{a'} Q^{(k-1)}(S_{t+1}, a') \right\} \quad (11.10)$$

と見なすことである。式中の Q 関数は推定値であるため大文字とし、k 回更新された Q 関数を $Q^{(k)}$ と表記した。環境情報が分かっている場合、エージェントの行動によって時刻 t での状態 S_t と行動 A_t と次の時刻 $t+1$ での状態 S_{t+1} の情報が得られたとき、上式に未知数は無くなる

ため、Q 関数の推定値の更新が可能になる。エージェントが同じ状態と行動を経験するたびに推定値が更新され真値に近付いていく。

　しかし、この更新方法には環境情報が既知であるときしか使えないという弱点がある。例えば、囲碁を打つ課題で相手の打つ手を意味する状態遷移確率が分かるはずがない。

　ここで一旦、全く異なるアプローチから Q 関数を求めることを考えてみよう。

　時刻 t において状態 s にあるエージェントの行動 a によって得られるのは、報酬 R_t である。課題が最後まで終了すると収益 G_t も求めることができる。Q 関数の定義 (11.3) 式を踏まえると、m 回の繰り返し試行によって得られた G_t の平均は、m が十分に大きいとき Q 関数を近似できると考えられる。つまり、m 回目の Q 関数の推定値 $Q^{(m)}(S_t, A_t)$ を

$$Q^{(m)}(S_t, A_t) = \frac{1}{m}\left(G_t^{(1)} + G_t^{(2)} + \cdots + G_t^{(m-1)} + G_t^{(m)}\right) \tag{11.11}$$

と表せる。上式は、式変形によって右辺に $Q^{(m-1)}$ を作り出すと、

$$
\begin{aligned}
Q^{(m)}(S_t, A_t) &= \frac{1}{m}\left\{(m-1)\frac{1}{m-1}\left(G_t^{(1)} + G_t^{(2)} + \cdots + G_t^{(m-1)}\right) + G_t^{(m)}\right\} \\
&= \frac{1}{m}\left\{(m-1)Q^{(m-1)}(S_t, A_t) + G_t^{(m)}\right\} \\
&= \left(1 - \frac{1}{m}\right)Q^{(m-1)}(S_t, A_t) + \frac{1}{m}\,G_t^{(m)}
\end{aligned}
\tag{11.12}
$$

と書き直せる。上式は、$m-1$ 回目までの推定値と m 回目の収益を、$1 - 1/m$ 対 $1/m$ の割合で混合することを意味している。これで、$m-1$ 回までの平均の計算結果を利用して m 回目までの平均を求めるという逐次的な更新が可能になった。さらに、(11.12) 式の更新方法を 1 つ改良しておく。それは、混合割合をここまでのデータ数を用いた $1/m$ から固定値 $\alpha\,(0 < \alpha < 1)$ に置き換えて $1 - \alpha$ 対 α とすることである。式に表すと、

$$Q^{(m)}(S_t, A_t) = (1-\alpha)Q^{(m-1)}(S_t, A_t) + \alpha\,G_t^{(m)} \tag{11.13}$$

となる。このような平均の求め方は指数移動平均と呼ばれ、後から得たデータほど重みが大きくなる。エージェントが課題を終え Q 関数の推定値を更新するたび、方策改善によって方策もより良いものへ更新されていくため、現在に近いデータを重視するのは理に適っている。

この 2 つ目のアプローチには、定義上無限に続く R_t の列を含んでいる収益 G_t を利用するため、エージェントが課題を一度終わらせて G_t の値を確定させなければならないという弱点がある。この更新方法は、例えば小規模な迷路を解く課題などには有効だと考えられるが、囲碁のように勝負が付くまでに時間のかかる課題や、二足歩行課題のように上手くすれば無限に続けることが可能な課題には適用できないだろう。

ここまで見てきた 2 つのアプローチを踏まえて、いよいよ Q 学習の方策評価に用いる更新式を導出しよう。(11.13) 式における更新分を変更し、n 回目の更新式を

$$Q^{(n)}(S_t, A_t) = (1 - \alpha)Q^{(n-1)}(S_t, A_t) + \alpha \left\{ R_t + \gamma \max_{a'} Q^{(n-1)}(S_{t+1}, a') \right\} \quad (11.14)$$

とする。上式で用いる更新分は、(11.10) 式右辺の括弧内において、エージェントが知り得ない報酬関数 $r(S_t, A_t, S_{t+1})$ を実際に経験して得られた R_t に置換したものである。式の中身を確認すると、S_t, A_t, R_t, S_{t+1} が手に入った段階、すなわちエージェントが 1 つの行動を取ったとき直ちに推定値を更新できることが分かる。言い換えると、環境情報が未知の場合でも、そして課題の終了を待たずとも推定値の更新ができるのである。

(11.14) 式を Q 関数の推定に利用するのが、Q 学習の方策評価である。この方法のポイントは、導出に (11.9) 式のベルマン最適方程式を用いている点だ。実は、(11.8) 式のベルマン方程式を使って更新式を構成する SARSA と呼ばれる学習方法があることが知られている。SARSA では、更新式に max 関数が無いため更新時に行動 A_{t+1} の影響が含まれる。すなわち、行動 A_{t+1} を決定する方策 π の影響を受けるのである[†2]。一方、Q 学習の更新式では時刻 $t+1$ の行動は Q 関数の推定値が最大となる行動を選ぶから、方策 π の影響を受けずに最適方策 π_* の Q 関数に近付くことができる。Q 学習はこのような特性から方策オフ型の手法と呼ばれる。

11.3.2 方策改善

方策改善とは、方策 π を調整して最適方策へと近付けることである。Q 学習では、エージェ

[†2] SARSA という名前は、推定値の更新の際に $S_t, A_t, R_t, S_{t+1}, A_{t+1}$ を必要とすることによる。その意味では、Q 学習は SARS ということになるかもしれない。

ントが 1 つ行動をおこなって Q 関数の推定値を更新した後、すぐに方策改善をおこなう。

　最適方策 π_* において、ある状態 s のもとで最適な行動とは $q_*(s, a)$ を最大にするような a である。Q 関数の値は基本的に行動ごとに異なるので、ある状態に対して決まった 1 つの行動を選ぶことを意味する。となれば、方策改善においても同じように、n 回目の Q 関数の推定値 $Q^{(n)}(S_t, a)$ に対して、これを最大化する行動 a を選ぶように方策を修正すれば良いように思える。しかし、このような改善方法は上手く機能しない。なぜなら、何が良い方策か分からないうちから行動をただ 1 つに絞ってしまうと、エージェントの経験する状態 s と行動 a の組み合わせが限られ、すべての状況を経験することができなくなってしまうからである。

　この考察から、エージェントの取る方策には、これまでの経験を活かして Q 関数の値を最大にする行動を取る活用 (exploitation) と、全くランダムな行動を取って新たな経験を得ようとする探索 (exploration) の 2 種類があり、両者にはトレードオフ構造があることが分かる。これを反映させた方策改善が、下の (11.15) 式に示す ε-greedy 法である。

$$
\pi^{(n)} = \begin{cases} Q^{(n)}(S_t, a) \text{ を最大化する行動 } a & (1 - \varepsilon \text{ の確率で}) \\ \text{ランダムな行動} & (\varepsilon \text{ の確率で}) \end{cases} \tag{11.15}
$$

　ε-greedy 法では n 回目の方策 $\pi^{(n)}$ を、$1 - \varepsilon$ の確率で収益に対して greedy に（貪欲に）振る舞い活用させ、ε の確率でランダムに行動し探索させるように更新する。ε の値については、0.1 といった小さな固定値としたり、初めに 0.9 などの大きな値としてから更新を繰り返すごとに小さくしたりといったように定める。学習が完了したと判断したときに $\varepsilon = 0$ として $Q^{(n)}(S_t, a)$ を最大化する行動 a を取り出せば、最適方策 π_* の推定結果が得られる。

　以上見てきたように、Q 学習ではエージェントが 1 つ行動するたびに、(11.14) 式によって Q 関数の推定値を更新する方策評価と、(11.15) 式の ε-greedy 法による方策改善をおこなう。エージェントはこのサイクルを繰り返して、自発的な学習を進めていく。

迷路課題を解く

　Q 学習を使って、エージェントに迷路課題を解かせてみよう。図 11.3 左に、4 × 4 マスの迷路を示した。「始」がスタート、「終」がゴールである。エージェントは、上下左右という 4 つの行動パターンを用いてスタートからゴールを目指す。手でなぞってみると、最適方策は図右となる。

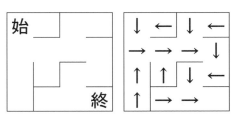

図 11.3●迷路課題とその最適方策

　環境情報を設定しよう。まず、状態遷移確率はすべて 1 とする。つまり、エージェントは壁が無ければ必ず隣のマスに移動し、壁があれば必ずそのマスに留まる。報酬については、ゴールに着いたとき 10 点、壁にぶつかったときは痛いので −1 点とする。この環境のもとで、$\gamma = 0.9$, $\alpha = 0.2$, $\varepsilon = 0.1$ として、Q 学習を用いるエージェントに 100000 回迷路を解かせた。

　強化学習では状態 s と行動 a の組み合わせごとに Q 関数の値を保持するため、学習結果はサイズ $s \times a$ の表として表現できる。これを Q テーブル (Q-table) と呼ぶ。得られた Q テーブルを見やすいよう迷路上に整理したものが図 11.4 である。それぞれ

	3.30			2.87			4.31			1.73
3.30	始	3.87	4.30		2.87	4.31		4.78	5.31		1.74
	4.78			2.87			5.90			0.60
	4.30			4.31			5.31			5.56
3.78		5.31	4.78		5.90	5.31		6.56	5.90		5.56
	4.30			4.78			4.90			7.29
	4.78			5.31			7.10			6.56
3.30		3.30	3.78		3.78	7.10		7.29	8.10		6.29
	3.87			3.78			9.00			6.29
	4.30			7.10			8.10			
0.91		0.50	7.10		9.00	8.10		10.00		終	
	1.67			7.10			8.00			

図 11.4●迷路に落とし込んだ Q テーブル

のマスの上下左右に、その方向へ行動したときの Q 関数の推定値を示した。図右下はゴールでありこれ以上行動しないため Q 関数も無い。それぞれのマスにおいて Q 関数の値が最大となる行動が最適方策であることを踏まえて、図を確認すると、確かにエージェントが最適な行動を学習できていることが分かる。

　もう 1 つ興味深い例を示そう。図 11.5 は、3 × 3 マスの迷路である。先ほどとは異なり、ゴールまでの長さが異なる 2 種類のルートがあるうえ、片方には途中に罠のマスがある。先ほどの環境情報に付け加えて、罠のあるマスに入り込んだとき −10 点の報酬を得るとする。この迷路課題を罠無しと罠有りの 2 パターンで学習させたとき、最適方策はどうなるであろうか。

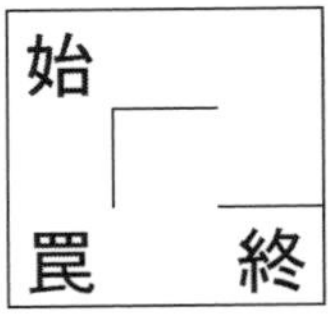

図 11.5●罠のある迷路

　先ほどと同じ条件で学習させた結果を図 11.6 に示した。Q 関数の値から最適方策を確認すると、罠無しでは最短距離を選んでいるのに対し、罠有りでは罠を避けて遠回りしている。収益 G_t の定義より遠くの報酬は小さく見積もられるので、基本的にゴールの報酬まで近道で行けるほど良い方策と判断されるが、−10 点の罠はその近道を蹴ってでも避けたいことが分かる。

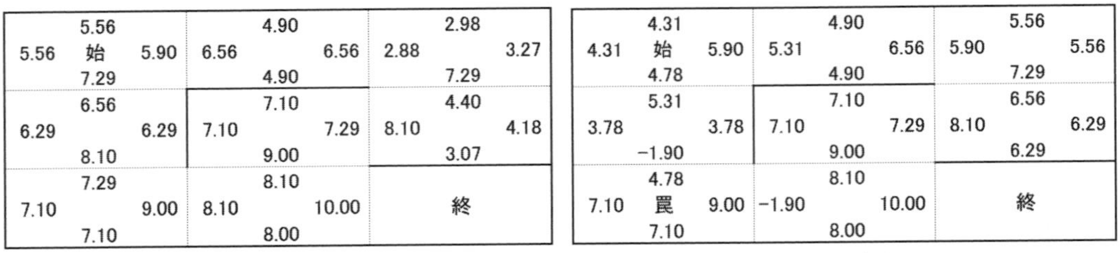

	5.56			4.90			2.98	
5.56	始	5.90	6.56		6.56	2.88		3.27
	7.29			4.90			7.29	
	6.56			7.10			4.40	
6.29		6.29	7.10		7.29	8.10		4.18
	8.10			9.00			3.07	
	7.29			8.10				
7.10		9.00	8.10		10.00		終	
	7.10			8.00				

(a) 罠無し

	4.31			4.90			5.56	
4.31	始	5.90	5.31		6.56	5.90		5.56
	4.78			4.90			7.29	
	5.31			7.10			6.56	
3.78		3.78	7.10		7.29	8.10		6.29
	−1.90			9.00			6.29	
	4.78			8.10				
7.10	罠	9.00	−1.90		10.00		終	
	7.10			8.00				

(b) 罠有り

図 11.6●罠の有無による Q テーブルの比較

11.5　Flappy Bird から見る Q 学習の限界

　Flappy Bird は、2013 年に公開されたスマートフォンゲームである。図 11.7 に連続 5 フレーム分のゲーム画面を示した。プレイヤーは画面の中央左にいる鳥を上下に操作して、強制スクロールで画面右から次々に現れる土管をかわしていく。鳥は操作が無いあいだ下に向かって落ち続け、プレイヤーは画面をタップして鳥を上へ飛ばすかどうかのみを判断する。越えた土管の数だけポイントが得られ、鳥が画面下に落ちるか土管にぶつかってゲームが終了するまでのスコアを競う。Flappy Bird はこのように大変シンプルなルールでありながら、一般人なら練

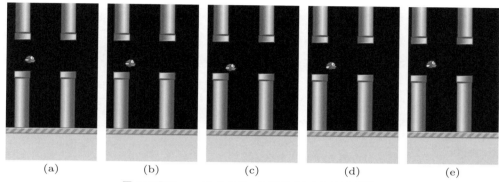

図 **11.7** ● **Flappy Bird** のゲーム画面（左から時系列順）

習無しで 2 から 3 ポイント程度、練習しても 50 ポイントに届かせるのが難しいという難易度の高さから、2014 年初頭に人気を博した[3]。

　では、人間にとって難しいこのゲームを人工知能のエージェントに学習させるとどうなるだろうか。そこで、これまで見てきたような、Q テーブルを評価して方策を改善する強化学習の手法が思い浮かぶが、実はこの方法を Flappy Bird に適用することはできない。

　前節で見たように、Q テーブルはサイズ $s \times a$ の行列であった。強化学習では、状態 s と行動 a の組み合わせごとに Q 関数の値を独立に保持し、推定値を更新する。

　Flappy Bird において行動 a の種類は、画面をタッチするかしないかの 2 つだけだ。

　しかし、問題となるのは状態 s の数である。プレイヤーはゲーム画面を見て鳥をどう操作するかを判断するため、私たち人間にとってはゲーム画面そのものが状態だと言える。では AI にとってはどうかというと、画面のみならず、私たちには見えないゲーム内部の情報にもアクセスできると考えられる。もちろん、この内部データを状態として学習に利用してもよいのだが、人間と成績を競うという観点では、人間と異なる条件で学習するのは不公平である。そこで、AI に対しても人間と同じようにゲーム画面そのものを状態として与えることにする。

　ところが、これが大きな問題を引き起こす。第 7 章で見たように、コンピュータにとって画像とは、本質的には縦横に数字が並んだ行列である。Flappy Bird の画面も同様に、サイズ 512×288

---

[3] 現在、Flappy Bird は多くのサイトで無料公開されている。ぜひ一度遊んで、その難しさを体感してみてほしい。

の行列によって構成されている。すると、行列の各々の画素値（ピクセルの値）は $0 \sim 255$ の 256 通りあるから、ゲーム画面が表示可能な状態 s の数は $256 \times 256 \times \cdots \times 256 = 256^{512 \times 288}$ 通りである。したがって、このゲーム課題の Q テーブルは、$256^{512 \times 288} \times 2$ という 30 万桁以上の要素数を持つとんでもないサイズの行列となる。これは状態空間の爆発 (state space explosion) と呼ばれ、明らかにこれまでの Q テーブルを用いた方策評価ができないことが分かる。

11.5.1　ゲーム画面そのものを状態とする意義

　話は少し横道に逸れるが、今回、AI への入力にゲームの内部情報ではなくゲーム画面そのものを使用するのには、人間のプレイヤーとの公平性という視点の他に、もう 1 つ理由がある。

　仮に内部情報を用いるとすると、ゲームの内部情報はゲームごとに異なるため、別のゲームを学習させるにはプログラムを新しく書き起こさなければならない。一方で、あらゆるコンピュータゲームは画面によって構成されているので、AI が画面の入力だけでゲームをプレイできるような仕組みをひとたび構築すれば、理論上この AI はどんなゲームもプレイできると考えられる。また、ゲームのみならず、自動運転やロボットアームの制御など、強化学習で解決できる多くの課題の入力も画面である。したがって、画面のみを入力としてゲームをプレイできる AI は、ある意味で汎用型 AI と見なすことができるのだ。

11.6　深層強化学習

　前節から、エージェントが Flappy Bird を強化学習の手法でプレイしようとすると、Q テーブルの規模が非現実的な大きさとなり明らかに学習不可能であることが分かった。この問題に対処するため、価値関数近似 (value function approximation) という方法を用いる。

　価値関数近似の考え方はいたってシンプルである。状態 s の数が膨大で Q テーブルを評価できないならば、Q テーブルを使わずに、Q 関数を近似できる何らかの関数 $f(s, a)$ を利用すれ

ばよいのだ。つまり、$f(s, a) \simeq q_*(s, a)$ が成り立つ $f(s, a)$ を探して適用すれば、状態空間の爆発を回避できる。近似に用いる関数 $f(s, a)$ については様々な方法が提案されており、例えば回帰モデルや、第 3 章で学んだ決定木などが使用できる。

　ところで、第 5 章から第 7 章で学んできたニューラルネットも、本質的には関数の近似器であると見なすことができる。第 7 章で学んだ畳み込みニューラルネット (CNN) は画像処理に特化したモデルであった。そこで、CNN を、状態 s と行動 a を入力すると Q 関数の近似値を出力する関数 CNN(s, a) と見なして利用することにしよう。このように、強化学習とディープラーニングを組み合わせた手法を、深層強化学習 (deep reinforcement learning) または DQN(Deep Q-Network) と呼ぶ。

　では、CNN$(s, a) \simeq q_*(s, a)$ が成り立つような CNN を作成することにしよう。それには、ネットワークの入力と出力、そして誤差関数が何であるかを定義する必要がある。

　まずは入力と出力について考えよう。CNN を用いて Q 関数 $q_*(s, a)$ を近似することを素朴にとらえると、状態 s（ゲーム画面）の行列と行動 a $(a = 1, 2, \ldots, A)$ を入力して、対応する Q 関数の値を出力するネットワークを構成すればよいと思われる。この場合、出力層のユニットは 1 つである。しかし、CNN は一般的に行列しか入力を受け付けない。そこで工夫として、行動 a を出力層に持っていくことを考える。つまり、行動 a の数だけ出力層のユニットを用意して、状態 s の行列が入力されたときそれぞれの行動の Q 関数の値が出力されるモデルとするのだ。このときモデルの出力は要素数 A のベクトルであり、CNN(s, a) は、CNN(s) の出力ベクトルの a 番目の要素のことを指すと再定義できる。

　次に、誤差関数について定義しよう。まず (11.9) 式のベルマン最適方程式を考える。今回のゲーム課題では、ある状態 s においてある行動 a を選ぶと次の状態 s' が確率 1 で決定するため、式中の状態遷移確率 $p(s'|s, a)$ は省略することができる。したがって、最適方策 π_* において

$$q_*(s, a) = r(s, a, s') + \gamma \max_{a'} q_*(s', a') \tag{11.16}$$

が成り立つ。いま、私たちは上式における Q 関数を CNN で近似しようとしている。このことを、(11.14) 式を導出したときと同様に報酬関数 $r(s, a, s')$ を実際に得た報酬 R_t に置き換えつ

つ表現すると、(11.16) 式は以下のように書き換えられる。

$$\mathrm{CNN}(s, a) \simeq R_t + \gamma \max_{a'} \mathrm{CNN}(s', a') \tag{11.17}$$

しかし、近似が正確でないために上式の左辺と右辺は等しくなく、等号は成立しないだろう。この両辺の差が最小化されるべき誤差であると言えるから、2 乗誤差を用いると、誤差は

$$\left[\mathrm{CNN}(s, a) - \left\{R_t + \gamma \max_{a'} \mathrm{CNN}(s', a')\right\}\right]^2 \tag{11.18}$$

と表すことができる。誤差逆伝播法を用いて上式を最小化（最適化）することで、CNN は Q 関数の近似精度を高めていく。

　これで、深層強化学習における方策評価の目処が立ったので、ε-greedy 法による方策改善と合わせて、エージェントが Flappy Bird を学習することができるようになった。

11.7　Python による深層強化学習の実装

　では、実際に Flappy Bird をプレイするエージェントを実装しよう。

　今回は、紙面の都合上、コードの重要な部分のみ解説をおこなう。残りのコードとその説明は本書の配布資料にて参照してほしい。

　コードの説明に入る前に、改めて CNN の入力データについて考えたい。これまで見てきたように、ゲーム課題において入力はゲーム画面のみである。ところが、図 11.7 をもう一度よく見ると、ゲーム画面の 1 フレームだけでは、鳥がいま上へ向かっているか下へ向かっているかの判断がつかないことが分かる。すなわち、Flappy Bird においては 1 フレームを状態 s とするとマルコフ決定過程を満たさないのだ。これを解決するのは簡単で、私たちがフレーム間の違いで鳥の動きを判断するのと同様に、エージェントにも連続した数フレームを与えればよい。今回は、状態として 4 フレーム分のゲーム画面を与えることにした。また、同時に画面サイズの縮小もおこなったため、最終的に入力データは $128 \times 72 \times 4$ のテンソルとなった。

```
class Net(nn.Module):
    def __init__(self):
        super().__init__()
        # input 128x72x4
        self.conv1 = nn.Conv2d(4, 32, kernel_size=6, stride=2)  # 62x34x32
        self.conv2 = nn.Conv2d(32, 64, kernel_size=4, stride=2)  # 30x16x64
        self.conv3 = nn.Conv2d(64, 128, kernel_size=4, stride=2)  # 14x7x128
        self.flatten = nn.Flatten()
        self.fc1 = nn.Linear(14*7*128, 256)
        self.fc2 = nn.Linear(256, 2)
    def forward(self, x):
        x = torch.relu(self.conv1(x))
        x = torch.relu(self.conv2(x))
        x = torch.relu(self.conv3(x))
        x = self.flatten(x)
        x = torch.relu(self.fc1(x))
        x = self.fc2(x)
        return x
```

　まず、CNN のモデルを定義する。$128 \times 72 \times 4$ の入力に対して、3 回の畳み込みをおこない、$14 \times 7 \times 128$ に変換する。これを 1 列に展開して、ユニット数が 256 の隠れ層に全結合する。最後に、今回の行動 a は画面をタッチするかしないかの 2 つであるため、出力層のユニット数を 2 とする。活性化関数には ReLU を用いる。

```
M = deque(maxlen=REPLAY_MEMORY)

loss_fn = nn.MSELoss()  # 誤差関数
optimizer = optim.Adam(net.parameters(), lr=LR)

game_state = fb.GameState()
action = [1, 0]

img, reward, terminal = game_state.frame_step(action)
img = preprocess(img)
empty_state = np.stack((img, img, img, img), axis=0)
S0 = empty_state
```

　次に、ネットを学習するデータの保存先 M を定義する。M には Python の deque というデータ構造を利用した。deque には、list と同様に M.append() を利用すればデータを追加できる。ただし引数の maxlen を指定すると、保存するデータの数が指定の値（今回は REPLAY_MEMORY を 5000 とした）以上になったとき最初に保存したデータから自動的に削除してくれる。パソコンのメモリが限られており全てのプレイ情報を保存できないため、maxlen を利用してメモリの消費を管理する。また、誤差関数を 2 乗誤差とし、最適化法をを Adam とした。

　以上で準備が済んだので、ネットが学習を始められるようになった。

　まず、`fb.GameState()` でゲームを初期化する。`game_state.frame_step()` という関数に行動 action を渡すと、次の状態（ゲーム画面の次のフレーム）img、報酬 reward、ゲームオーバかどうか terminal という 3 つの情報を返す。得られたフレームのサイズを、自作関数 `preprocess()` を利用して縮める。また、今回は 4 フレームを同時に入力データとするため、`np.stack()` を利用して最初の画像を 4 回繰り返し、最初の入力とした。

```python
epsilon = 0.99

for episode in range(MAX_EPISODE):
    while True:
        # ----------------------------------------------------------
        # 1. エージェントが行動し、その結果を記録する
        action = choose_action(S0, epsilon, net)
        img, reward, terminal = game_state.frame_step(action)

        img = preprocess(img)
        img = np.reshape(img, (1, 128, 72))
        S1 = np.append(S0[1:, :, :], img, axis=0)
        M.append((S0, action, reward, S1, terminal))

        # ----------------------------------------------------------
        # 2. 学習用のバッチデータを生成する
        minibatch = random.sample(M, BATCH)
        S_batch = np.array([d[0] for d in minibatch])
        A_batch = np.array([d[1] for d in minibatch])
        R_batch = np.array([d[2] for d in minibatch])
        S_batch_next = np.array([d[3] for d in minibatch])

        state_batch = torch.from_numpy(S_batch).to(device)
        next_state_batch = torch.from_numpy(S_batch_next).to(device)

        # ----------------------------------------------------------
        # 3. Q 値を計算する
        q_value_next = net(next_state_batch)
        max_q, _ = torch.max(q_value_next, dim=1)

        y = R_batch.astype(np.float32)
        for i in range(BATCH):
            if not minibatch[i][4]: # ゲームオーバでなければ
                y[i] += GAMMA * max_q.data[i].item()
        y = torch.from_numpy(y).to(device)

        q_value = net(state_batch)
        action_batch = torch.from_numpy(A_batch).to(device)
        q_value = torch.sum(torch.mul(action_batch, q_value), dim=1).float()

        # ----------------------------------------------------------
        # 4. 誤差を計算し、ネットを学習させる
        loss = loss_fn(q_value, y)

        optimizer.zero_grad()
        loss.backward()
        optimizer.step()

        # ----------------------------------------------------------
        # 5. 状態 s を更新する
        if terminal:
            S0 = empty_state
```

```
            break
        else:
            S0 = S1

    # ---------------------------------------------------------------
    # 6. epsilon が最小値になっていない場合、epsilon を減少させる
    if epsilon > 0.001:
        delta = (0.99 - 0.001 )/  10000
        epsilon -= delta

    # ---------------------------------------------------------------
    # 7. 100 回ごとに、その時点の学習結果を利用してゲームをプレイして、ネットの重みと成績を記録する
    if episode % 100 == 0:
        success = use_net_play_game(net,is_test=True,episode=episode)
        torch.save(net.state_dict(), f'model/episode-{episode}_succes-{success}.par')
```

いよいよエージェントの学習部分のコードに入る。コード全体が for 文のループ下にあり、ゲームをプレイする回数 MAX_EPISODE だけ繰り返される。今回は 50000 回とした。その中の while はゲームオーバになるまで続く個々のプレイのループである。つまり、50000 回ゲームオーバになるまでゲームをプレイし続ける。

ループ部分はおおむね 8 つのブロックに分けることができる。1 つずつ見ていこう。

第 1 ブロックでは、まず (11.15) 式の ε-greedy 法にしたがって次の行動を決定する。action は epsilon の値によって、ランダムか、net が推定した Q 関数の値が最大となる行動のどちらかになる。その行動でゲームをプレイし、結果をメモリ M に保存する。

第 2 ブロックでは、random.sample() を利用して、サイズ 64 のネットの学習用のバッチデータをメモリ M から生成する。そしてバッチから S_t, A_t, R_t, S_{t+1} をそれぞれ取り出す。

第 3 ブロックでは (11.17) 式の両辺を求める。まず報酬を取り出し、ゲームオーバでなければ torch.max() を使って計算しておいた $\max_{a'} CNN(s', a')$ を足し合わせて y とする。これが右辺である。次に左辺の $CNN(s, a)$ を計算して q_value に保存する。

第 4 ブロックでは、(11.18) 式に基づいて誤差を求め、ネットを学習させる。

第 5 ブロックでは、ゲームオーバでなければ状態 S1 を S0 に代入してループを続けさせ、ゲームオーバの場合は break してループから出る。ここまでが個々のプレイ中のループである。

第 6 ブロックでは、1 プレイごとに epsilon の値を減少させる。コード冒頭に指定した epsilon の初期値 0.99 から 0.001 まで、10000 回のプレイ回数をかけて線形に少しずつ減少させる。それ以降のプレイでは 0.001 に固定となる。

　第 7 ブロックでは、プレイ回数が 100 の倍数を迎えるたびに、ランダムな探索無しで greedy にゲームをプレイさせ、その成績とネットの重みを記録する。最も成績の良かったネットを最終的なネットとする。

　以上のコードにおいて最も重要なのは第 3 ブロックである。DQN のアルゴリズムを理解するには、この部分の働きをしっかり理解する必要がある。

11.8　課題

　子供の頃に、傘を手のひらの上に立てて倒さないようにする遊びをしたことがあるだろうか。これは倒立振子と呼ばれ、古くから制御工学の分野で有名な課題である。

　ChatGPT の開発で知られる OpenAI が強化学習の AI のために公開している Gym[4] というパッケージの中に、画面上の平面で倒立振子課題をおこなう Cart Pole というゲーム環境がある。Cart Pole の画面は、左右に動く台車とそれに取り付けられた棒によって構成されている（図 11.8）。プレイヤーは台車を左右に動か

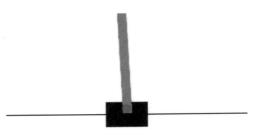

図 11.8 ● Cart Pole のゲーム画面

して棒を倒さないようにバランスを取り、一定の時間、棒を倒さずにキープすればクリアとなる。

　本章の課題は、このゲームをクリアするエージェントの実装である。

　Cart Pole において取得できるゲームの内部データとしての状態 s は 4 つある。台車の位置（-4.8 から 4.8）、台車の速度（$-\infty$ から ∞）、棒の角度（$-24°$ から $24°$）、棒の角速度（$-\infty$ から ∞）である。

　台車の位置が ±2.4 を超えるか棒の角度が $\pm12°$ を超えると、ゲームオーバとなってゲームが

---

[4] 2022 年 10 月 25 日、OpenAI は Gym のメンテナンスを停止すると発表した。これは Gym の API が更新されなくなったことを意味するが、かえって、今後末永く安定的に使えるというメリットになっている。

終了する。また、500 ステップの間ゲームオーバにならなかったときも、クリアとなってゲームが終了する。報酬は、棒を倒さなければ 1 ステップごとに 1 点与えられる。

Python による Cart Pole の導入を説明しておこう。

```
!pip install gym[classic_control]
import gym
# Pygame で画面を表示したい場合、render_mode='human' を利用する
env = gym.make('CartPole-v1', render_mode='rgb_array')

observation = env.reset()

action = env.action_space.sample()
observation, reward, terminated, info = env.step(action)

plt = env.render()

env.close()
```

まず pip で gym をインストールし、import で導入する。

gym.make() を利用すると Cart Pole 環境が作成できる。引数の render_mode には、データを画面に描画する際に使う方法を指定する。rgb_array を指定すると、env.render() が RGB の array を返してくれる。画像データを入力とする場合、これを用いることになる。

次に env.reset() を利用して、Cart Pole 環境を初期化する。observation は長さ 4 のベクトルで、先述の台車の位置、速度、棒の角度 (ラジアン[5])、角速度に対応している。

また、Gym には env.action_space.sample() という関数が用意されており、対応環境の行動をランダムに生成できる。Cart Pole の場合、0 (左に車を押す) か 1 (右に車を押す) の 2 値の数字を返してくる。行動を env.step() に渡すと、次の状態 observation、報酬 reward、ゲームオーバしたか否か terminated が得られる。

以上が Cart Pole の導入方法である。

では、具体的な課題の説明に移ろう。本章の課題は難易度に応じて 3 段階に分かれている。ただし、2 番目と 3 番目の課題は余裕のある読者のためのチャレンジ課題とする。

1. 配布資料にて、Cart Pole において取得できる 4 つの状態を入力としたニューラルネッ

---

[5] 角度の単位で、$360° = 2\pi$ ラジアン。ここで π は円周率である。

トを Q 関数の近似に用いて学習するコードを公開している。このコードを読んで理解し、ニューラルネットの構成を変えたとき学習がどう変化するのかを考察せよ。

2. 1 番目の課題に使ったコードをもとにして、Q 関数の近似に用いる方法をニューラルネットから、決定木やランダムフォレストなどに変更せよ。また、変更した方法で Cart Pole をクリアできるかどうかを検討せよ。

3. ゲーム画面を入力データとする CNN を Q 関数の近似に用いて、Cart Pole をクリアするエージェントを作成せよ。

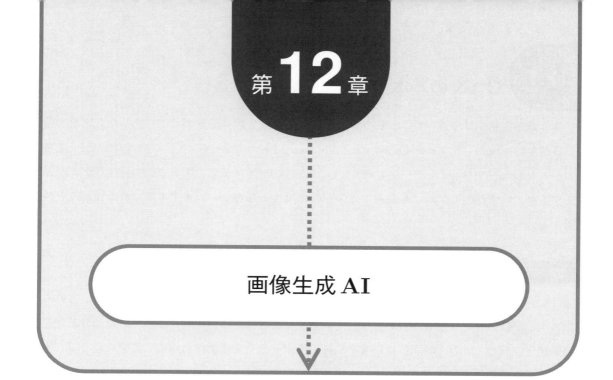

第 **12** 章

画像生成 AI

12.1　GANの基本

第5章から第7章で述べたニューラルネットワークは分類や予測が目的であった。本章で述べる敵対的生成ネットワーク (generative adversarial networks, GAN) は主に画像の生成を目的とするニューラルネットワークである。GAN には DCGAN 等の膨大な数の派生モデルが存在するが、いずれのモデルにも共通する学習の仕組みが存在する。まず本節でその仕組みを説明する。

12.1.1　GAN の構成

GAN は生成器 (generator) と識別器 (discriminator) という 2 つのネットを有する。これらのネットが競い合いながら学習を行う。この過程は真贋鑑定に例えられる。生成器は骨董作品の贋作を作成し、一方、識別器は真贋を見抜く役割を果たす。贋作の作成と鑑定を通じて、本物と瓜二つの贋作が作成されていく。生成器と識別器が互いを敵とみなして対立し、競い合っている。その様子が敵対的であるため、GAN は敵対的生成ネットワークと呼ばれる。

一度に全てのデータを使用する（バッチ学習という）場合、データセットが大きいとメモリ容量の制約や計算速度の低下が問題になる。そのため、識別器に入力する学習データを小さなサブセット（グループ）に分割して学習を行う手法（ミニバッチ）を用いる。

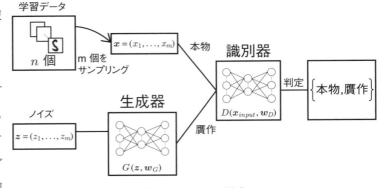

図 12.1 ● GAN の構成

いま、生成の元となる画像などの学習データが n 個あるとする。この n 個の学習データから m 個をサンプリングし、学習データのミニバッチ $\boldsymbol{x} = (x_1, \ldots, x_m)$ を作成

する。以下ではこの学習データのミニバッチ x を学習データと呼ぶ。骨董品鑑定であれば、学習データが本物の作品に相当する。

　生成器と識別器のネットの母数をそれぞれ w_G, w_D とする。生成器は、適当な確率分布から得た m 個のノイズ $z = (z_1, ..., z_m)$ をニューラルネットワークに入力することにより、その出力として生成データ $G(z, w_G)$ を生成する。生成データは骨董品鑑定の例における贋作に相当する。識別器は、贋作である生成データ $G(z, w_G)$ と本物である学習データ x の識別を試みる。識別器は入力 x_{input} が実データである確率 $D(x_{input}, w_D)$ を出力する。

　このように生成器と識別器が出力を行う度に母数の更新を繰り返すことで、次第に高度な生成と識別が可能になる。次項で学習に用いる具体的な誤差関数を定義し、続く項で母数が更新される仕組みを確認する。

12.1.2　GAN の誤差関数

　(5.22) 式の交差エントロピー誤差を用いて、識別器の誤差関数を定義する。学習データの誤差と生成データの誤差を別々に定め、それらの和が識別器全体での誤差関数となる。まず学習データについては、識別器の出力 $D(x_i, w_D)$ に 1、出力 $1 - D(x_i, w_D)$ に 0 という正解ラベルを与えると考えると

$$-\sum_{i=1}^{m}\{1 \cdot \log D(x_i, w_D) + 0 \cdot \log(1 - D(x_i, w_D))\} \tag{12.1}$$

である。生成データについては、識別器の出力 $D(G(z_i, w_G^*), w_D)$ に 0、出力 $1 - D(G(z_i, w_G^*), w_D)$ に 1 という正解ラベルを与えると考えて

$$-\sum_{i=1}^{m}\{0 \cdot \log D(G(z_i, w_G^*), w_D) + 1 \cdot \log(1 - D(G(z_i, w_G^*), w_D)\} \tag{12.2}$$

である。w_G^* という表記は、この後識別器の誤差関数の最大化を考える際に、生成器の母数 w_G が推定値 w_G^* に固定されていて最大化に寄与しないことを示している。以上の (12.1) 式と (12.2) 式の和

$$E_D = -\sum_{i=1}^{m} \{\log D(x_i, \boldsymbol{w}_D) + \log(1 - D(G(z_i, \boldsymbol{w}_G^*), \boldsymbol{w}_D))\} \tag{12.3}$$

が識別器の誤差関数である。

　続いて生成器の誤差関数を定義する。識別器が学習データと識別できない生成データを生成することが、生成器の目標である。そのため、学習データと生成データの和で定義された識別器の誤差関数とは異なり、生成器の誤差関数は生成データだけで定義される。識別器の出力 $D(G(z_i, \boldsymbol{w}_G), \boldsymbol{w}_D^*)$ に 0、出力 $1 - D(G(z_i, \boldsymbol{w}_G), \boldsymbol{w}_D^*)$ に 1 という正解ラベルを与えると考えると、生成器の誤差関数は

$$\begin{aligned}
E_G &= \sum_{i=1}^{m} \{0 \cdot \log D(G(z_i, \boldsymbol{w}_G), \boldsymbol{w}_D^*) + 1 \cdot \log(1 - D(G(z_i, \boldsymbol{w}_G), \boldsymbol{w}_D^*)\} \\
&= \sum_{i=1}^{m} \{\log(1 - D(G(z_i, \boldsymbol{w}_G), \boldsymbol{w}_D^*)\}
\end{aligned} \tag{12.4}$$

である。

　生成器と識別器は互いに相反する目的を持つため、生成器にとって望ましい状態 (本物そっくりの贋作を作成できる状態) は、識別器にとって望ましくない状態 (真贋の区別が困難である状態) である。従って、式 (12.3) と式 (12.4) はトレードオフの関係にある。

12.1.3　GAN の学習

　GAN の学習は、贋作の作成と鑑定を繰り返すように、識別器と学習器の学習を繰り返すことで進行する。この学習の繰り返しを確認する。

　識別器が機能しないことには生成器も学習できないため、識別器の学習から行う。識別器の誤差関数は (12.3) 式であった。まずは $G(z_i, \boldsymbol{w}_G^*)$ に注目する。生成器の母数 $\boldsymbol{w}_G^*$ は特定の値に固定されているため、適当な確率分布から発生させた z_i を与えれば、生成器のニューラルネットからの出力として $G(z_i, \boldsymbol{w}_G^*)$ が得られる。次に、こうして得られた $G(z_i, \boldsymbol{w}_G^*)$ と学習データ x_i を用いて、(12.3) 式の誤差関数を $\boldsymbol{w}_D$ に関して最小化する。

　識別器の 1 回目の学習が完了したので、次に生成器の学習を行う。生成器の誤差関数は (12.4)

式であった。今度は先ほど (12.3) 式の最小化において推定された母数を用いて $\boldsymbol{w}_D^*$ を特定の値に固定する。これによって (12.4) 式の誤差関数は $\boldsymbol{w}_G$ の関数になったので、$\boldsymbol{w}_G$ に関して最小化する。

以上で識別器と生成器の 1 回目の学習が完了した。2 回目の識別器の学習を行う。2 回目の識別器の学習は固定する母数 $\boldsymbol{w}_G^*$ の値を 1 回目の生成器の学習の結果得られた母数の値に更新するだけで、その他の手続きは同様である。続いて 2 回目の生成器の学習も同様である。固定する母数 $\boldsymbol{w}_D^*$ の値を 2 回目の生成器の学習において得られた値に更新する。これらの手続きを繰り返すことで、GAN の学習は進行する。

12.1.4　学習における工夫

GAN の学習は生成器と識別器をうまく競合させる必要があり、学習の繰り返しにおける序盤ではこれが困難であることが知られている。生成器の学習が進んでいない段階では、学習データ $\boldsymbol{x}$ と生成データ $G(\boldsymbol{z}, \boldsymbol{w}_G)$ は似ておらず、識別器は簡単に見分けてしまう。その結果、学習は十分に進行しない。数理的には、生成器の勾配が小さくなり、学習の効率が悪くなることを意味する。実際、(12.4) 式の勾配を合成関数の微分に注意して計算すると

$$\frac{\partial E_G}{\partial \boldsymbol{w}_G} = \sum_{i=1}^{m} \left\{ \frac{1}{1 - D(G(z_i, \boldsymbol{w}_G), \boldsymbol{w}_D^*)} \frac{-\partial D(G(z_i, \boldsymbol{w}_G), \boldsymbol{w}_D^*)}{\partial \boldsymbol{w}_G} \right\} \tag{12.5}$$

となる。学習の序盤には $D(G(\boldsymbol{z}_i, \boldsymbol{w}_G))$ は小さな値となっていることが想定されるため、微分にかかる係数は 1 に近い値をとってしまう。

これを解決するために (12.4) 式の最小化に代わって

$$E_G^* = -\sum_{i=1}^{m} \{ \log(D(G(z_i, \boldsymbol{w}_G), \boldsymbol{w}_D^*)) \} \tag{12.6}$$

の最大化を行うことが提案された。この勾配を計算すると

$$\frac{\partial E_G^*}{\partial \boldsymbol{w}_G} = -\sum_{i=1}^{m} \left\{ \frac{1}{D(G(z_i, \boldsymbol{w}_G), \boldsymbol{w}_D^*)} \frac{\partial D(G(z_i, \boldsymbol{w}_G), \boldsymbol{w}_D^*)}{\partial \boldsymbol{w}_G} \right\} \tag{12.7}$$

となり、$D(G(z_i, \boldsymbol{w}_G), \boldsymbol{w}_D^*)$ が小さな値を取る学習の序盤にも微分の係数は大きな値となり、大

きな誤差を逆伝播させることができる。このような誤差は非飽和な (non-saturating) 誤差と呼ばれ、GAN の学習に寄与している。この後の Python を用いた実装でもこの誤差を用いて学習を行う。

CGAN

2014 年に開発された CGAN(conditional GAN) は、GAN の生成器と識別器に条件データ（例：ラベル情報やテキスト情報）を追加することで、条件に応じたデータを生成できる GAN である。

12.2.1　CGAN の概要

通常の GAN では無条件でデータ生成を行っていたため、生成される画像やデータを制御しづらいという問題があった。GAN は、生成器と識別器の二つのニューラルネットワークが互いに競争しながら学習を進めるという方法でデータを生成するが、生成されるデータはランダムであり、特定の特徴や条件を持ったデータを生成することが難しかった。

具体例として、手書き数字の画像データセット（MNIST データセットなど）を用いた GAN の場合を考える。通常の GAN では、生成器は 0 から 9 までの数字をランダムに学ぶが、どの数字が生成されるかは予測できない。これは生成器がデータセットの特徴をランダムに組み合わせて新しい画像を生成するからである。つまり、通常の GAN では生成される数字が制御できず、任意の数字を生成することが難しい。

この問題を解決するために、CGAN が開発された。CGAN は、生成器と識別器に条件データを与えて訓練をする GAN で、条件付き GAN とも呼ばれる。これにより、制御可能なデータ生成が可能となり、多様な応用が期待されるようになった。CGAN の登場は、画像生成やテキスト生成など、様々な分野での研究や応用の発展に寄与している。

図12.2にCGANの全体像を示す。0～9の数字画像を条件データとして追加で与えてCGANに学習させた場合、数字の5を指定すると5の画像を生成することができる。

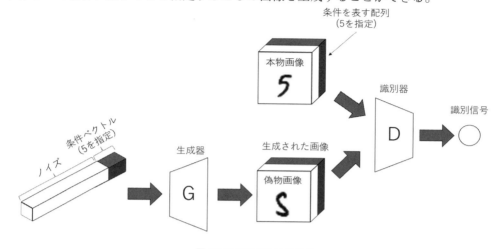

図 12.2●CGAN の全体像

12.2.2 CGAN の生成器と識別器

CGANにおいて、生成器と識別器を組み合わせる際に条件付けデータを追加することのメリットを、顔写真の生成を例に説明する。

通常のGANでは、生成器はランダムなノイズから顔画像を生成し、識別器は本物の顔画像と生成器で生成された画像を区別するように学習する。学習後の生成器が生成する画像は、提示された本物の顔画像に近い画像のみ生成できる。

一方、CGANでは、生成器はランダムなノイズに加えて、条件を指定することができる。例えば、20代の男性という条件を与え、その条件に合致する顔画像を生成する。同様に、識別器も入力画像が20代の男性であるかを正しく分類できるように学習する。学習後の生成器が生成する画像は、条件（例えば、20代男性、40代女性）を指定すれば、条件に基づいた顔画像を生成することができるようになる。

絵画であれば、生成時に条件として様々な画家（例えば、ゴッホやダリ）を与え、識別器も実

際の絵画（例えば、ゴッホの絵画やダリの絵画）を分類できるように学習すれば、ゴッホ風な絵画（図 12.3(a)）や、ダリ風の絵画（図 12.3(b)）を生成する生成器も作ることが可能である。

　このように、CGAN では、生成器と識別器が条件付けされることで、より現実的な出力が可能になる。学習ステップは、通常の GAN と同様である。

(a) 生成時にゴッホと指定　　　　　　　(b) 生成時にダリと指定

図 12.3●GAN で生成された画像

12.3　DCGAN

　この節では、GAN の改良版である DCGAN(deep convolutional GAN) について学ぶ。DCGAN は畳み込みネットワークを用いることで、より鮮明な画像を生成できるようになった GAN のモデルである。図 12.4 に DCGAN の構成を示した。GAN と同じく、画像の真贋を判定する識別器と、識別器を騙そうとする生成器が互いに競い合うことで学習が進む。

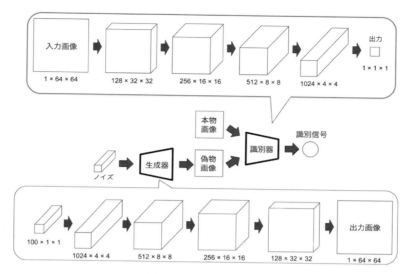

図 **12.4**●**DCGAN** の構造

画像生成の過程

生成器はランダムな数値ベクトルであるノイズを入力とし、画像を出力する。図 12.4 では列数 100 のノイズを入力としている。ノイズは 1×1 の画像であるとみなすことができ、それらの画像を後述の転置畳み込み (transposed convolution) により、$1 \times 1 \to 4 \times 4 \to \cdots \to 32 \times 32 \to 64 \times 64$ と拡大している。

図 12.4 の例では、64×64 の数値からなる行列が生成器の出力である。転置畳み込みは行列サイズを拡大する機能であり、生成モデルで画像を生成する際に頻繁に使用される。

図 12.5 に転置畳み込みの流れを示した。図の例では、2×2 の入力行列が最終的に 4×4 の行列に拡大されている。転置畳み込み層が行列サイズを拡大する際は以下のステップを踏む。

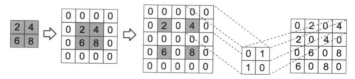

図 **12.5**●転置畳み込み

STEP 1　入力された行列の周囲に 0 が付置される。0 の周数はその層のカーネルの大きさによって変わる。通常は、カーネルの縦横それぞれ −1 の周数の 0 が加えられる。図の例では、カーネルの大きさは 2 × 2 であるため、入力画像の周りに 1 周だけぐるりと 0 が付置されている。

STEP 2　入力行列の要素間にも 0 が置かれる。これをストライドと呼ぶ[†1]。図中のストライドは 2 である。ストライド 1 の場合には、要素の間に 0 は置かれない。

STEP 3　カーネルを行列の各要素に適用し、行列を圧縮する。圧縮された行列の各要素に活性化関数を適用し、出力の行列を得る。

12.3.2　学習の流れ

　識別器は入力された画像を畳み込みネットワークにより少しずつ圧縮してゆく。畳み込みのプロセスは第 7 章の CNN と同様である。最終出力は 0 〜 1 の範囲をとる数値であり、入力画像が学習データである (生成データではない) 確率を表す。

　損失を得る流れは前の節と同様である。識別器に学習データと生成データを入力し、式 (12.3) により損失を求める。識別器のパラメータを更新した後、識別器に生成データを再度入力する。先述の式 (12.6) により生成器の損失を求め、パラメータを更新する。この一連の流れを繰り返すことで、生成器は本物に近い画像を生成できるようになる。

12.4　ESRGAN

　2018 年に開発された ESRGAN(enhanced super-resolution GAN) は、高品質な超解像度画像を生成できる GAN である。

[†1] 通常の畳み込みにおいてストライドとは、カーネルが何要素ずつずれるかという、移動の幅を指す。用語の意味の違いに注意。

12.4.1　超解像度画像とは

　超解像度画像 (super resolution image) とは、低解像度の画像を拡大した際に画質が低下する問題を補正し、高解像度の画像を出力する技術である。この技術を使うことで、モバイル端末や監視カメラなどで撮影された低解像度の画像を高品質に補正し、より詳細で鮮明な情報を得ることができる。超解像度画像は、医療画像や映像コンテンツなど、多くの分野で利用されている技術である。

12.4.2　ESRGAN の概要

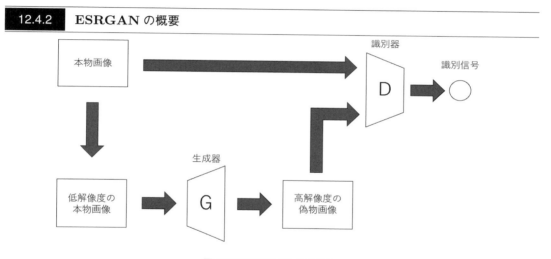

図 12.6●ESRGAN の全体像

　超解像度画像は、従来型のニューラルネットワークでも取り組まれていたが、解像度を向上させることで失われる画像の詳細情報の回復が困難であり、ぼやけた画像が生成されるという弱点があった。

　この弱点を解消したのが、超解像画像を GAN で生成する ESRGAN である。ESRGAN のアイディアは、図 12.6 に示すように、低解像度の画像を入力として生成器が高解像度の画像を生成し、識別器がその画像が本物か偽物かを判定するというシンプルなものである。

12.5　pix2pix

画像の持つ特徴を別の特徴に変換するタスクを領域変換と呼ぶ。本節で紹介する pix2pix というモデルは画像の領域変換を行う。

12.5.1　pix2pix の概要

pix2pix に可能なタスクの例として、線描から写真、白黒画像からカラー画像、昼の画像から夜の画像、衛星写真から地図への変換などが挙げられる。図 12.7 に領域変換の例を載せた。画像上段は線描から写真、中段はセマンティック画像[†2] から写真、下段は衛星写真から地図へと変換している。

図 12.8 に pix2pix の概観を示した。生成器は変換前の画像を受け取り、領域変換された画像を生成する。識別器は、変換前と変換後の画像ペアを結合したテン

図 12.7 ●pix2pix の例

ソルを入力として受け取る。従って、識別器に入力されるペアは変換前画像-真の変換後画像、そして、変換前画像-生成された変換後画像の 2 パターンである。出力は、入力が変換前画像-真の変換後画像ペアである確率である。学習が進むと、任意の画像に対して、クオリティの高い領域変換を行える生成器が得られる。

---

†2 重要な要素 (車や道路など) に属するピクセルを異なる色で表現した画像。

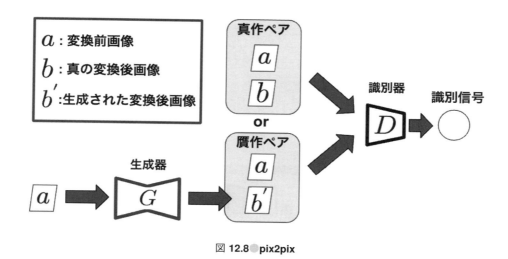

図 12.8●pix2pix

生成器

　生成器は画像を入力とし、領域変換を施した画像を出力する。pix2pix の生成器は入力画像を圧縮するエンコーダ層と圧縮された画像から出力画像を生成するデコーダ層に分けられる。エンコーダ層では、畳み込みを繰り返すことで入力テンソルを圧縮し、デコーダ層では転置畳み込みを繰り返し、最終的に入力画像と同じサイズのテンソルを生成する。

12.6　cycleGAN

　pix2pix に領域変換を学習させるためには、オリジナル画像と領域変換後の画像を 1 対 1 で用意する必要があった。しかし、そのような学習データの作成は容易でないことも多い。

　例えば、画像をゴッホ風の絵画に領域変換するためには、オリジナルの画像とゴッホ風絵画に変換された画像を一つ一つ用意しなければならない。pix2pix に伴うデータ作成の困難を解決する領域変換モデルが cycleGAN である。

12.6.1　学習と誤差関数

　cycleGAN が敵対損失を得る過程を図 12.9 に示した。モデルが学習に用いるデータは、領域 A に属する画像の集合と領域 B に属する画像の集合である (領域の例として、A には衛星写真の集合、B には地図画像の集合などが挙げられる)。学習ステップは以下の通りである。

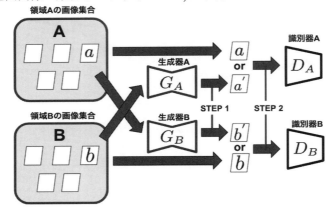

図 12.9●cycleGAN の全体像

STEP 1　画像が領域変換される。領域 A に属する画像 a が生成器 G_B に入力され、領域 B の特徴を持った贋作画像の b' が生成される (図 12.7 のように、衛星写真が地図画像に変換される)。式で表すと、$b' = G_B(a)$ である。また、反対の領域に対しても同様の処理がなされ、画像が生成される ($a' = G_A(b)$)。

STEP 2　識別器に画像が入力される。識別器 D_B は入力画像が領域 B に属する画像か否かを判断する。D_B には領域 B に属する本物の画像である b か、生成された b' が入力される。同様に、識別器 D_A には a か a' が入力される。

STEP 3　生成器は a' と b' が真作であると判定されるように、識別器は a' と b' を贋作、a と b を真作と判断できるように学習を進める。

　cycleGAN には敵対損失以外にサイクル一貫性損失という損失が存在する。

この損失は画像 a を b' に変換し、さらに b' を G_A に入力して得られる a'' がオリジナルの画像 a と変わらないことを担保する。

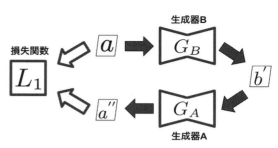

図 **12.10** サイクル一貫性損失

敵対損失のみでも、識別器が騙されるような a' や b' を生成することは可能であるが、図 12.7 のように変換前と変換後の画像が 1 対 1 に対応することは約束されない。学習データに欠けている 1 対 1 の対応関係はサイクル一貫性損失によって補われている。

サイクル一貫性損失を得る過程を図 12.10 に示した (図は a の場合のみを示した)。画像 a と b、そしてそれらを二つの生成器に入力した結果 a'' と b'' の L_1 損失が以下のサイクル一貫性損失である (A、B はそれぞれ画像群 A、B の画像の数を表す)。

$$E_{L_1} = \frac{1}{A} \sum_{i=1}^{I} |a_i - a_i''| + \frac{1}{B} \sum_{j=1}^{J} |b_j - b_j''| \tag{12.8}$$

$$a'' = G_A(G_B(a)) \tag{12.9}$$

$$b'' = G_B(G_A(b)) \tag{12.10}$$

12.7 StackGAN

2017 年に開発された StackGAN(stacked GAN) は、テキストから高解像度の画像を生成できる GAN である。StackGAN は 12.2 節で解説した CGAN の一種である。CGAN は、条件付き生成モデルとして知られ、テキスト情報などの条件データを利用して生成プロセスを制御することができる。しかし、CGAN は高解像度画像の生成において、生成された画像が不鮮明で、テキストに対応する細部まで再現することが難しいという問題がある。

この問題に対処するため、StackGAN は段階的な生成プロセスを導入することで、CGAN に

比べてより詳細で高品質な画像を生成することを目的として開発された。

12.7.1   StackGAN の概要

StackGAN は、2 つの段階で構成されている。図 12.11 に全体像を示す。

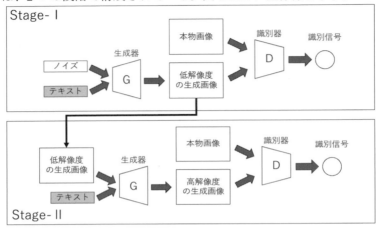

図 12.11●StackGAN の全体像

Stage-I   生成器は、テキスト説明に基づいて、オブジェクトの原始的な形状と色をスケッチし、ランダムノイズベクトルから背景を描画した低解像度の画像を生成する。また、Stage-I の識別器は生成された低解像度の画像と本物の画像を区別するように学習する。例えば、「黒い犬」というテキスト説明が与えられた場合、Stage-I の生成器は黒い犬の輪郭と基本的な色を描き、ランダムノイズベクトルから背景を描画する。

Stage-II   生成器は、Stage-I で生成された低解像度の画像を入力として受け取り、欠陥を修正し、詳細を追加して高解像度の画像を生成する。また、Stage-II の識別器は生成された高解像度の画像と本物の画像を区別するように学習する。例えば、前述した「黒い犬」に対して、Stage-II の生成器は黒い毛並みや目鼻立ちなどの詳細な特徴を追加し、高解像度の画像を生成する。

12.8 Stable Diffusion

これまで画像を生成する AI の仕組みとして GAN を紹介してきた。本節では、画像を生成するもう 1 つの仕組みとして拡散モデル (diffusion model) を紹介する。拡散モデルを用いた生成 AI は、テキスト (プロンプト) を受け取ると、その内容に見合った画像を生成する。これを text-to-image 生成という。たとえば「検察に収監されるトランプ元大統領」のような存在しない写真でもテキストから生成できる。図 12.12 は「スーパーヒーローのアインシュタイン」という日本語テキストを受け取った Stable Diffusion が生成した画像である。他に指示していないのに、イニシャル（あるいは有名な公式 $E = mc^2$）の E までもが背景に描かれている。

拡散モデルは、テキストからばかりではなく、画像やその他多くの表現からも画像を生成できる。また画像ばかりでなく 3D オブジェクト・音楽・動画等も生成できる。ただし本稿では、イメージし易くするために、テキストから画像を生成する過程に限定して拡散モデルを解説する。

OpenAI のダリ (DALL-E)、Leap Motion のミッドジャーニー (Midjourney)、Google のイマジン (Imagen) 等、拡散モデルは多数提案されている。ここでは、ソースコードとニューラルネットの重みが公開されている Stable Diffusion を紹介する。

図 **12.12**●スーパーヒーローのアインシュタイン

Stable Diffusion は、LAION-5B から取得した 50 億枚の画像と、その画像のタイトルのペアを学習した。学習は 2 つの過程に大別される。1 つはエンコード・デコードであり、もう一つは潜在拡散モデル (latent diffusion model) である。

12.8.1　学習過程 1-1 ── 変分オートエンコーダ

1 枚の画像 $x \in \mathbb{R}^{H \times W \times 3}$ は[3] 変換

$$z_0 = \varepsilon(x), \qquad ただし\ z_0 \in \mathbb{R}^{h \times w \times c} \tag{12.11}$$

によって潜在表現 z_0 に埋め込まれる。ε はエンコーダと呼ばれる。ここで $f = H/h = W/w$, $(f = 2^m, m$ は整数) である。たとえば $m = 5$ なら $f = 32$ であり、高さと幅の情報は、エンコーダによって 1024 分の 1 に圧縮される。3 番目の次元 c は試行錯誤的に決める。

圧縮された画像 z_0 は変換

$$\tilde{x} = \mathcal{D}(z_0) = \mathcal{D}(\varepsilon(x)) \tag{12.12}$$

によって、元画像 x に近い状態 $\tilde{x}$ に復元される。$\mathcal{D}$ はデコーダと呼ばれる。

(12.11) 式、(12.12) 式を模式化したのが図 12.13 の砂時計型ネットである。その本質は、自分自身を復元する第 9 章に登場したオートエンコーダである。オリジナルのオートエンコーダには分布の仮定がなく、$\tilde{x}$ を x に近づけるように最小 2 乗基準で重みを学習する。

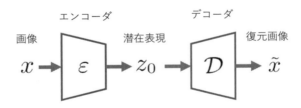

図 12.13 画像のエンコードとデコード

それに対して図 12.13 の砂時計型ネットは z_0 に標準正規分布を仮定しており、変分オートエンコーダ (variational auto encoder, VAE) と呼ばれる。分布を仮定することによって、学習過程 2 において尤度モデルを利用できる。

---

[3] $\in \mathbb{R}$ は、それが実数値であることを示している。x は、高さ H, 幅 W, 奥行き 3 である。3 次元目は RGB に対応している。

12.8.2　学習過程 1-2 ―― クリップ

たとえば変身するスーパーヒーローの画像 x には「変身するスーパーヒーロー」というテキスト y（見出し・タイトルともいう）がペアになっている。Stable Diffusion は画像ばかりでなく、画像のテキスト y を

$$\psi = \tau_\theta(y) \tag{12.13}$$

によって埋め込む (第 8 章参照)。ただし図 12.14 のように、画像の潜在表現 z_0 と画像内容の埋め込み表現 ψ の相関（ベクトル化されて z_0 と ψ のコサイン）が高くなるように y を変換する。これを言語とイメージの対照的な事前学習・クリップ (contrastive language-image pre-training, CLIP) という。

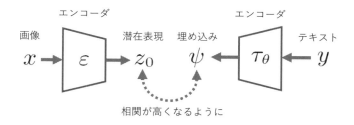

図 12.14●言語とイメージの対照的な事前学習

12.8.3　学習過程 2-1 ―― 拡散過程・ノイズ除去過程

(12.11) 式でエンコードされた画像の潜在表現 z_0 は、学習過程 2 において

$$z_0 \to z_1 \to z_2 \to \cdots \to z_{T-1} \to z_T \to z_{T-1} \to \cdots \to z_t \to z_{t-1} \to \cdots \to z_1 \to z_0$$

$$\underline{\hspace{3em} \text{拡散過程} \hspace{3em}} \quad \underline{\hspace{3em} \text{ノイズ除去過程} \hspace{3em}}$$

のように自分自身が再構築される。

前半部分の z_0 から z_T までを拡散過程 (diffusion process) という。徐々にノイズを加えて、完全なノイズ z_T を作る。拡散過程はノイズを付加するだけなので、最適化すべき母数（重み）

はない。後半部分の z_T から z_0 までをノイズ除去過程 (denoising process) という。この過程では加えたノイズを取り除き、元の潜在表現 z_0 を復元する。

12.8.4　学習過程 2-2 ―― ノイズ除去 U-Net　ϵ_θ

ノイズ除去過程の一般項 $z_t \to z_{t-1}$ の変換のためには、ノイズの予測が必要であり、

$$\epsilon_\theta(z_t, t, \psi), \quad t = 1 \cdots T \tag{12.14}$$

はノイズ除去 U-Net　ϵ_θ と呼ばれ、T 個ある。

ノイズ除去 U-Net　ϵ_θ は、模式図 12.15 のようなニューラルネットである。徐々にサイズが小さくなり、再び徐々に元のサイズに戻る様子がアルファベットの U の形に似てることから U-Net と呼ばれている。破線矢印は残差結合 (第 8 章参照) である。

ノイズ除去 U-Net　ϵ_θ は、ノイズ除去オートエンコーダと呼ばれることもあるが、自分自身を復元している訳ではない。z_{t-1} を基準変数、z_t と ψ と t を予測変数とするノイズの予測モデルであり、z_0 の復元に向かう 1 過程である。

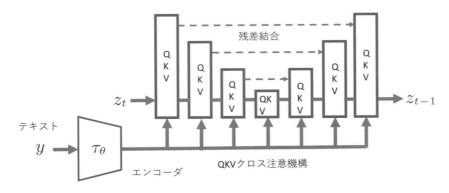

図 12.15●ノイズ除去 U-Net　ϵ_θ

12.8.5　学習過程 2-3 ―― QKV クロス注意機構

ノイズ除去 U-Net　ϵ_θ を構成する図 12.15 中のエレメントは、QKV クロス注意機構 (第 8 章

参照) である。QKV クロス注意機構は

$$\mathrm{cross\_attention}(\boldsymbol{Q}, \boldsymbol{K}, \boldsymbol{V}) = \mathrm{softmax}\left(\frac{\boldsymbol{Q}\boldsymbol{K}^T}{\sqrt{d}}\right) \cdot \boldsymbol{V} \tag{12.15}$$

であり、

$$\boldsymbol{Q} = \boldsymbol{W}_Q^{(i)} \cdot \varphi(z_t), \tag{12.16}$$

$$\boldsymbol{K} = \boldsymbol{W}_K^{(i)} \cdot \psi, \tag{12.17}$$

$$\boldsymbol{V} = \boldsymbol{W}_V^{(i)} \cdot \psi \tag{12.18}$$

である。ここで $\varphi(z_t)$ は、z_t の U-Net における中間表現を縦ベクトルにしたものである。

たとえばクエリ $\boldsymbol{Q}$ 含まれる画像中のスーパーヒーローの視覚的特徴は、キー $\boldsymbol{K}$ に含まれるテキスト「スーパーヒーロー」に注意を向かせ、バリュー $\boldsymbol{V}$ に含まれるテキスト「スーパーヒーロー」に重み付けられて画像情報が出力される。

12.8.6 　重み変更のための目的関数

z_t からノイズの一部を除去し、z_{t-1} に近づくような変換を実現するために、QKV クロス注意機構やエンコーダ τ_θ に含まれる重み θ がどのように学習されるかについて解説する。図 12.16 はノイズ除去拡散確率モデルのオリジナル論文[†4] からの引用である。右から左に拡散過程を、左から右にノイズ除去過程を示した。この図の添え字は、たとえば $T = 1000$ くらいのイメージである。

[†4] Ho,J., Jain,A., & Abbeel,P. (2020) Denoising diffusion probabilistic models. arXiv:2006.11239v2

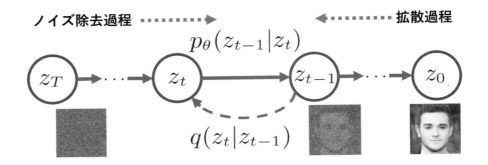

図 **12.16** ● 拡散過程とノイズ除去過程

z_{t-1} から z_t への拡散過程は

$$z_t = \sqrt{1-\beta_t}\, z_{t-1} + \sqrt{\beta_t}\, e, \qquad t = 1, \cdots, T \tag{12.19}$$

である。ここで e は標準正規分布に従うノイズである。β_t はノイズ計画 (noise scheduling) によって変化する。たとえば $\beta_1 = 10^{-4}, \cdots, \beta_T = 0.02$ が用いられ、ノイズの影響が初期には小さく次第に大きくする。初項 z_0 は標準正規分布に従うので分散は 1 である。右辺の 2 つの項の係数の 2 乗和が 1 なので、z_t の分散は t によらず全て 1 となり、拡散によって変化しない。

z_{t-1} で条件付けられた z_t の分布は、正規分布

$$q(z_t|z_{t-1}) = N(z_t|\ \sqrt{1-\beta_t}\, z_{t-1},\ \beta_t^2 \boldsymbol{I}) \tag{12.20}$$

である。$\boldsymbol{I}$ は単位行列であり、$\beta_t^2 \boldsymbol{I}$ はすべての変数が互いに独立で、分散が β_t^2 であることを示している。

導出は省略するが、z_t で条件付けられた z_{t-1} の分布も正規分布で、

$$p_\theta(z_{t-1}|z_t) = N\left(z_{t-1}\,|\,\mu_\theta(z_t, t, \psi),\ \beta_t^2 \boldsymbol{I}\right) \tag{12.21}$$

と表現することができる。分散は、本来なら最適化されるべきであるが、計算の負荷を減らすために、経験的に定数 β_t が選ばれている。$\mu_\theta(z_t, t, \psi)$ の導出には文献 [5] が詳しい。添え字 θ

---

[5] Luo,C. (2022) Understanding diffusion models: A unified perspective. arXiv:2208.11970v1

が付されている理由は、ここに母数 θ が含まれ、最適化されるからである。

一般式 (12.21) を用いると $z_0, \cdots, z_T$ の同時分布は

$$p_\theta(z_0, \cdots, z_T) = p(z_T) \prod_{t=1}^{T} p_\theta(z_{t-1}|z_t) \tag{12.22}$$

となる。復元すべき z_0 の尤度は、(12.22) 式を $z_1, \cdots, z_T$ で周辺化した

$$p_\theta(z_0|\theta) = \int \cdots \int p_\theta(z_0, \cdots, z_T) \, dz_1 \cdots dz_T \tag{12.23}$$

である。この式を最大化するように注意機構やエンコーダの重みを調節する。

12.8.7　学習過程のまとめ

図 12.17 に学習過程の前半部を示す。

- 画像 x はエンコーダ $\varepsilon(x)$ によって潜在表現 z_0 に埋め込まれる。
- 潜在表現 z_0 は拡散過程において、徐々にノイズが加えられ、完全なノイズ z_T となる。

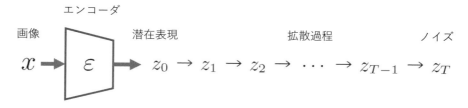

図 12.17●学習過程（前半）

図 12.18 に学習過程の後半部を示す。

- ノイズ除去 U-Net を T 回経ることによって、z_T から徐々にノイズが取り除かれる。
- 潜在表現 z_0 への復元の過程で画像の言語情報 y が紐づけられる。
- 潜在表現 z_0 はデコーダ $\mathcal{D}(z_0)$ によって復元画像 $\tilde{x}$ に変換される。

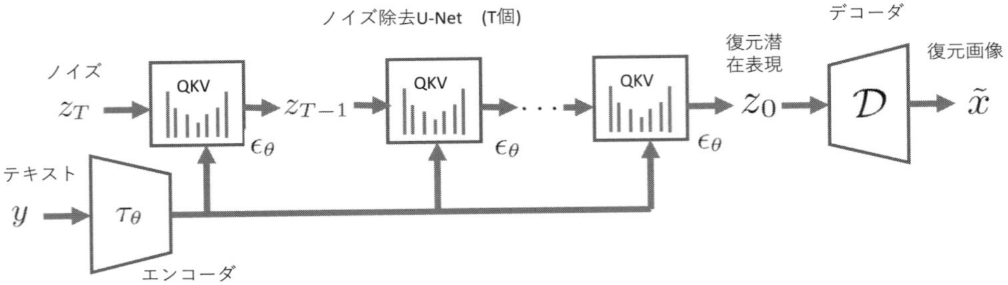

図 **12.18**●学習過程（後半）・**text-to-image** 生成

12.8.8　**text-to-image** 生成

　学習済の Stable Diffusion モデルは、テキストプロンプトを入力することによって、ゼロから新しい画像を生成する機能を備えている。図 12.18 は学習過程の後半部ばかりでなく、学習済のモデルが text-to-image 生成する過程をも示している。

　たとえば入力として「スーパーヒーローのアインシュタイン」という プロンプト y を与えたとする (z_T は純粋な正規乱数なのでユーザーが与える必要はない)。スーパーヒーローのようなアインシュタインは存在しないので、そのような画像は未学習である可能性が高い。しかし「スーパーヒーロー」「アインシュタイン」というプロンプトとそれに紐づいた画像の特徴が、それぞれに学習されているために、スーパーヒーローのようなアインシュタインの画像を生成することが可能になる。

　学習済の Stable Diffusion モデル (図 12.18) の容量のほとんどは、ニューラルネットの重みである。このため 8GB 以上の VRAM を持つ GPU を搭載した通常の PC で Stable Diffusion は実行可能である。ソースコードの公開という透明性とこの軽量さのゆえに、Stable Diffusion の亜種はネット上に無数に出現している。

12.9 Python による実装

12.2 節で紹介した DCGAN の実装を行う。ここでは、Fashion MNIST というデータセットを学習データとして用い、識別器が本物と見間違える画像を生成できるように学習する。初めに必要なライブラリをインポートする。また、ドライブへのマウントも行い、生成された画像やモデルの保存先フォルダを作成する。

```python
import torch, torchvision, os, random
import numpy as np
import matplotlib.pyplot as plt
import torch.nn as nn
import torch.optim as optim
import torch.utils.data
import torchvision.datasets as dset
import torchvision.transforms as transforms
import torchvision.utils as vutils

# Google ドライブにマウント，フォルダーを移動
from google.colab import drive
drive.mount('/content/MyDrive')
%cd '/content/MyDrive/'
```

今回学習データとして使用するデータセットをダウンロードし、`dataloader` インスタンスを作成する。

```python
# データの整形を行う transform インスタンス
transform = transforms.Compose([
    transforms.ToTensor(),
    transforms.Normalize((0.5,), (0.5,))])

# FashionMNIST をダウンロード
dataset = dset.FashionMNIST(root='./fasion-mnist', train=True,
    transform=transform,
    download=True)

dataloader = torch.utils.data.DataLoader(dataset, batch_size=128,
    shuffle=True, num_workers=2)
device = torch.device("cuda:0" if torch.cuda.is_available() else "cpu")
```

上記のコードの `transform` はデータセットを読み込む際に、データの整形を行う。2 つの要素から構成されており、`ToTensor` は `numpy` の `ndarray` 型である画像データを PyTorch で扱いやすいように `torch.tensor` 型に変換する。`Normalize` は平均 0.5、標準偏差 0.5 でデータを標準化することにより、データのとる値を $-1 \sim 1$ の範囲に収めている[6]。標準化により、

---

[6] 標準化前のデータは $0 \sim 1$ の値をとる。

ネットの学習効果が高くなる。その後はデータセットをダウンロードし、ミニバッチサイズ 128
でデータローダを作成している。

　今回使用する Fashion MNIST は服やバッグや靴などの 9 種類のラベルを持つ 1(チャンネル)
× 28 × 28 の画像から構成されている。ここでは 60000 枚の学習データを使用し、学習を行う。

　次に、モデルを定義する。生成器を以下のように定義する

```python
class Generator(nn.Module):
    def __init__(self, nz=100, out_ch=1, ngf=64):
        super().__init__()
        self.main = nn.Sequential(
            self.gen_layer(in_ch=nz, out_ch=ngf*4,
                            kernel_size=3, stride=1, padding=0), #1 × 1 → 3 × 3
            self.gen_layer(ngf*4, ngf*2, 3, 2, 0), #3 × 3 → 7 × 7
            self.gen_layer(ngf*2, ngf, 4, 2, 1), #7 × 7 → 14 × 14
            self.gen_layer(ngf, out_ch, 4, 2, 1, last=True, normalize=False), #14 × 14 → 28 × 28
            )

    def gen_layer(self, in_ch, out_ch, kernel_size, stride, padding, last=False, normalize=True):
        activation = nn.ReLU(True)
        batchnorm = nn.BatchNorm2d(out_ch)
        if last == True:
            activation = nn.Tanh()
        if normalize == False:
            batchnorm = nn.Identity()

        return nn.Sequential(
            nn.ConvTranspose2d(in_ch, out_ch, kernel_size, stride, padding, bias=False),
            batchnorm,
            activation)

    def forward(self, z):
        return self.main(z)
```

　Generator クラスは gen_layer() というメソッド関数を持っている。gen_layer() は引数
に入力チャンネル数、出力チャンネル数、カーネルサイズ、ストライド、パディング、最終層か
否か、バッチ正規化を行うか否かをとる。関数内では活性化関数 ReLU(最終層の場合は Tanh)
とバッチ正規化関数 (normalize=True の場合) が用意される。その後、引数の値を利用して作
成された転置畳み込み層と先程の 2 つの関数が nn.Sequential() でまとめられ、出力される。
また、normalize=False の場合には batchnorm 変数に nn.Identity が格納されるが、これは
何もしない関数であり、上記のように使用することでネットを構成しやすくなる。gen_layer()
の出力が積み重なることで、ノイズから画像を生成する機能を生成器に持たせることができる。

　識別器は以下のように定義される

```
class Discriminator(nn.Module):
    def __init__(self, input_ch=1, ndf=64):
        super().__init__()
        self.main = nn.Sequential(
            self.disc_layer(input_ch, ndf, 4, 2, 1, normalize=False), #28 × 28 → 14 × 14
            self.disc_layer(ndf, ndf*2, 4, 2, 1), #14 × 14 → 7 × 7
            self.disc_layer(ndf*2, ndf*4, 3, 2, 0), #7 × 7 → 3 × 3
            self.disc_layer(ndf*4, 1, 3, 1, 0, last=True, normalize=False), #3 × 3 → 1 × 1
            )
    def disc_layer(self, in_ch, out_ch, kernel_size, stride, padding, last=False, normalize=True):
        activation = nn.LeakyReLU(0.02, inplace=True)
        batchnorm = nn.BatchNorm2d(out_ch)
        if last == True:
            activation = nn.Sigmoid()
        if normalize == False:
            batchnorm = nn.Identity()
        return nn.Sequential(nn.Conv2d(in_ch, out_ch, kernel_size, stride, padding, bias=False),
                             batchnorm,
                             activation)

    def forward(self, input):
        out = self.main(input)
        return out.squeeze()
```

識別器も基本構成は生成器と同じく、**disc_layer()** が主要な構成要素を作成し、それを **nn.
Sequential** でまとめている。**gen_layer()** との違いは、作成される層が畳み込み層であるこ
とと、活性化関数に LeakyReLU[†7] とシグモイド関数が使用されている点である。識別器の出
力は **squeeze()** 関数を使い、サイズがミニバッチ数のベクトルに変換している。

　これより、学習の準備に入る。モデルのパラメータを初期化する関数を定義し、生成器と識
別器両方に適用する。

```
# モデルパラメータを初期化する関数
def weights_init(m):
    classname = m.__class__.__name__
    if classname.find('Conv') != -1:
        nn.init.normal_(m.weight.data, 0.0, 0.02)
    elif classname.find('BatchNorm') != -1:
        nn.init.normal_(m.weight.data, 1.0, 0.02)
        nn.init.constant_(m.bias.data, 0)

netG = Generator().to(device) # モデルのインスタンスを作成し、GPU に載せる。
netG.apply(weights_init) # パラメータを初期化

netD = Discriminator().to(device)
netD.apply(weights_init)
```

また、以下のように誤差関数と最適化手法を定義する。

[†7] ReLU は入力が 0 以下の場合には出力が 0 になるのに対し、LeakyReLU では入力が 0 以下の場合は 0.01 な
ど小さな値を掛けて返す。入力が 0 の場合でも勾配が消失せず、学習を進めることができる利点がある。

```
criterion = nn.BCELoss() # 誤差関数 (バイナリークロスエントロピー)

#識別器、生成器それぞれのオプティマイザー
lr, beta1 = 0.0002, 0.5 # 学習率、アダムオプティマイザーのパラメータ設定
optimizerD = optim.Adam(netD.parameters(), lr=lr, betas=(beta1, 0.999), weight_decay=1e-5)
optimizerG = optim.Adam(netG.parameters(), lr=lr, betas=(beta1, 0.999), weight_decay=1e-5)
```

以下より、実際にモデルの学習を行う。学習はバッチをミニバッチに分け、各ミニバッチ毎に
モデルのパラメータを更新する。全てのミニバッチ学習が終了したら、同じプロセスをエポッ
ク数だけ繰り返す。

```
# 結果を保存するフォルダーを作成
result_folder = "DCGAN_result"
img_folder = "img"
weights_folder = "weights"
os.makedirs(os.path.join(result_folder, img_folder), exist_ok=True)
os.makedirs(os.path.join(result_folder, weights_folder), exist_ok=True)

n_epoch = 10; nz = 100 #エポック数とノイズのサイズ
fixed_noise = torch.randn(128, nz, 1, 1, device=device) # 生成画像を確認するための固定ノイズ

for epoch in range(n_epoch):
  for itr, data in enumerate(dataloader):
      # 識別器のパラメータ更新
      netD.zero_grad()
      real_image = data[0].to(device) #本物画像
      batch_size = real_image.size(0) #バッチのサイズ
      noise = torch.randn(batch_size, nz, 1, 1, device=device) #バッチ数×ノイズ数× 1 × 1 のノイズテ
ンソル
      fake_image = netG(noise) #生成画像
      real_label = torch.full((batch_size,), 1., device=device) #本物画像用のラベル
      fake_label = torch.full((batch_size,), 0., device=device) #生成画像用のラベル
      D_out_real = netD(real_image)    #識別器の出力 (本物画像)
      D_err_real = criterion(D_out_real, real_label)   #識別器損失 (本物画像)

      D_out_fake = netD(fake_image.detach())  #識別器の出力 (生成画像)
      D_err_fake = criterion(D_out_fake, fake_label) #識別器損失 (生成画像)

      D_err = D_err_real + D_err_fake      # 識別器の全体損失
      D_err.backward()      # 誤差逆伝播
      optimizerD.step()     # 識別器のパラメーター更新

      # 生成器のパラメータ更新
      netG.zero_grad() #勾配を初期化
      D_out_fake = netD(fake_image) #パラメータ更新後の識別器の出力 (生成画像)
      G_err = criterion(D_out_fake, real_label) #生成画像を本物と偽り、損失を算出
      G_err.backward() # 誤差逆伝播
      optimizerG.step() # 生成器のパラメータを更新

      if itr == 10:
        print(f"""
          epoch:{epoch}, iteration:{itr}
          識別器損失:{D_err.item()},
             real_mean:{D_err_real.mean().item()}, fake_mean:{D_err_fake.mean().item()}
          生成器損失:{G_err.item()}, mean:{D_out_fake.mean().item()}
          """)
```

```
#生成画像の確認&保存
fixed_fake = netG(fixed_noise)
vutils.save_image(fixed_fake.detach(), f'{result_folder}/img/img_epoch{epoch}.png',
                  normalize=True, nrow=10)
# 学習した重みを保存
torch.save(netG.state_dict(), f'{result_folder}/weights/netG_epoch{epoch}.pth')
torch.save(netD.state_dict(), f'{result_folder}/weights/netD_epoch{epoch}.pth')
```

　学習では、識別器と生成器のパラメータを交互に更新する。初めに、識別器に本物画像と生成画像をそれぞれ入力し、損失を求める。誤差逆伝播を経て識別器のパラメータを更新したら、更新された識別器を用いて、再度生成画像の損失を得る。この際、識別器が生成画像を本物であると誤認するように、生成画像と本物ラベルを誤差関数に入力する。得られた損失を用いて生成器のパラメータを更新する。このプロセスを繰り返すことで、生成器はより本物に近い画像を生成できるようになるのである。

12.10 課題

　本章では、「スーパーヒーローのコスチューム」と「アインシュタイン」を組み合わせて画像を生成した。このような組み合わせは、現実では起こりえず、明らかに私達の想像の産物である。私たちが心に思い描くイメージを一瞬にして作り上げることができる点は、画像生成 AI の恩恵の一つであろう。本章の課題として、先のアインシュタイン画像のように、現実には起こり得ない要素の組み合わせを描いた画像を生成してみよう。現在 Stable diffusion をはじめとして、言語から画像を生成するソフトウェアは多数存在する。画像生成にはそれらのソフトを利用できる。また、生成時には想像にできるだけ近づくように、ぜひプロンプトを工夫し試行錯誤してみて欲しい。

索　引

■編著者紹介

豊田秀樹
（とよだひでき）

1961 年 東京都に生まれる。

1989 年 東京大学大学院教育学研究科（教育学博士）。

日本行動計量学会優秀賞（1995 年），日本心理学会優秀論文賞（2002 年，2005 年）受賞。

イリノイ大学心理学部客員研究員などを経て，

現　在　早稲田大学文学学術院教授。専門は心理統計学，マーケティングサイエンス。

研究の合間の映画鑑賞が無上の楽しみ。

主な著書：『共分散構造分析［入門編］—構造方程式モデリング—』

『共分散構造分析［応用編］—構造方程式モデリング—』

『共分散構造分析［技術編］—構造方程式モデリング—』（編著）

『共分散構造分析［疑問編］—構造方程式モデリング—』（編著）

『共分散構造分析［理論編］—構造方程式モデリング—』

（以上，朝倉書店）

『共分散構造分析［事例編］—構造方程式モデリング—』（編著，北大路書房）

『SAS による共分散構造分析』（東京大学出版会）

『原因を探る統計学—共分散構造分析入門—』（共著，講談社ブルーバックス）

『共分散構造分析［Amos 編］—構造方程式モデリング—』

『共分散構造分析［R編］—構造方程式モデリング—』

『購買心理を読み解く統計学——実例で見る心理・調査データ解析 28』

『データマイニング入門—Rで学ぶ最新データ解析—』

『検定力分析入門—Rで学ぶ最新データ解析—』

『回帰分析入門—Rで学ぶ最新データ解析—』

『因子分析入門—Rで学ぶ最新データ解析—』

『もうひとつの重回帰分析—予測変数を直交化する方法—』

（以上，編著，東京図書）　　　　　　　　　　　　　　　　他，多数

●カバーデザイン＝高橋　敦（LONGSCALE）
●カバーイラスト＝ Stable Diffusion に「ヨガをするロボット」というプロンプトを与えて生成した画像

人工知能入門
（じんこうちのうにゅうもん）
——初歩から GPT ／ 画像生成 AI まで——
（しょほ）（がぞうせいせい）

2023 年 12 月 25 日　第 1 刷発行　　©Toyoda Hideki 2023
Printed in Japan

編著者　豊田秀樹
発行所　東京図書株式会社
〒 102-0072 東京都千代田区飯田橋 3-11-19
振替 00140-4-13803 電話 03(3288)9461
http://www.tokyo-tosho.co.jp

ISBN 978-4-489-02416-0

●AI 時代の初心者のためのデータ分析入門

文系ビジネスパーソンのための
データ分析入門
― 分析手法からケーススタディまで ―

畠 慎一郎・渋谷直正 著　B5 判変形 定価 2200 円　ISBN 978-4-489-02323-1

AI 時代の到来、とはいうもののこれからデータ分析をはじめようとしても何からはじめたらよいのか。データ分析の基本的な紹介、選択すべきデータ分析製品、ケーススタディを通した実践的なデータ活用例など、初心者向けのガイド本として構成。補章では無償で利用できる「Orange(オレンジ)」について、基本的な操作とともに解説を行う。文系出身のビジネスパーソン向け。

●この人の発言は論理的に正しいのか？　正しくないのか？　その根拠は何か？
　そもそも自分は論理的に考えられている？

論理と言葉の練習ノート
― 日々の思考と AI をつなぐ現代の必須科目 ―

川添 愛 著　A5 判　定価 2420 円　ISBN 978-4-489-02368-2

何気なく使っている、「論理」と「言葉」。
それは、人間が生きるためのキホン。
AI 時代の今、その仕組みを知るための「必須科目」でもあるのです。
言語学の枠の内外で活躍する著者が、読者をいざないます。

東京図書

● ディープラーニングや画像認識をはじめて学ぶ人のための入門書

高校数学で学ぶディープラーニング
― 画像認識への入門コース ―

竹内 淳 著　A5判　定価2860円　ISBN 978-4-489-02389-7

「パソコンで実際に操作してみたい！」「勾配降下法、誤差逆伝播法、CNN、RNN とか、何なの？」そんな方のための本です。

必要な知識は高校数学レベルにとどめ、つまずきがちな数式も途中の計算まで詳しく説明しています。

「Python やプログラミングがはじめて」という方も、ぜひどうぞ！

● 『Machine Learning for Absolute Beginners 第3版』の、はじめての日本語訳

予備知識ゼロからの機械学習
― 最新ビジネスの基礎技術 ―

オリバー・セオバルト 著
河合美香・森 一将・渡邉卓也・平林信隆・鈴木俊洋 訳
A5判　定価2420円　ISBN 978-4-489-02357-6

現代世界のスタンダードとなった機械学習。「機械学習とは何か」についての入門書である本書は、機械学習について全く知らない「普通の大人や学生」である初心者向けに書かれました。文系理系を問わず、微分積分やベクトル等に慣れていない読者にもお薦めです。データの準備から回帰分析・クラスター分析・サポートベクターマシン・ニューラルネットワークまでを、ひととおり学べます。

東京図書